Jacqueline

La revenante

Nous remercions la SODEC
et le Conseil des Arts du Canada
de l'aide accordée à notre programme de publication
ainsi que le gouvernement du Québec
– Programme de crédit d'impôt
pour l'édition de livres –
Gestion SODEC.

 Patrimoine   Canadian
canadien   Heritage

  Conseil des Arts   Canada Council
du Canada   for the Arts

Nous reconnaissons l'aide financière
du gouvernement du Canada
par l'entremise du Fonds du livre du Canada
pour nos activités d'édition.

Conception et réalisation de la couverture :
Michel Cloutier

Montage de la couverture :
Grafikar

Édition électronique :
Infographie DN

Les Éditions Pierre Tisseyre aimeraient remercier
Madame Rachel Tremblay de l'entreprise Cybèle Perruques
pour son travail et ses conseils.

Membre de l'Association nationale des éditeurs de livres   ASSOCIATION NATIONALE DES ÉDITEURS DE LIVRES

Dépôt légal : 3e trimestre 2012
Bibliothèque nationale du Canada
Bibliothèque nationale du Québec

1234567890 IM 098765432

Daniel Lessard

La revenante

roman

**ÉDITIONS
PIERRE TISSEYRE**
w w w . t i s s e y r e . c a

155, rue Maurice
Rosemère (Québec) J7A 2S8
Téléphone : 514-335-0777 – Télécopieur : 514-335-6723
Courriel : info@edtisseyre.ca

**Catalogage avant publication
de Bibliothèque et Archives nationales du Québec
et Bibliothèque et Archives Canada**

Lessard, Daniel, 1947 19 févr.-

   Maggie : roman

   ISBN 978-2-89633-220-5 (v. 2)

   I. Titre

PS8623.E868M33 2011   C843'.6   C2011-941436-8
PS9623.E868M33 2011

À Debra, à Christian, à Charles-Adrien
et à ma tante Marie-Marthe Pépin-Lessard,
la première femme élue mairesse
en Beauce en 1981.

1

Mars 1940

Le choc est violent. La porte branle sur ses gonds. La statue de la Vierge vacille. Fragile plâtre blanc et bleu. Maggie et Mathilde échangent un long regard.

— Sainte bibitte, dit Mathilde. Tu m'parles d'un barda!

Un oiseau venu s'écraser contre la porte? Une corneille? Des enfants qui s'amusent à jouer des mauvais tours? Lentement, Maggie se lève et va à la fenêtre. Le printemps se distille en fines rigoles le long du rang-à-Philémon. Le jour s'enlise derrière la grange d'Eugène Loubier.

— Tu voués queque chose? demande Mathilde.

— Non, rien, fait Maggie. Ça doit être les enfants qui sont excités par l'printemps.

Elle se dirige vers la porte, tire le rideau du doigt. Toujours rien. Doucement, elle baisse la clenche, ouvre et s'arrête. Elle a un haut-le-cœur. Le cadavre d'un gros chat roux gît devant la porte. Le nez ensanglanté, raide mort. «Le chat de ma tante», pense Maggie, sans se retourner, pour ne pas alerter la malade. Quel imbécile a pu commettre un acte aussi cruel? Pourquoi? Un instant, Maggie revoit le village tel qu'elle l'a quitté il y a vingt et un ans. Tant de gens la détestaient. Se peut-il que, trois jours seulement après son retour, ses adversaires d'hier aient repris le collier et juré de la chasser de nouveau? Elle repousse aussitôt cette idée farfelue.

— Que c'é ça? demande Mathilde.

Maggie réfléchit un instant et choisit de ne rien dévoiler à Mathilde. Quand elle le cherchera, elle lui fera croire que son chat est encore une fois parti «courir la galipote»!

— J'la voué, prétend Maggie, c'é une grosse corneille qui s'é écrasée dans la porte. J'mets mon manteau, pis m'en vas la j'ter dans l'bois.

— Une corneille? Sainte bibitte, ça m'surprend, rétorque la vieille femme.

Les corneilles sont des oiseaux intelligents. Difficile de les piéger ou de les attraper. Elles détectent le danger à des milles à la ronde.

— Peux-tu ben m'dire pourquoi a l'é v'nue s'éjarrer dans porte?

Maggie invente une réponse. Corneille égarée. En panique, elle s'est écrasée contre la porte. Mathilde branle la tête, moue résignée aux lèvres. Maggie enfile manteau, gants, bottes et sort de la maison. Elle attrape le chat mort par la queue, s'éloigne le plus possible et le lance de toutes ses forces dans la forêt. Au retour, elle suit des traces de pas dans la neige qui la conduisent dans le sous-bois. Les traces sont nombreuses. Mêlées à celles des enfants, il est impossible d'en déterminer l'origine. Avant de rentrer, Maggie roule une grosse boule de neige, chiffon improvisé pour effacer les taches de sang sur la porte et la galerie.

— J'ai toujours haï les corneilles, déclare-t-elle en rentrant. Domina avait coutume de dire qu'y apportaient l'malheur quand y arrivaient trop vite au printemps. Faut dire que Domina avait peur de toute.

Peu rassurée, Mathilde esquisse un sourire ténu. Une corneille qui vient mourir à sa porte, n'est-ce pas le présage de sa propre mort?

— Tu veux manger un peu? demande Maggie.

L'autre acquiesce d'un petit coup de tête. Péniblement, elle s'extirpe de sa chaise et s'approche de la table.

— J'te dis qu'j'sus contente en sainte bibitte que tu soueilles v'nue m'aider à finir mes jours. J'commence à être éclanche pas pour rire!

Cheveux argentés attachés en chignon, lacis de rides au visage, les veines des mains saillantes, belle de tant d'années, Mathilde fait son âge. «Vous avez la maladie de la vieillesse», lui a déclaré bêtement le docteur. De plus en plus souvent, Mathilde a des trous de mémoire. Elle devient parfois confuse, incohérente.

— Dis pas ça, ma tante, tu vas filer encore un bon boutte. Pis, j'sus pas pressée de r'partir, t'as pas à t'ronger les sangs.

Trois jours plus tôt, Maggie est arrivée de Québec, bagages en mains, pour accompagner sa tante dans son dernier virage. Quand le docteur Morin l'a appelée, le diagnostic était sombre. «Mathilde en a pour quelques semaines. Au mieux, deux ou trois mois.» Maggie ne s'est pas fait prier. Depuis la mort de Walter, un an plus tôt, elle s'ennuie à Québec. Mathilde la tire de sa rêverie.

— Même si t'as parlé d'Domina, pis que l'bon Dieu aille son âme, le fait d'être de r'tour par icitte doit t'faire encore plus penser à ton Walter?

Maggie ébauche un sourire triste. Walter est chevillé à sa peau, boulonné dans son cœur. Il est mort à la suite d'une longue maladie, les poumons carbonisés. Depuis son arrivée, plein d'images sourdent devant ses yeux. Tout lui rappelle Walter. La margelle du puits d'Exior-à-Archilas, le froid du rang des Merisiers où il l'attendait, sa bouche sur la sienne derrière la maison de ses parents, le clocheton de la Mitaine. L'oubliera-t-elle jamais?

— Y était consomption ben raide. Le docteur a dit qu'c'était une pleurésie qu'y avait attrapée pendant la guerre, pis qui avait pas été soignée comme y faut. Y a ben souffert à la fin. Y respirait comme un taureau, pis y s'étouffait tout l'temps. Y méritait pas d'mourir comme ça.

Le regard de Maggie se perd dans le vide, les mots collés au fond de la gorge. Mathilde dévisage sa nièce. Elle n'a pas vraiment changé. Fin trentaine, elle est plus belle, plus attirante encore. Cette crinière de feu, ce pétillement de rousseur aux joues, la pulpe de ses lèvres et le vert de ses yeux vifs. Cet air frondeur d'Irlandaise qui a tant fait rager les bonnes âmes avant son départ de Saint-Benjamin.

— T'as pas eu à l'idée de l'faire enterrer dans la Cabarlonne? demande Mathilde.

Maggie se raidit, l'aigreur au visage.

— Jamais, *never*! comme disait Walter. Jusqu'à sa mort, son père a r'fusé d'lui pardonner. J'y ai envoyé une lettre deux semaines avant la mort de Walter, pis y a jamais répondu. J'ai jamais vu un *bloke* comme lui!

— Un *bloke*? répète Mathilde.

Maggie sourit.

— C'é comme ça qu'on appelle les Anglais à Québec. Des *blokes*! Des têtes carrées! Ça faisait ben rire Walter qui était pas plus *bloke* que moé pis toé!

Deux petits coups sont frappés à la porte. Maggie sursaute. Une image lui revient en tête. Le signal de Fred Taylor quand il venait voir Aldina à l'école. Aldina, son institutrice morte gelée d'avoir trop aimé un protestant.

— Entrez! crie Mathilde.

Un homme d'une trentaine d'années, grand, larges épaules, cheveux noirs ondulés, le visage sérieux, beau, d'immenses yeux bruns inquisiteurs, entre dans la maison. Il dévisage Maggie et remet à Mathilde un paquet enveloppé dans un vieux journal.

— J'vous apporte du lard pis des galettes, dit Athanase Lachance, d'une voix forte et grave qui surprend Maggie.

— Merci ben gros, Thanase. Ça va nous faire un bon r'pas. Tu connais ma nièce? demande Mathilde.

— Ben non, creusse, j'ai pas c't'honneur-là.

Il s'approche de Maggie et lui serre la main. Athanase Lachance, arrivé à Saint-Benjamin il y a cinq ans, ne la connaît pas. Il ignore tout du drame qui s'est joué il y a vingt ans. La beauté de Maggie Miller le trouble.

— Vous êtes par icitte pour un boutte d'temps?

Maggie hausse les épaules, sourit et n'a pas le temps de répondre.

— Pas ben longtemps, dit Mathilde. A va m'aider à faire une belle mort, pis a va r'partir pour Québec.

— Dis pas ça, ma tante!

La vieille femme grimace en se rencognant dans sa chaise.

— Pis toé, Thanase, t'as toujours envie de t'présenter comme maire ou ben tu disais ça pour rire l'aut' jour? enchaîne Mathilde.

Ragaillardi par un sujet de conversation qui le passionne, tenté par la politique municipale, Athanase devient soudainement volubile.

— Faudrait ben qu'quequ'un s'présente contre Romain Nadeau. C'é un creusse d'incompétent, un faible qui prend pas de décisions, pis qui a peur d'une mouche. Y a pas pire suivant-cul! Y s'fait m'ner par l'boutte du nez par une p'tite gang de faignants qui sont en train d'épouvanter l'village.

— C'é quand les élections? s'enquiert Maggie.

— Dans queques mois. Pis vous aurez peut-être l'droit d'voter. Y paraît que l'gouvernement à Québec va passer une loi pour donner l'vote aux femmes.

— Sainte bibitte, moé, j'sus contre ça, se récrie Mathilde. Les femmes ont pas d'affaire à voter. Y connaissent rien dans la politique pis toutes ces affaires-là.

Maggie refrène son indignation. À Québec, dans «la grande ville», le vote des femmes fait consensus, mais dans les campagnes, sous l'influence du clergé, la résistance est forte.

— Ma tante, rétorque Maggie sur un ton doux-amer, partout dans le Dominion, les femmes peuvent voter. Pis au Québec, on a droit de voter au fédéral pis pas au provincial. C'é niaiseux! Voulez-vous ben m'dire pourquoi?

— Y paraît que monseigneur Villeneuve é ben contre, insiste Mathilde. Y prédit qu'les femmes en votant vont détruire les familles. Pis, j'sus ben d'accord avec lui.

— Ben voyons donc, ma tante, y é ben arriéré, mon-seigneur Villeneuve ! Y pense-t-y qu'on é plus codindes qu'les hommes ?

— Sainte bibitte, parle pas comme ça d'monseigneur ! Le vieux curé disait la même chose avant d'partir. Pis y paraîtrait même que l'pape Pie XII é ben contre ça lui-tou.

Le curé ? Maggie s'insurge. La seule évocation du curé lui donne des frissons dans le dos. Elle revoit Antonio Quirion, le tyran. Le fracas de ses bottes entre les pupitres. Sa méchanceté pointée sur un élève vulnérable. Elle bat en retraite. Pourquoi s'engager dans cette voie, faire ce débat ? Sa tante ne changera pas d'idée. Elle n'est que le porte-voix de nombreuses femmes qui, étonnamment, sont parmi les plus virulents opposants au vote féminin. Athanase assiste à la scène sans parler. En désaccord avec le vote des femmes, il n'ose pas le dire pour ne pas contrarier Maggie.

— Pis vous, Athanase, vous êtes en accord avec ça ?

Le *vous* de Maggie l'intimide, établit la distance entre les deux. Tête baissée, Athanase esquisse un haussement d'épaules, mais ne répond pas. Maggie comprend. Athanase n'est pas d'accord. Sans pouvoir se l'expliquer, elle aurait souhaité une plus grande ouverture d'esprit de sa part. Tant pis ! Que ce bellâtre reste engoncé dans ses préjugés ! Embarrassé, Athanase remet son chapeau et s'en va. Maggie l'accompagne jusqu'à la porte. Avant son départ, elle le retient sur le pas de la porte. Sa voix devient murmure pour que Mathilde ne l'entende pas.

— Quequ'un a tué l'chat d'ma tante tantôt. Y l'ont garroché si fort dans porte que les murs en ont tremblé. J'y ai fait accraire qu'c'était une corneille pour pas l'inquiéter. Avez-vous idée de qui aurait pu faire ça ?

Athanase roule de gros yeux étonnés.

— Creusse, j'peux pas vouère. Mathilde a pas d'ennemis. Une affaire de même é jamais arrivée à ma connaissance. Des fois, les p'tits gars du canton jouent des tours, mais pas des tours cruels comme ça. Tuer un chat, vouère si ç'a

d'l'allure ! M'en vas m'informer, pis si j'trouve la réponse,
j'viendrai t... vous l'dire.

Maggie sourit. Machinalement, elle met sa main sur le
bras d'Athanase. Comme elle le faisait si souvent avec
Walter. Geste d'entendement qui étonne Athanase. La
familiarité de Maggie le dépasse.

— J'pense ben qu'à nos âges on peut s'dire tu.

Désarmé par le sourire de Maggie, décontenancé par
son contact inattendu, Athanase souscrit à la proposition
de petits coups secs de la tête. On dirait un pic-bois qui
tambourine sur le tilleul mort. Il met son chapeau et retourne
chez lui, un mélange d'agacement et d'anticipation au creux
de l'estomac.

— Que c'é qu'tu farfinais avec Thanase sus la galerie ?
demande Mathilde.

— Rien d'spécial, ma tante. Ç'a l'air d'être un
bon voisin ?

— On peut pas d'mander mieux. C'é un étranger, mé
y é ben d'adon, y a jamais fait d'tort à parsonne !

Athanase Lachance est arrivé de Beauceville après la
mort en couches de sa femme. Entre elle et sa fille naissante,
le médecin a choisi le nouveau-né. Athanase voulait sauver
sa femme. Le docteur Thibodeau a refusé. Pour tenter
d'oublier, changer de paysage, mais surtout pour échapper
à sa mère qui voulait absolument donner les enfants à sa
sœur, Athanase a quitté Beauceville. Il a acheté une ferme
à Saint-Benjamin où il élève seul ses deux filles. La plus vieille
a sept ans.

2

Saint-Pierre Lamontagne se lave les mains, jette un coup d'œil à la fenêtre, s'assure que la porte de la maison est verrouillée. Il entre dans sa chambre. Son antre. Paradis de ses extravagances, de ses obsessions, de ses délires.

Vieux garçon misogyne, aigri, il est secrétaire de la paroisse depuis dix ans. Après la mort de ses parents, à Beauceville, il a soumis sa candidature au poste de secrétaire de la municipalité de Saint-Benjamin. Bénoni Bolduc, le maire, l'a engagé, même si sa personnalité l'agaçait énormément. Maniéré, frugal, il vit du modeste salaire que lui verse la paroisse. Les mauvaises langues racontent qu'il a hérité de beaucoup d'argent à la mort de ses parents. Depuis la démission de Bénoni, il est, dans les faits, le véritable maître de Saint-Benjamin.

Tempes grisonnantes, moustache aussi, mince comme un cierge, Saint-Pierre Lamontagne est la cible de quolibets et de moqueries. Mais rien ne le touche. Il demeure imperméable à toutes les railleries. Ses grands chapeaux melon, les envolées de ses bras, son élocution ampoulée, sa démarche sautillante de jeune veau donnent plein de munitions à ses imitateurs. Il est la risée des paroissiens. « Y parle comme les annonceurs de radio. » Saint-Pierre Lamontagne a renoncé à la prêtrise la veille de son ordination, au désespoir de ses parents. Érudit, il lirait selon les racontars un certain Balzac, sans doute un protestant, avant de s'endormir. Ses manières efféminées dérangent.

— Menette! lui crient les enfants.

Sa chambre à coucher est le sanctuaire de ses lubies. Le lit simple dans le coin de la pièce est jumelé à un minuscule bureau. Sur deux grandes tables, sa collection de nids d'oiseaux qu'il chérit comme les pépites d'or trouvées dans la rivière Gilbert. Le nid du merle d'Amérique, mélange d'herbe et de boue. Le fragile nid de glaise de l'hirondelle à front blanc. La coquille de brindilles de la fauvette jaune, la soucoupe de la tourterelle, les nids brouillons du mainate et de l'étourneau, et son préféré, la minuscule coupe du colibri à gorge rubis. Son rêve : décrocher, au risque de sa vie, le nid en forme de blague à tabac de l'oriole de Baltimore. Mais comment grimper jusqu'au faîte du peuplier de Calixte Côté ? Souvent, il conserve les œufs, les évide à l'aide d'une aiguille. Sans jamais les casser.

L'été, les habitants s'étonnent de le voir errer dans les champs, les bois et les marécages à la recherche de nids. Quand les enfants le croisent, ils se sauvent en courant. « Un méchant calâbe ! » a dit Parfait Loubier-à-Batèche qui l'a observé pendant plus d'une heure le printemps dernier. Saint-Pierre cherchait le nid du pluvier kildir. L'oiseau, rusé et bon comédien, l'a complètement mystifié. Chaque fois que l'homme approchait de son nid, le pluvier poussait des cris stridents. Il courait aussitôt dans une autre direction, l'aile pendante, pour laisser croire qu'il était blessé. Saint-Pierre, voulant le suivre, n'a jamais trouvé le nid, dissimulé dans le gravier, les œufs se confondant avec les cailloux.

Mais ses véritables passions, Saint-Pierre les a épinglées sur tous les murs de sa chambre. D'abord, un petit coin secret où il a collé des photos du catalogue de Dupuis Frères pour satisfaire une passion dont il a honte. Et puis, tous ces articles découpés dans *L'Action catholique* : comptes rendus d'accidents, de procès, de meurtres. Tous plus macabres les uns que les autres. Souvent, il souligne au crayon de couleur ses passages préférés, en rouge pour les meilleurs. Il les apprend par cœur. Il se les récite à lui-même ou les déclame devant l'assemblée médusée du magasin général, dans un style démesurément pompeux. Comme un acteur. Harpagon de Molière qu'il a souvent joué au séminaire. « Pouvez-vous ben m'dire c'qu'un fricasseux

comme ça fait à Saint-Benjamin?» a demandé Trefflé
Vachon, le cordonnier qui passe plus de temps au magasin
général que dans son atelier de réparation de chaussures.

Depuis quelques jours, Saint-Pierre lit, relit, mémorise
plein d'extraits du procès de la Cloutier. Ce crime passionnel
enflamme la Beauce et Dorchester depuis trois ans. Il
occupe un mur complet de sa chambre. Le mur de la
Cloutier. Les interrogatoires, les plaidoyers des avocats,
les recommandations du juge, tout est là.

Il y a un mois, quand elle et son complice Achille
Grondin, de Saint-Méthode d'Adstock en Beauce, ont été
pendus pour le meurtre de Vilmont Brochu, l'époux de la
Cloutier, le compte rendu de la double exécution lui a
procuré un plaisir immense, cet extrait en particulier qu'il
récite par cœur, de la voix intense et nasillarde du corres-
pondant de guerre à la radio :

*Chaque prisonnier est conduit en procession de sa
cellule à la cour en passant par un long couloir jusqu'à
l'échafaud. Le shérif, portant la masse, symbole d'autorité, conduisait le défilé. Venait ensuite un groupe de
quatre gardes. Suivaient : le bourreau, le condamné, son
confesseur, deux religieuses dans le cas de Cloutier, puis
d'autres gardes. Tous deux avaient les mains liées derrière
le dos. Ils paraissaient calmes et résignés. Ils répétèrent
des prières avec le prêtre jusqu'à ce que la trappe eut
basculé sous leurs pieds. Après l'exécution de madame
Cloutier, la cloche de la prison sonna le glas. (L'*Action
catholique, *23 février 1940)*

Ce texte lui donne des frissons, véritable jouissance.
L'extase. Le sexe en solitaire. Une femme de moins sur
la planète.

Hier, quand la veuve Exélia St-Hilaire s'est pointée pour
payer ses taxes, il était en pleine transe. Furieux, il l'a laissé
attendre longtemps sur la galerie. En lui ouvrant sa porte,
sans aucune discrétion, il a retroussé le nez, dégoûté
d'accueillir cette femme aux mains sales, aux vêtements

dépenaillés, tenant dans ses mains une petite enveloppe d'argent durement économisé pour acquitter sa dette et ne pas perdre sa maison.

3

— A l'é r'venue! lance Onézime Rancourt, surexcité devant l'assemblée du magasin général.

Perplexes, les habitués ne comprennent rien à son charabia.

— Qui ça? demande Josaphat Pouliot.

— La Maggie. J'l'ai vue d'mes yeux vue.

— Torvice de viac!

Josaphat Pouliot n'en croit pas ses oreilles. Maggie Miller de retour à Saint-Benjamin. Pire que la mouffette entrée par mégarde dans l'église, au beau milieu de la messe! Onézime Rancourt en est-il bien certain? Absolument. Son frère l'a vue dans le train.

— A l'é chez sa tante Mathilde. C'é ben elle. A l'a presque pas changé. Pis laisse-moé t'dire qu'a l'é belle en saint cibole de vlime! Encore plus belle qu'les femmes du catalogue!

Maggie Miller, de retour? Pour longtemps? En visite seulement? Seule ou avec Walter Taylor?

— Non, y paraît qu'y é mort.

Josaphat est sur le pied de guerre. Au magasin général, les tenants de la chronique paroissiale ouvrent un nouveau chapitre, teinté d'inquiétudes. Trefflé Vachon s'indigne.

— Maggie Miller, c'é une charogne. J'me demande ben pourquoi a r'vient varmousser par icitte!

Pourtant, Mathilde a dit à Célanire Bolduc que Maggie ne restera pas longtemps: «A va r'partir aussitôt qu'j'aurai une patte dans tombe!»

Elle n'a rassuré personne. Si les paroissiens croyaient avoir oublié à tout jamais cette femme dérangeante, il faut admettre qu'elle n'était pas très loin dans le souvenir de chacun. Son retour rouvre aussitôt une plaie béante. Les théories abondent, plus farfelues les unes que les autres.

— J'sus ben sûr qu'la Maggie, a l'a fait mourir son Walter à p'tit feu comme Domina qu'a l'a pendu dans cabane du vieux Atchez, soutient Trefflé Vachon au magasin général.

Son ami Théodule Bolduc renchérit, sur la foi de propos entendus la veille à la beurrerie :

— Pis si a l'é r'venue à Saint-Benjamin, c'é juste pour s'cacher d'la police.

Saint-Pierre Lamontagne tressaille en prenant connaissance du passé de Maggie Miller. La version exagérée de Josaphat l'horripile.

— A l'a fait mourir son mari à p'tit feu !

— N'aurait-elle pas dû monter sur l'échafaud, comme la Cloutier ? demande le secrétaire, sur un ton plein de fiel. N'est-ce pas le sort que la société réserve à ces femmes dégénérées ?

Josaphat et ses deux faire-valoir, les conseillers Calixte Côté et Oram Veilleux, opinent du bonnet. Ils sont éblouis par la fatuité, la suffisance du secrétaire.

— J'y promets un chien d'ma chienne, la torvice de viac, grogne Josaphat. A va sortir du village su'une ripompette, prenez-en ma parole !

Josaphat Pouliot, conseiller municipal, libéral et influent, devait accompagner son meilleur ami, Damase Biron, le soir de la mort de Catin-à-Quitou. À la dernière minute, trop saoul, il était resté à la maison. Damase a été condamné à vingt ans de prison pour complicité dans le meurtre non prémédité de Catin. Aujourd'hui encore, Josaphat en veut terriblement à Maggie Miller et à Bénoni Bolduc. Les seuls responsables, selon lui, de la tragédie et de l'emprisonnement de Damase.

Tout en rondeur, la peau couperosée, les cheveux clairsemés, un gros nez de porc, Josaphat a orchestré l'expulsion de Bénoni Bolduc de son poste de maire et il a convaincu Romain Nadeau, un journalier sans envergure, de se présenter à sa place. Romain a d'abord refusé. Il n'en avait ni le goût ni la compétence. Josaphat a insisté, lui a tiré la chaise. Romain est monté sur le trône. Clinquant. Il est le maire en titre seulement, tous les pouvoirs étant entre les mains de Josaphat, un homme aux ambitions démesurées et à l'intransigeance assortie d'un faible jugement. Seul Saint-Pierre Lamontagne a de l'influence sur lui. Josaphat est l'aîné d'une famille très pauvre de quatorze enfants qui allaient du berceau à l'étable, sans jamais passer par l'école. Plus jeune, il n'avait qu'une priorité : manger à sa faim. En 1937, quand un conseiller démissionne, Josaphat, aiguillonné en sous-main par le secrétaire, le remplace. Conseiller municipal, il atteint alors un niveau inespéré dans la hiérarchie paroissiale. Sa femme lui suggère d'acheter un pantalon et une chemise «du dimanche». Il refuse. «J'sus ben dans mes guénilles!»

Depuis le départ de Bénoni, le chaos règne dans le village en raison de l'arrogance des nouveaux maîtres. Ils bousculent, invectivent, menacent. Ils ignorent les règles, éclaboussent l'opposition, puisent dans la caisse de la paroisse. Avec la complicité du secrétaire Saint-Pierre Lamontagne, trop heureux d'être libéré du joug de Bénoni.

La politique municipale à Saint-Benjamin, comme ailleurs dans la province, est une affaire de complaisance et, même les journaux le disent, de «gang de politiciens cracheux, étroits, fielleux et hypocrites[1]».

Quand c'est nécessaire, Josaphat et les siens peuvent compter sur les gros bras de Wilfrid et Edgar Biron, les fils de Damase. Peu éduqués et désœuvrés, ils ont juré de venger leur père. Depuis le retour de Maggie, les deux frères sont comme coqs en cage.

— A va payer pour c'qu'a l'a faite au pére, la maudite vache! jure Edgar, le plus jeune.

---

1. Jean-Charles Harvey, *Le Jour*, 1938.

Quand il a appris son retour, Edgar voulait se rendre immédiatement chez Mathilde Rodrigue pour abattre Maggie de sang-froid et la suspendre par les pieds à une échelle comme un animal de boucherie. Son frère a dû le retenir. Josaphat est intervenu pour l'empêcher de faire une bêtise.

— Torvice de viac, pas si vite, lui a dit Josaphat Pouliot. Tu fais rien sans ma permission. Commençons par y faire peur, mé tu y vas pas toé-même. Trouve quequ'un qui s'fera pas prendre.

Déçu, Edgar Biron ronge son frein, mais pour combien de temps ? Et s'il outrepassait la mise en garde de Josaphat ?

4

— M'sieur l'curé, Maggie Miller é r'venue à Saint-Benjamin. C'é t'y pas épouvantable! Que c'é qu'vous allez faire?

La voix tonne derrière la porte du presbytère. Vidal Demers l'a reconnue. Encore elle! Le curé lui ouvre et regarde Imelda Lacasse sans comprendre.

— Qui est Maggie Miller?

Il a droit à une longue explication d'Imelda, tout étonnée qu'il ne la connaisse pas. Maggie Miller? Une démone sortie directement de l'enfer!

— Y paraît qu'a travaillait dans un bordel à Québec, persifle la femme surexcitée en se signant. C'é rien qu'une grande bringue! A l'aurait même faite ces affaires-là avec des députés!

— Vous voulez dire qu'elle vient de sortir de prison? demande le curé.

— Non, non, a s'é sauvé d'la police, pis a l'a jamais été en prison même si a l'a tué deux hommes.

Quel charabia! Vidal Demers n'y comprend rien et ne veut pas en savoir davantage. Il demandera des explications au bedeau. Depuis son arrivée à Saint-Benjamin, Imelda n'en finit plus de l'inonder de nouvelles farfelues. Une autre de ces histoires loufoques! Il la reconduit doucement à la porte.

Arrivé il y a un an, le nouveau curé, âgé de trente-cinq ans seulement, ne s'est pas encore intégré dans la communauté. Il a pour priorité la religion. Dieu, la Vierge et la messe. Parfois, il ponctue ses sermons de mises en garde nuancées que les paroissiens ne déchiffrent pas très bien. Il évite de se mêler aux querelles des villageois et encore plus d'encourager leurs phobies. Quand cette même

Imelda Lacasse a voulu payer une messe «pour son défunt mari qui ravaude toutes les nuits», le curé a d'abord songé à lui faire la leçon. Il s'est finalement contenté de lui remettre son argent et de se moquer gentiment de sa peur des revenants. Insultée, Imelda a déformé les faits et a soutenu avoir·été bousculée par le curé. L'incident a fait beaucoup de bruit dans le village. Si la peur des revenants n'est plus aussi vive qu'au début du siècle, elle est encore bien présente dans la tête de nombreux paroissiens.

Le curé n'ose pas le dire ouvertement, mais il croit lui aussi que le conseil municipal n'est pas à la hauteur, que le maire ne joue pas son rôle et que la paroisse a désespérément besoin d'un juge de paix. Chaque fois qu'il évoque la situation, le marguillier en charge, Clovis Rodrigue-à-Bi, se contente de hausser les épaules, ce qui ne rassure pas le curé. Parfois, celui-ci bouillonne d'impatience. Tant de dossiers à régler qui normalement ne devraient pas relever de son autorité. S'impliquer? Après un an de cure, le temps serait-il venu de passer à l'action? Oui, mais prudemment, lui a suggéré l'évêché, pour éviter de subir le même sort qu'Antonio Quirion qui s'était un peu trop immiscé dans les affaires temporelles.

Devrait-il demander à la police provinciale d'intervenir? Peine perdue, lui a assuré Clovis. Les policiers, l'expérience l'a démontré, mettent du temps à intervenir et, une fois repartis, les mouchards sont pris à partie.

Les frères Biron inquiètent beaucoup le prêtre. Il voudrait bien leur parler dans le secret du confessionnal, mais ils n'y viennent jamais. Qu'arrivera-t-il quand leur père sortira de prison dans quelques jours et reviendra au village? Leur goût de vengeance en sera-t-il exacerbé? Damase a-t-il changé? Pour le mieux? Plusieurs en doutent. La veille, Vidal Demers a reçu une lettre des autorités de la prison l'informant de la libération de Damase Biron. «La prison semble l'avoir perturbé considérablement. Nous invitons les autorités de la paroisse à veiller sur lui.»

Et maintenant, cette Maggie Miller ! Qui est-elle ? Une prostituée de passage ? Une protestante, à n'en pas douter avec un nom pareil ! Va-t-elle bouleverser son ordinaire et le forcer à teinter ses sermons de mises en garde contre les péchés de la chair ? Le péché qu'il déteste le plus, qui le rend mal à l'aise et lui fait regretter d'avoir à entendre toutes ces confessions. La semaine dernière, quand Annette Larivière s'est accusée de « se refuser à son mari parce qu'y est trop sale », Vidal Demers n'a pas su quoi lui dire, se contentant de doubler sa pénitence : deux chemins de croix consécutifs. Doit-il en parler au mari à sa prochaine visite au confessionnal ? Est-ce le rôle du curé de tendre savon et débarbouillette au malpropre ? Pourquoi ces femmes le harcèlent-elles ? Pourquoi Imelda était-elle si agitée ? Plus qu'à l'habitude !

L'aîné d'une grosse famille, étudiant brillant, Vidal Demers est devenu prêtre, sa vocation ayant été fortement encouragée par ses parents. Solitaire, peu attiré par la vie mondaine, Vidal s'est retrouvé au Grand Séminaire de Québec. Sa mère pleurait de joie lors de sa prise d'habit. L'évêché a longtemps hésité à lui confier une cure en raison de son jeune âge. Vicaire à Sainte-Marie-de-Beauce, il a impressionné les autorités religieuses qui lui ont finalement confié la cure de Saint-Benjamin. D'entrée de jeu, il s'est fait discret. Loin des palabres de la paroisse, entre l'autel et le confessionnal. Le temps de bien mesurer la tâche qui l'attendait. De jauger ses paroissiens trop souvent jaloux et enclins à se mêler des affaires des autres. Aujourd'hui, le curé en a assez des écarts de conduite de certaines têtes chaudes. Il est prêt à ferrailler avec les gredins du conseil.

5

Dans l'érablière d'Athanase Lachance, deux hommes s'affairent à entailler les érables. « Les bibittes à sucre sont arrivées, a fait remarquer Pit Loubier, le voisin, c'é l'temps d'commencer. » Un chien jappe de plaisir en les suivant d'un arbre à l'autre. Une corneille craille. Le soleil fait voler des éclats de feu sur les chaudières rouge brique. Un carouge s'égosille devant la maison de Mathilde. Enfin de retour ! Le printemps dans son sillage.

Pour la première fois depuis son arrivée, Maggie sort de la maison de sa tante. À l'aventure dans le rang-à-Philémon ! Ventres-de-bœufs boursouflant la route, eau en fuite dans les ornières, elle zigzague pour éviter les obstacles.

Maggie retrouve rapidement ses repères. À rebrousse-temps. Son école ! Nouveau toit, nouvelles fenêtres, mais toujours la même. En retrait, la vieille maison d'Exior a l'air de s'ennuyer. Habitée par un de ses petits-fils, bûcheron, presque toujours absent, elle aurait bien besoin de quelques lichettes de peinture. Maggie fixe l'ensemble avec nostalgie. Entrer dans l'école, revoir sa classe et la chambre de l'institutrice ? « C'é une étrangère de Saint-Georges, pis a l'é pas d'adon pour deux cennes ! lui a dit Mathilde. Si j'étais toé, j'passerais tout drette ! »

Que de beaux moments vécus dans cette école. Malheureusement trop courts. Souvent, elle a regretté de ne pas avoir suivi les conseils d'Aldina et de son père. De ne pas s'être inscrite à l'école normale pour obtenir un brevet d'institutrice. En arrivant à Québec, elle a vite trouvé du travail. La Quebec Stitchdown Shoe l'a convaincue de suivre un cours commercial. Pendant des années, elle et Walter ont travaillé dans la même manufacture de chaussures, elle, dans un bureau à la comptabilité, lui, comme responsable de l'emballage. Même pendant la grande crise, la manufacture a survécu. Maggie et Walter ont perdu quelques mois de travail mais, fiers, ils n'ont jamais fait appel aux secours directs, ce programme d'aide qui versait en moyenne 2,80 $ par semaine aux chômeurs. Toujours ensemble, même au travail. Un grand amour qui ne s'est jamais démenti jusqu'à la mort de Walter.

— Ah ben maudit verrat, si c'é pas la Maggie à Domina !

Maggie reconnaît aussitôt Pit Loubier, dont la maison est plantée de l'autre côté de l'école. Les poings serrés dans les poches de son manteau, elle réprime sa colère. Tant de familiarité ! Elle voudrait se retrouver à l'autre bout du monde. «La Maggie à Domina !» Est-ce ainsi qu'on se souvient d'elle ? Vivement retourner à Québec.

— Ç'é ça ! laisse-t-elle tomber sèchement.

— Que c'é qui t'amène par icitte ?

Malgré ses soixante ans bien sonnés, Pit Loubier n'a pas changé. Toujours débrêlé, mains sales, cheveux hirsutes, démarche mal assurée du pingouin, l'homme n'a aucune fierté, sauf le dimanche pour aller à la messe. Sans s'arrêter, Maggie lui explique qu'elle est venue s'occuper de sa tante et qu'elle repartira aussitôt après son décès.

— J'pensais qu't'étais v'nue t'charcher un aut' protestant pour remplacer l'beau Walter. Y a pas pu t'résister lui non plus ? Un aut' feluette comme Domina !

Maggie ne répond pas. Elle voudrait le griffer. Tant de bêtises dans la bouche d'un seul homme ! Tant de petitesse ! L'envoyer paître ? Non. Il ne mérite pas pareille attention.

— Si ça t'tente, la Maggie, m'en vas t'donner une *ride* dans ma «stoudebéqueur». C'é la première fois qu'j'la sors c'printemps.

Maggie hausse les épaules de dépit. Une balade en automobile avec Pit Loubier ? Jamais ! L'an dernier, à la risée générale, Pit Loubier a acheté une Studebaker «flambant neuve». Quand les habitants du rang-à-Philémon le croisent sur la route, ils s'esquivent, même au-delà des bas-côtés, de crainte d'être happés par la voiture de Pit. «C't'un danger public, a craché Sévère-à-Gorlot Veilleux. Y conduit c't'amanchure-là sus une méchante frippe!» Au village, si les automobiles sont tolérées, si elles ont pris le pas sur les chevaux, dans les rangs, les attelages des cultivateurs revendiquent toujours l'exclusivité de la route.

Maggie presse le pas. Pit finit par comprendre qu'elle n'a pas envie de s'épancher et surtout qu'elle ne montera pas dans sa Studebaker!

— À la r'voyure!

Maggie l'ignore. Ne plus jamais le revoir! En contrebas, «la maison de Domina», aujourd'hui habitée par son oncle, a belle allure. Elle sera toujours la maison de Domina. Elle y a séjourné par erreur, un épisode qu'elle veut gommer à tout jamais. Trop de mauvais souvenirs. Le coq en tôle tourne toujours sur son socle. La «shed des maquereaux», comme on l'a baptisée, sert aujourd'hui de remise. Même l'odeur des chevaux de Domina semble encore flotter dans l'air. Sa jalousie imprimée sur le gros érable, son paravent quand il la surveillait. En arrivant près de l'ancienne maison de ses parents, au trait-carré, Maggie s'arrête. Doit-elle frapper à la porte? Son oncle l'accueillerait sûrement avec plaisir, Mathilde en est convaincue. Maggie n'ose pas. Pourquoi tisser des liens avec des gens qu'elle ne reverra jamais? Elle est simplement de passage à Saint-Benjamin et le plus tôt elle retournera à Québec, loin des idiots à la Pit Loubier, le mieux ce sera.

En haut du rang-à-Philémon, trois nouvelles maisons ont été construites, avant-garde catholique poussant Cumberland Mills dans ses derniers retranchements. Cumberland Mills, que les catholiques, incapables de prononcer à l'anglaise, appellent toujours la Cabarlonne. Avant de mourir, Walter lui a raconté que la communauté protestante n'en menait pas large. Il reste tout juste une poignée de familles, dernier rempart contre les catholiques. Dès qu'ils ont l'âge de partir, les jeunes protestants vont s'installer à Montréal ou même aux États-Unis. Gordon Wilkins avait raison. Dans une autre génération, tous les protestants seront partis. Bientôt, les catholiques occuperont tout le territoire. Saint-Benjamin compte maintenant cent quatre-vingts fermes, disséminées dans une demi-douzaine de rangs. À peine une dizaine sont encore cultivées par les protestants. La paroisse vient de franchir le cap impressionnant de mille habitants. Depuis un an, les routes les plus importantes sont gravelées, y compris le rang-à-Philémon. Si le village a l'électricité depuis 1938, les rangs sont encore dans le noir. La Shawinigan Water and Power Company se fait attendre. Pourtant, Duplessis l'avait promis ! Mais il a perdu ses élections.

Maggie marche lentement, ressassant ses souvenirs, bons et mauvais. Une brise légère chatouille les aiguilles du gros pin, imposante sentinelle devant la gare de Cumberland Mills. Son cœur cabriole dans le patelin des protestants. Tout lui rappelle son Walter. Elle a envie de lancer une volée de cailloux sur la maison du père pour lui faire payer la longue souffrance de son fils. Jusqu'à la dernière minute, Walter a espéré un signal de son père. La réconciliation. Le pardon. Sam Taylor a refusé froidement comme on refuse une caresse à l'enfant en pleurs.

Tout à coup, la silhouette d'Ansel Laweryson, les deux mains dans les poches, cigarette à la commissure des lèvres, se découpe près de la voie ferrée. Elle sourit. Il n'a pas changé. Maggie s'en approche.

— *Hi, Ansel !*

Il se retourne vivement, échappe son mégot de cigarette et reste planté là, niais, la bouche ouverte.

— *Maggie Miller ! Jesus Christ !*

Maladroit, content de la revoir, incapable de l'exprimer, il finit par lui tendre une main molle. Maggie sourit.

— T'as pas changé !

— *I'm getting older by the day !*

Ansel n'a jamais quitté Cumberland Mills. Son mariage à une fille de Willy Wintle s'est dissous dans l'alcool. Elle l'a quitté cinq ans plus tard. Aujourd'hui, Ansel végète. Il offre ses services au premier venu. De petits travaux en petits travaux, son salaire suffit à peine à alimenter ses vices : l'alcool et le tabac.

— *I heard about Walter.*

Le regard de Maggie s'embrume. La douleur reste vive. Les larmes épongées, le souvenir demeure intact. Les dernières images imprimées dans sa mémoire jusqu'à la fin de ses jours. Elle a tenu la main de Walter jusqu'au dernier souffle, jusqu'à l'attiédissement. Les funérailles ont été sobres. Quelques collègues de travail, son patron, qui sont tous partis sitôt la cérémonie terminée. Maggie s'est retrouvée seule au cimetière protestant Mount Hermon avec le fossoyeur, pressé d'en finir, irrité. Il a même eu l'audace de pousser le cercueil dans la fosse avant d'en recevoir la permission de Maggie, qui épuisait ses larmes jusqu'à la sécheresse, le vide. Adieu, Walter.

— *His father is in a pretty bad shape.*

Sam Taylor ne s'est jamais remis de la mort de sa femme et du départ de son fils. Il vit seul, reclus. Il ne va même plus à la mitaine, la petite chapelle protestante. Lui raconter la mort de son fils pour l'aider à mieux vivre son deuil ? Non. Maggie n'ira pas le voir. Elle ne lui pardonnera jamais d'avoir renié Walter comme il l'a fait. *Never !* Qu'il crève !

— *He is very old. Why don't you forgive him ?*

— *Over my dead body !*

Après la joie de revoir son école, Maggie sombre dans la mélancolie. Elle a l'impression désagréable que son passé la rattrape, qu'une force invisible fait revivre un monde qu'elle a mis des années à oublier. Un monde cruel pour une jeune femme de dix-sept ans dont les erreurs ont eu des conséquences désastreuses. Pit Loubier, Ansel Laweryson, Sam Taylor, la maison de Domina, tout lui revient en plein visage comme le crachin froid de l'automne.

Au retour, une moufle croûteuse oubliée ou perdue devant la maison d'Athanase attire son attention. Doit-elle s'y arrêter sous prétexte de la rapporter? Que pensera-t-il de la voir arriver à l'improviste? A-t-il découvert qui a tué le chat de sa tante?

— Entrez! tonne Athanase de sa grosse voix.

Il est surpris de trouver Maggie dans l'encadrement de la porte. Elle lui montre l'objet trouvé.

— C't'à vous aut'? A traînait à terre d'vant la maison.

Aussitôt, une fillette accourt vers elle et récupère la moufle.

— Merci.

— J'te présente mes deux filles. Laetitia, sept ans, pis Madeleine, deux d'moins.

Athanase et ses deux filles sont en train de dîner. Laetitia et Madeleine accueillent Maggie avec un grand sourire.

— Tu veux manger avec nous aut'? propose Athanase, grand bol de soupe en main. Y en a en masse, gêne-toé pas.

— Non, non, Mathilde m'attend. J'veux rien qu'sa-vouère si t'en sais plus sus c'que j'te parlais l'aut' jour.

Maggie ne veut pas évoquer la mort du chat devant les deux filles. Athanase lui sait gré de sa discrétion.

— Non, pas ben ben, mais j'passerai chez Mathilde dès qu'j'aurai parlé aux voisins. Laetitia, dépêche-toé de r'tourner à l'école.

Maggie et Laetitia franchissent ensemble les quelques pas qui les séparent de l'école. La jeune fille est enjouée, très alerte, bavarde comme un roselin. Laetitia est fascinée par le joli manteau et le foulard rose de Maggie, qui, tout de suite, tombe sous le charme de la fillette.

— Pis, tu t'es r'connue? lui demande Mathilde à son retour.

— Ç'a ben changé, soupire Maggie, sauf à la Cabarlonne. Walter avait raison, avant longtemps y rest'ra pus d'protestants à Saint-Benjamin.

— Sainte bibitte, j'ai jamais compris pourquoi y étaient v'nus s'saucer par icitte. Tu m'parles d'une place pour s'désâmer !

— Y vont tous finir par partir ou ben mourir, tranche Maggie.

Si le village s'est développé, émancipé, depuis son départ, Cumberland Mills a régressé. Quelques protestants têtus l'habitent toujours, fidèles à leurs traditions, à leurs habitudes. Les maisons, la route, la gare, rien n'a changé. La mitaine veille encore sur le cimetière à un jet de pierre du manoir Taylor. Quand elle est arrivée, il y a quelques jours, à la tombée de la nuit, Maggie n'a rien vu. Le fils du chef de gare, intimidé, l'a conduite chez Mathilde, sans dire un mot. Fatiguée, Maggie n'a posé aucune question. Dans le train, un homme la regardait sans arrêt. Elle ne l'a pas reconnu.

— En tout cas, poursuit Mathilde, y ont eu ben des commotions. La pauv' famille d'Alex Hall en a mangé, d'la misère.

La fille aînée, Emily Hall, s'est enlevé la vie d'un coup de carabine dans la tête après avoir découvert qu'elle était enceinte. Qui était le père ? Personne ne l'a jamais su. Son père ? Son frère ? Un étranger ? Secrets de famille jamais éventés.

L'autre fille d'Alex Hall s'est convertie, il y a cinq ans, pour épouser un catholique. L'expérience a été humiliante. Le curé a exigé que la cérémonie du mariage se déroule un lundi, à six heures le matin, loin des yeux curieux, comme pour cacher cette malédiction tombée sur le village. En l'espace de quinze minutes, le curé a confessé Nelly Hall, l'a baptisée, confirmée et il a béni le mariage sans jamais regarder l'épouse dans les yeux.

Quand elle s'est confessée, Robert Turcotte, son époux, a entendu le curé crier : « En français ! » Nelly Hall est ressortie du confessionnal en pleurs.

— Maudit curé ! laisse tomber Maggie.

Scandalisée, Mathilde rabroue sa nièce.

— La r'ligion, ma fille, c'é c'qui nous permet d'toffer dans ces coins d'misère. Sans l'bon Dieu, on s'rait rien, pis on aurait jamais espoir d'une vie meilleure. À mon âge, tout c'qui m'intéresse, c'é l'ciel où mon Gaudias m'attend avec l'bon Dieu pis la Sainte Vierge.

— J'ai pas voulu t'insulter, dit Maggie.

— J'sus pas toujours d'accord, surtout sus la grosseur des péchés pis la largeur des pénitences, mé l'prêtre, c'é l'prêtre, pis j'le respect'rai toujours. Pis laisse-moé t'dire qu'si la Cloutier de Saint-Méthode avait suivi sa religion, a l'aurait jamais tué son mari pour ensuite s'met' en ménage avec un dévargondé!

Maggie ne partage pas l'interprétation excessive de Mathilde.

— A l'avait pas tous les torts!

— Tu penses que c'tait correct qu'à s'mette en ménage avec l'Grondin deux semaines après l'trépas d'son mari?

Maggie s'impatiente. Quand l'amour est mort, il est bien mort. Le temps n'a plus d'importance.

— Y aurait pas été plus trépassé dans un an qu'y l'était après deux semaines!

Maggie ne réussira pas à convaincre sa tante. Elle voudrait lui rappeler les paroles de l'avocat de la Cloutier, maître Rosaire Beaudoin, lors de son plaidoyer final, des paroles qui l'avaient impressionnée et avaient semé le doute dans son esprit.

« Marie-Louise Cloutier est une femme que l'épreuve a assaillie et elle a bu le calice jusqu'à la lie en résistant longtemps à la tentation de quitter son mari. Après l'avoir quitté, elle a, en femme chrétienne, fait une retraite, elle a prié Dieu, l'a aimé et l'a sanctifié. »

— C'tait rien qu'une hypocrite, peste Mathilde.

Désarçonnée par l'entêtement de sa tante, Maggie renonce à poursuivre le débat. Autant elle aimait discuter de longues heures avec Walter, autant elle préfère les conversations anodines avec sa tante. Pourquoi la blesser inutilement ? Elle ne changera jamais d'idée et ne souffrira aucun compromis sur la religion. Mathilde repoussera toujours l'évolution des femmes. Et c'est bien ainsi. Qu'elle termine sa vie comme elle l'a vécue, heureuse, confortée dans ses principes. Pressée de retrouver son rang éternel auprès de Gaudias.

— En tout cas, c'é une belle journée d'printemps !

Maggie met fin à cette discussion. Elle laisse la victoire et le dernier mot à Mathilde, la religion ne l'intéresse pas. Ne l'a jamais intéressée.

En arrivant à Québec, Walter et Maggie ont tenté d'avoir des enfants. Sans succès. Après deux ans, Maggie a voulu savoir si la fausse couche qu'elle s'était infligée pouvait être la cause de son infertilité. «Non, a conclu le médecin, soyez patients, ça viendra.»

La patience en vain. Quand Walter lui a proposé de faire une demande d'adoption à la Crèche des Sœurs du Bon-Pasteur, rue Saint-Amable à Québec, Maggie a hésité, elle, la mère indigne qui avait déjà rejeté un enfant. Walter a balayé toutes ses craintes. Quand les autorités de la Crèche ont découvert que non seulement Walter était protestant, mais que le couple n'était pas marié, elles ont refusé la demande d'adoption.

Walter lui a proposé de se convertir. Maggie n'a rien voulu entendre. Il est revenu à la charge. «Et si moi, je me convertis ?» Rien à faire. «Même convertis, y voudront jamais nous donner d'enfant.» Walter a renoncé. Maggie n'avait aucun intérêt pour la religion, catholique ou protestante. Et mariée ou pas, elle ne ferait jamais de compromis.

6

Arrivé trop tôt, le printemps rechute. L'hiver joue son va-tout. La «tempête des corneilles», la dernière de la saison, devient la tempête du siècle. Un pied et demi de neige. Pendant vingt-quatre heures, le ciel crache de furieuses rafales dans le rang-à-Philémon. Routes disparues, sentiers effacés, foulards de blancheur frangés à l'encolure des maisons. Les bras des grandes épinettes sont alourdis, les arbustes échancrés sous leur bonnet immaculé.

Quand Athanase frappe à la porte, les sourcils enneigés, Maggie lui ouvre, le doigt sur la bouche, craignant la grosse voix du visiteur.

— A l'a quèsement pas dormi d'la nuitte, j'ai ben cru qu'a y passerait.

Athanase frappe ses bottes l'une contre l'autre pour enlever la neige. Dans la maison, la porte de la chambre de Mathilde est entrebâillée. Sur la table de la cuisine, les restes d'un repas. Un vieux châle oublié sur un sofa d'un autre âge. Une chaise empaillée. Le rouet et son dévidoir. L'horloge et ses chiffres romains, deux crochets pour les manteaux, la Vierge Marie, le Sacré-Cœur et un calendrier de la Société des missions étrangères.

— Y a longtemps en creusse qu'j'ai pas vu une tempête de même. J'te dis qu'l'hiver s'é lâché lousse! Y va falloir r'ssortir l'borlo pour aller à messe, dimanche!

Maggie force un sourire. Tout à l'heure, la radio décrivait le chaos qui règne dans les rues de Québec. Le pont fermé, les tramways de la Quebec Railway Light and Power paralysés, il est impossible de sortir de la ville. Pannes d'électricité, automobiles embourbées, chevaux paniqués et piétons butant sur les trottoirs improvisés.

— Bâdre-toé pas pour la neige, le p'tit Loubier a l'habitude de s'en occuper pour Mathilde.

Elle entraîne Athanase dans la cuisine, lui offre une tasse de thé qu'il refuse. Maggie est encore en chemise de nuit. Athanase n'ose pas la regarder. Elle devine son embarras et s'en amuse.

— J'ai des nouvelles pour l'chat.

Le sourire de Maggie s'estompe. Elle le regarde intensément. Une vague mauvaise impression lui traverse l'esprit.

— Toutes les ceuses à qui j'en ai parlé pensent que c'é les frères Biron qui ont fait ça, les deux *bums* du village. Si c'é pas eux autres directement, y ont engagé quequ'un pour l'faire. C'é toujours comme ça qu'y agissent.

Maggie ne comprend pas. Qui sont les frères Biron et, surtout, pourquoi tuer le chat de sa tante?

— Y paraît qu'à cause de vous... de toé, leu père vient d'passer vingt ans en prison, pis qu'y aurait pu mourir sus l'échafaud, comme la Cloutier pis son Grondin, si l'gouvernement d'la province s'en était pas mêlé.

Les gars de Damase, le principal complice d'Euzèbe Poulin! Un instant, Maggie revoit le drame. Sa folle escapade à Québec avec Walter, la mort de Catin-à-Quitou chargé de surveiller la maison, le désespoir de ses vieux parents, l'arrestation d'Euzèbe et, quelques jours plus tard, celle de Damase, leur condamnation, les deux hommes rejetant le blâme l'un sur l'autre. Euzèbe jura que Damase lui avait ordonné de tirer.

— Si j'comprends ben, c'é pas à ma tante qu'y en veulent, mé à moé.

Athanase confirme ses appréhensions d'un petit coup de tête. Le visage de Maggie se fige. Un soupçon de colère allume son regard.

— Pis à plein à part d'ça! Si j'étais toé, j'ferais ben attention. Y en mènent ben large depuis qu'Bénoni a démissionné pis que l'nouveau maire les laisse faire tout c'qu'y veulent. Pis c'é pas des finfinauds, y ont pas grand-chose dans caboche! Y paraîtrait même qu'Edgar, l'plus jeune des deux, a doublé sa première année!

Maggie fulmine. À peine revenue, la voilà replongée dans un drame qu'elle a tout fait pour oublier. Aux prises avec des crapules prêtes à tout. À sa grande honte, elle se surprend à espérer la mort de Mathilde pour retourner à Québec le plus rapidement possible.

— Si j'tais restée à la maison c'soir-là, c'é moé ou Walter qui aurait été tué par Euzèbe pis Damase, pas Catin. Quant à moé, y méritaient l'échafaud toué deux.

Athanase piétine, mal à l'aise. Depuis le début de son enquête sur la mort du chat, il a entendu plein d'histoires au sujet de Maggie Miller, certaines pas rassurantes du tout. Doit-il vérifier ces informations auprès d'elle? Il n'ose pas. Le moment est mal choisi.

— Si j'étais toé, j'évit'rais d'trop sortir, pis j'gard'rais les portes barrées. As-tu un fusil?

Ahurie, Maggie croise les bras, d'un air de défi.

— L'vieux fusil d'mon oncle doit être queque part dans les ravalements d'la maison. Qu'y viennent, les Biron, m'en vas leu régler leu compte, pis vite à part d'ça. Y vont vouère que c'é plus dur avec moé qu'avec un chat.

Athanase n'est pas surpris de la bravade de Maggie. Pit Loublier l'a prévenu. «Une femme ben dangereuse. Y a rien à son épreuve! A l'a fait mourir deux hommes!» La Maggie en colère, prête à bondir, correspond en tous points à celle que ses voisins lui ont décrite.

— Paraît qu'leu père r'vient ces jours-citte. Y vont être encore plus fanfarons pis plus dangereux. Y va falloir que quequ'un s'en occupe.

— Euzèbe r'vient-y lui-tou?

— Non, sa famille a déménagé aux États pas longtemps après, pis ç'a l'air qu'y va s'en aller par là lui-tou. En tout cas, s'y r'vient par icitte, les gars à Damase vont y prendre la face.

Maggie observe les environs par la fenêtre de la cuisine, les deux mains sur les hanches comme le cultivateur mesurant la tâche qui l'attend. Plein d'idées se bousculent dans sa tête. Son cœur à peine calfaté bondit, se rencogne, lui fait mal.

— Pis l'curé? fait Maggie, tenant pour acquis que tous les curés se comportent comme Antonio Quirion et qu'ils interviennent dès qu'un problème surgit.

— Le curé, explique Athanase en branlant la tête, c'é un ben bon curé. Mais ben jeune, pis pas beaucoup d'vécu. Ben dur pour c'qui est d'la religion, mais y s'mêle pas ben ben des affaires d'la paroisse. Deux ou trois fois, y a prêché contre les Biron sans les nommer. J'imagine qu'y leu prend la face dans l'confessionnal!

Maggie penche la tête, replonge dans ses pensées, l'âme à la bataille. Athanase revient à la charge.

— C'ta fois-citte, c'tait un chat, mé ça pourrait être ben pire. L'automne passé, Conrad Veilleux a trouvé trois veaux morts dans l'pacage au boutte d'sa terre. Deux jours avant, y avait tenu tête au maire parc' qu'y voulait élargir l'ch'min qui coupe son champ. Parsonne a pu l'prouver, mé ça sentait les Biron à plein nez.

— Y a-t-y appelé la police?

— La police? rétorque Athanase, amusé. A vient pas pour des affaires de même!

Maggie est sidérée. Pourquoi les paroissiens acceptent-ils pareil comportement de la part de leurs dirigeants? Pourquoi se soumettre à un tel régime de terreur? N'y a-t-il pas quelque part dans ce village une poignée de gens responsables capables de mettre fin à cette folie?

— Pis l'monde accepte ça, pis y disent pas un mot? Quelle gang de pâtes molles!

Athanase se pose les mêmes questions. Il les a posées autour de lui, au village, dans les autres rangs. Chaque fois, il est accueilli par un haussement d'épaules. Comme si ça ne le regardait pas, lui, l'étranger! Comme si tous avaient décidé de laisser passer l'orage, en attendant un nouveau juge de paix et, idéalement, un nouveau maire.

— Y en a ben qui sont pas contents, mé y s'disent qu'ça va s'calmer, pis qu'à la fin, c'tait pas mieux avec Bénoni.

— J'sus pas sûre d'ça, rétorque Maggie.

— Y a des élections betôt. Faudrait ben faire battre l'maire, mé pour tout d'suite, y a personne pour courir contre lui.

Maggie le regarde intensément, ses yeux verts perçants injectés de rancœur. Athanase est subjugué. En colère, Maggie Miller est encore plus belle.

— T'as pus envie d'te présenter?

— J'y pense, se défend Athanase d'une voix pas très convaincante. Mé ça fait juste cinq ans que j'sus dans l'village. Y a encore ben du monde qui m'traite d'étranger. Peut-être dans vingt ans? Peut-être jamais! Étranger un jour, étranger toujours!

Maggie branle vigoureusement la tête. D'un coup, elle réalise dans quelle situation elle est plongée. Coincée dans un mélodrame qui menace de dégénérer. À la merci du plus fort.

— Les catholiques ont peur de toute: des étrangers, des protestants, des r'venants, de toute.

Athanase est agacé par les propos de Maggie. Tous les catholiques ne sont pas des faibles. Mais il n'insiste pas. Maggie réfléchit. Pourquoi s'en faire? Bientôt, Mathilde rendra l'âme. Elle prendra le premier train pour Québec et n'aura plus à se préoccuper du comportement de quelques imbéciles. Adieu, Saint-Benjamin, à tout jamais.

— En attendant la mort de Mathilde, m'en vas garder les yeux grands ouverts pis ma carabine chargée.

Athanase lui promet de surveiller la maison. Il remet son chapeau, ouvre la porte et s'en va.

— Salut, Athanase.

— Salut.

Athanase est ambivalent face à cette femme. Sentiments emmêlés. Elle l'attire et lui fait peur. Sa beauté exceptionnelle occulte-t-elle un caractère exécrable, un passé inquiétant ? A-t-elle changé ? Sa réaction au sujet des frères Biron laisse croire le contraire. Doit-il s'en méfier ? Alexandrine Fleury, sa voisine, a beaucoup adouci le portrait négatif tracé par les voisins d'Athanase. « A l'avait même pas dix-huit ans quand tout ça est arrivé. Si on doit blâmer quequ'un, c'é l'curé du temps pis les autorités d'la paroisse. Si ç'avait pas été d'elle, moé pis ben d'aut', on aurait pas pu aller à l'école pendant deux ans. »

L'hiver attardé exsude encore quelques pincées de neige. Athanase retrouve ses traces, enfonçant jusqu'aux genoux, maudissant le ciel. Pour quelques jours de plus, cette bordée l'empêchera d'entreprendre de nouveaux travaux. Il sera forcé de vivre entre sa maison et l'étable avant que le soleil exhume le printemps pour de bon !

7

Enfin, après les dernières bourrades de l'hiver, le printemps reprend ses droits. Les rigoles en tignasses dévalent la colline de l'église. Sur le perron, tous les yeux sont braqués sur Damase Biron, fraîchement libéré de prison. La veille, un agent de la police provinciale l'a ramené à Saint-Benjamin. Damase a purgé sa peine avec les plus grands criminels dans la triste prison de Québec, surpeuplée, paradis de la promiscuité.

On l'avait accusé du meurtre de Catin-à-Quitou, il y a vingt et un ans, et son procès avait été couru. L'avocat de Damase avait soutenu que son client avait été entraîné malgré lui dans cette affaire et qu'Euzèbe Poulin devait porter tout le blâme. L'avocat de ce dernier fit valoir que Damase Biron avait incité Euzèbe à tirer sous menace de le dénoncer auprès des gens qui les avaient pistonnés en sous-main. Devant tant de confusion et de mensonges, le juge, excédé, recommanda aux jurés de condamner les deux hommes. Même si le procureur de la Couronne réclamait l'échafaud, le juge de la Cour du Banc du Roi à Saint-Joseph-de-Beauce leur imposa la même sentence : vingt ans de prison, écartant la peine de mort sous prétexte que les deux hommes n'avaient jamais voulu tuer Catin-à-Quitou, seulement lui faire peur. Enceinte d'Edgar, Lucia Biron, la femme de Damase, était assise dans la première rangée, pendant toutes les délibérations. Aucun appui de la famille, personne d'autre n'avait assisté au procès. Lors du prononcé de la sentence, elle a éclaté en sanglots. Damase, menotté, les yeux mouillés, a été conduit en prison.

L'homme a changé. Pâle, les joues flasques, il a perdu beaucoup de poids. Ses traits sont tirés. Ses gestes, lourds. Il flotte dans ses vêtements trop grands. Les yeux fixés sur le bout de ses souliers, il écoute la conversation de ses deux fils avec Josaphat Pouliot. Il évite de s'en mêler. Mal à l'aise, Damase aimerait visiblement se retrouver ailleurs, se soustraire à tous ces regards qui l'accusent, le jugent et le condamnent de nouveau.

Frondeurs, ses fils pavoisent comme si le retour de leur père leur donnait une nouvelle légitimité. Les paroissiens n'ont pas le même enthousiasme. Héros des uns, Damase est le scélérat des autres. La plupart l'observent à la dérobée, comme on évite de regarder dans les yeux le taureau qui longe la clôture. Les femmes tiennent fermement la main de leurs enfants. L'une d'elles se signe à la dérobée. Manifestement, Damase n'est pas le bienvenu. Pourquoi n'a-t-il pas quitté Saint-Benjamin à tout jamais, comme Euzèbe? Sa présence aux côtés de ses fils et de Josaphat agace les paroissiens qui font preuve d'un mépris à peine refoulé.

— Ben tiens, on a d'la belle visite! lance Cléophas Turcotte, de l'ironie plein la voix.

Cléophas, le fanfaron, ne craint pas les conséquences d'une bravade. Seul conseiller «bleu» de la paroisse, Cléophas voulait démissionner en même temps que son ami Bénoni, qui l'en a empêché. Aux réunions du conseil, Cléophas est le «rapporteur» officiel de l'ancien maire.

— Y a pas à dire, on é chanceux à Saint-Benjamin! Maggie Miller la s'maine passée, pis aujourd'hui, l'beau Damase.

Indifférent, Damase ne lève même pas les yeux. A-t-il oublié l'humiliation que Cléophas lui a fait subir en le ramenant dans l'église, complètement saoul un certain dimanche d'élections? Une tactique qui visait à discréditer les adversaires de Bénoni. Mais la rigolade de Cléophas contrarie les deux fils de Damase. Les poings en forme de menace, Edgar s'avance vers lui. Josaphat le retient aussitôt par la manche de sa chemise. L'heure n'est pas à la bataille. Edgar obtempère. Josaphat est comme son second père. Il avait promis de s'occuper de Wilfrid et Edgar pendant l'emprisonnement de Damase, d'en faire ses fils adoptifs. Un rôle qu'il n'a jamais réussi à tenir proprement. Chaque fois qu'Edgar ou Wilfrid avaient des problèmes, Josaphat ne trouvait rien à dire si ce n'est les mots faciles. « Va-t'en à la maison, ta mère t'attend. »

— Laisse-lé faire, dit-il à Edgar. Y perd rien pour attendre, c'te torvice de viac de bas-cul !

De l'intérieur de l'église, le curé aperçoit Damase du coin de l'œil. Contrarié, il en dira un mot pendant son sermon. Sa priorité est ailleurs : les Quarante Heures. Chaque année, les fidèles de la province de Québec se relaient pour assurer l'adoration perpétuelle du Saint-Sacrement. Cette semaine, pendant quarante heures, jour et nuit, les fidèles de Saint-Benjamin prendront la relève. Si le curé trouve assez de volontaires pour combler les heures de la nuit. Les Quarante Heures sont aussi une invitation à la confession et à la communion massive, une bonne source d'indulgences. L'an dernier, à son arrivée, le curé n'avait convaincu que deux cents de ses paroissiens de se confesser et de communier en cette occasion, une performance bien en deçà des attentes de l'évêché, et qui lui avait valu de sévères remontrances.

Vidal Demers monte le ton pour bien faire comprendre l'importance des Quarante Heures.

— Je serai là avec vous pendant toute la nuit, si ça peut vous rassurer.

Son sermon est plus court que d'habitude. Il fait appel à l'importance de la charité chrétienne, de la compassion et du pardon. Quand Damase se rend jusqu'à la balustrade pour communier, tous les yeux sont encore tournés vers lui, pleins d'incrédulité. Une sorte de grand malaise envahit l'assemblée des fidèles. Après la messe, il quitte rapidement l'église, sans se retourner, pressé de rentrer chez lui.

— C'é pas drôle comme y a changé, fait observer Trefflé Vachon en le suivant des yeux. Y é d'venu chie-maigre, pis y a la falle basse pas pour rire !

Ses vingt années en prison ont transformé Damase. Battus à quelques reprises pour avoir tué un faible d'esprit, jamais acceptés par les autres prisonniers, lui et Euzèbe étaient les derniers des voyous aux yeux des gardiens de la prison. Que fera-t-il maintenant? Pendant sa longue absence, sa femme et ses fils ont vivoté sur la ferme avant de la vendre à un commerçant de Saint-Prosper. Depuis ce temps, les deux frères ont effectué plein de petits travaux qui ont permis à la famille de subsister. Aujourd'hui, à force d'intimidation et grâce à la complicité des dirigeants de la paroisse, ils n'ont plus à s'inquiéter.

Ce matin, au déjeuner, quand l'un des deux fils a mentionné le retour de Maggie Miller, Damase est resté impassible. Il a quitté la table et s'est dirigé vers la fenêtre, les deux mains dans les poches, le regard perdu dans le vide.

— Tu veux qu'on y arrange la face? a demandé Wilfrid, son fils aîné.

Damase n'a pas répondu. Depuis son retour, il ne parle presque pas. Il va de la table à la fenêtre, silencieux, égaré dans ses pensées. Parfois, il arpente la cuisine, comme la cellule de sa prison. Il va dans la chambre à coucher, en ressort, monte au grenier, fixe l'horloge quand elle sonne l'heure. Son cerveau a déraillé. Finies les blagues, les taquineries dont il était si friand avant la prison. Rien ne l'intéresse, rien ne l'atteint. Sa femme est de plus en plus soucieuse, mais elle évite d'alarmer ses fils. Elle avait déjà constaté sa déchéance progressive. À chacune de ses rares visites à la prison, elle l'avait d'abord trouvé amer, puis résigné et, à la fin, absent. Elle craint le pire. «Y a-t-y pardu la carte?»

— Ça r'viendra, dit-elle aux garçons inquiets. C'qu'y a vécu en prison é pas facile. Ça va prendre du temps. Pis, faites pas d'folies avec la Miller, si vous voulez pas vous r'trouver en prison vous aut'-tou.

— A l'a pas fini avec moé, la maudite chienne! beugle Edgar.

L'attitude de Damase, taciturne, déprimé, renforce le désir de vengeance de ses deux fils. Alors peut-être retrouverait-il le goût de vivre… Jusqu'où aller ? Se contenter de faire peur à Maggie Miller en espérant qu'elle retourne à Québec le plus tôt possible ? Ou aller plus loin encore ? L'aîné n'en finit plus de freiner les ardeurs du benjamin. Le doigt sur la gâchette de sa carabine, il est prêt à abattre Maggie Miller sur un coup de tête, tant il est naïvement convaincu qu'il n'y aura pas de conséquences.

— Parsonne défendra Maggie Miller, affirme-t-il à son frère qui s'oppose à son projet trop radical. L'beau Bénoni é pus là pour la protéger, pis les protestants l'v'ront pas l'tit doigt pour l'aider.

Lucia branle furieusement la tête. Edgar réagit comme son père à vingt ans. Toujours prêt à sauter dans la mêlée sans réfléchir. Les poings d'abord, la tête ensuite.

— Personne pour la défendre, tente de le raisonner Wilfrid, mé tu peux pas tuer une personne même si a l'é criminelle. Si tu t'fais prendre, la police va v'nir t'charcher comme popa, pis tu risques d'finir sus l'échafaud.

Edgar n'écoute plus son frère. La rage l'envahit, lui fait mal, l'empêche de respirer. Ses mains tremblent, sa gorge est sèche. Il quitte la maison en claquant la porte de toutes ses forces. Wilfrid grimace, sa mère retient son souffle, inquiète de la colère de son plus jeune fils. Damase a un petit tressaillement d'épaules, à peine perceptible.

Dehors, Edgar fouille dans la remise à la recherche de la carabine. Furieux de ne pas la trouver, il balaie de la main tous les objets qui jonchent la table, donne un grand coup de pied dans le mur et ferme vivement la porte derrière lui. La veille, son frère a subtilisé l'arme et l'a confiée à Josaphat.

8

Maggie se réveille en sursaut, la tête embrouillée. Fatigue et vague pressentiment l'assaillent. Le jour se faufile sous un bataillon de nuages filandreux. Elle a mal dormi, attentive au souffle lourd et bruyant de Mathilde dans la chambre voisine. Réveillée par le moindre éternuement, elle était toujours sur le qui-vive. Sommeil léger, voyage inconfortable entre le crépuscule et l'aube. Une odeur âcre de fumée flotte dans la maison. Maggie saute rapidement du lit et court vers la chambre de sa tante endormie. Elle examine la cuisine, ouvre la porte du sous-sol, rien. Que cette désagréable odeur de brûlé. Tout à coup, par la fenêtre, elle aperçoit une fumée grisâtre s'échappant du toit de la remise où son oncle entreposait ses outils.

Elle enfile son manteau et se précipite à l'extérieur. À l'aide d'une pelle, elle asperge la remise de neige mais peine perdue, le feu avale rapidement le petit bâtiment. Maggie tente de déchiffrer la scène. Un accident bête ? Le fait d'un imbécile ? Elle s'efforce de gommer les images qui pullulent dans sa tête.

— Pas ces maudits Biron encore une fois !

À n'en pas douter, le feu a été allumé délibérément. Maggie jette un long coup d'œil sur les environs. Rien. Que le chuchotement du vent et le grésillement du feu. L'auteur du crime a eu le temps de se sauver dans la forêt après son méfait. Des étincelles volent. Pelle à neige en main, Maggie veut d'abord protéger la maison. Quand la structure de bois s'effondre, elle y lance quelques pelletées. Le feu se tord de froid, crachote et se distille en fumée. Maggie regagne la maison. À la fenêtre, Mathilde, en larmes, n'en revient pas.

— Sainte bibitte, veux-tu ben m'dire comment l'feu a ben pu pogner là-d'dans? C'é grand comme ma main! T'as pas laissé d'chandelle allumée, Maggie?

— Ben non, ma tante, j'ai pas mis les pieds dans la r'mise depuis mon arrivée.

— Tu m'parles d'un accident bête.

Maggie bouillonne. Elle voudrait tordre le cou du coupable. Comment rassurer sa tante? Doit-elle lui dire la vérité? Lui répéter les propos d'Athanase au sujet de son chat? Elle attendra encore un peu. Pourquoi l'alarmer inutilement? Les Biron n'iront quand même pas jusqu'à brûler la maison d'une vieille femme.

— La maison aurait pu y passer itou, dit encore Mathilde.

— J'sais ben, répond Maggie.

— Ça doit être l'bon Dieu qui veut ça, se lamente Mathilde. Pourtant, j'mène une bonne vie. J'sus trop vieille pour faire des péchés. J'comprends pas pantoute qu'y veuille encore m'punir.

Maggie ne croit pas à l'accident, ni à la main de Dieu. C'est une main criminelle bien humaine qui a allumé cet incendie. La main d'un pyromane. Doit-elle le révéler à Mathilde? Maggie tente plutôt de la rassurer, de détourner son attention en proposant de déjeuner.

— Pis j'y pense, Maggie, t'as pas vu mon chat darnièr'ment? Y court la galipote en masse, mé d'habitude, y r'vient manger pis s'faire flatter après trois quatre jours. J'espère qu'y s'é pas fait enterrer par la tempête de neige.

— Ben voyons donc, ma tante. Les chats sont pas mal plus *smattes* que ça. Y d'vrait pas tarder. Y r'viendra avant longtemps.

Après le déjeuner, Maggie prend congé de sa tante et se rend chez Athanase. Le printemps s'enhardit. Un vent léger, folichon, court dans le rang-à-Philémon. Un couple de geais bleus, huppe hérissée, accueille bruyamment

Maggie. Athanase est surpris de la retrouver sur le pas de sa porte.

— Entre, dit-il.

Les deux filles d'Athanase, sourire engageant, saluent la visiteuse et retournent à leur jeu. La maison est propre. Au milieu de la cuisine, une grande table, ses chaises et un banc. Des images et une statue de la Vierge au mur. Saint Joseph, en retrait, est figé dans son plâtre brun. Les manteaux des deux enfants sont accrochés, chacun à son clou, à côté de la porte. À chacun s'associe une paire de bottes. La pâte à pain, fermentée au cours de la nuit, soulève le couvercle de la huche comme pour s'en échapper. Les yeux de Maggie, médusée, vont de la huche à Athanase.

— Faut ben manger. J'fais une cuite de pain par semaine. Tu d'manderas à Mathilde. A va t'dire que c'é l'meilleur pain du rang-à-Philémon. J'y en apporte souvent.

Maggie a un sourire fade, forcé. Athanase l'étonne. Il est tellement différent de Walter. Mais pour l'instant, elle a d'autres préoccupations. Athanase devine la mauvaise nouvelle.

— Que c'é qui t'amène?

Tendue, Maggie ne tient pas en place, comme une loutre en cage. Flairant le malheur, Athanase lance:

— Allez jouer dehors, les filles, y fa beau soleil!

Elles ne se font pas prier. Laetitia et Madeleine s'habillent rapidement et sortent de la maison. Maggie reste seule avec Athanase.

— La p'tite remise de ma tante a passé au feu à matin.

— Quoi? fait Athanase, éberlué.

Ses yeux trahissent son inquiétude. Plein d'hypothèses surgissent dans sa tête.

— Ç'a pas d'creusse de bon sens. Une aussi p'tite cabane passée au feu! Vous avez pas oublié une chandelle ou une lampe allumée? demande-t-il à Maggie.

— Personne a mis les pieds dans la r'mise depuis la mort de mon oncle. Ma tante avait rapaillé dans la maison son fusil pis les outils qu'a l'a d'besoin. Ça d'vait être complètement vide.

— Si c'é pas un accident, c'é quequ'un qui a voulu vous jouer un tour… ou vous faire peur.

Athanase se lève, va dans la cuisine et en revient avec un paquet de tabac. Il roule une cigarette, en mouille le côté collant avec sa langue et l'allume.

— J'ai mon idée là-dessus, dit-il. C'é pas un feu ordinaire, si tu veux mon avis. J'gagerais une piastre que les maudits Biron sont derrière ça.

Maggie en est convaincue. Que faire? La police ne se dérangera pas pour une bagatelle. Se plaindre au maire? Il se moquera d'elle ou ne l'écoutera même pas. Le curé? Peine perdue. Personne ne viendra à son aide. Maggie est tourmentée, dépourvue et à la merci d'individus qu'elle ne connaît même pas.

— Pis si on fait rien, la prochaine fois, ça s'ra la maison? demande Maggie.

— Y a rien à leu z'épreuve. Depus qu'y ont tué les veaux de Conrad, j'ai toujours peur qu'y s'en prennent à mes animaux itou. C'é pour ça que j'hésite ben gros à m'présenter comme maire. C'monde-là, y sont trop dangereux.

Maggie branle furieusement la tête. Comment mettre fin à cette folie? N'y a-t-il pas à Saint-Benjamin assez de gens courageux pour barrer la route aux Biron? Athanase n'a pas de réponse.

— J'ai p't-être une idée, déclare Maggie.

Piqué par la curiosité, Athanase a les yeux rivés sur elle. La beauté de Maggie le fascine. Sa façon de parler, de s'habiller, tout chez cette femme attise son intérêt. Depuis la mort de sa Rosa, il ne s'est jamais soucié des autres femmes, consacrant toute son énergie à ses deux filles. Alexandrine Fleury, sa voisine qui prend souvent soin de Laetitia et Madeleine, lui avait trouvé un «ben bon parti», mais Athanase, faute de temps, n'a jamais rencontré l'élue d'Alexandrine. Aujourd'hui, pour la première fois, une femme l'ébranle. Agacement passager, le temps d'un printemps? Engouement rapidement dissipé aussitôt que Maggie aura repris le train pour Québec? Il tâche de se faire une raison pour empêcher son cœur de s'emballer.

— Pourquoi tu vas pas d'mander conseil à Bénoni, l'ancien maire? Quand j'restais par icitte, j'ai eu affaire à lui. C'tait un bon homme. Des fois dur pis baveux, mé juste.

Athanase aime bien l'idée. Mais un doute subsiste. Bénoni le recevra-t-il? L'ermite ouvrira-t-il sa porte? Les agissements de ses adversaires le titilleront-ils? Voudra-t-il se venger des traîtres d'hier? Tous ceux qui l'ont sollicité récemment n'ont pas réussi à franchir le pas de sa porte. Le bureau est fermé, le maire est parti. Athanase n'a rien à perdre. Dans le passé, ses rencontres avec Bénoni ont toujours été cordiales. C'était un maire attentif et intéressé.

— Demain, m'en vas aller vouère Bénoni pis y d'mander son idée pis c'qu'on d'vrait faire pour protéger not' butin contre ces bandits-là.

Athanase raccompagne Maggie jusqu'à la porte. Il s'empare de sa veste et sort avec elle.

— M'en vas d'mander à Bénoni itou si j'devrais courir comme maire.

— Tu m'sembles avouère toutes les qualités qu'y faut pour la *job*, avance Maggie. En tout cas, si j'sus encore par icitte pour les élections, j'te donnerai un coup d'main.

Les yeux de Maggie brillent comme des billes au soleil. Athanase en est remué. Cette femme l'envoûte.

— Ça s'ra pas d'trop, approuve-t-il.

La démarche élégante et fière, fermant son châle sur sa poitrine, Maggie s'éloigne, évitant les flaques d'eau, contournant les deux filles qui essaient de ranimer un bonhomme de neige amoché par le printemps. Maggie se penche, saisit un caillou et tente de redonner un nez au bonhomme, sans succès. Madeleine éclate de rire.

— Salut, les filles, fait Maggie

— Au r'vouère.

Athanase la suit des yeux. Un long moment.

9

Fin mars, Mackenzie King, le premier ministre libéral, remporte une brillante victoire. Il fait élire trois fois plus de députés que tous ses adversaires réunis. Saint-Benjamin réélit le libéral Léonard Tremblay, fort de la promesse du premier ministre de ne pas imposer la conscription. Mais dans la province de Québec en particulier, ils sont nombreux à douter de sa bonne foi. Déjà, en janvier, le gouvernement a lancé une première campagne «d'emprunt de la victoire» avec l'objectif de recueillir deux cents millions de dollars.

— Vous saurez me l'dire, a soutenu Théodule Bolduc, ça commence par un emprunt pis ça finit par la conscription.

A-t-il tort? Tous se souviennent de la fameuse phrase de Mackenzie King: «La conscription si nécessaire, mais pas nécessairement la conscription.» En campagne électorale, la promesse des libéraux s'accompagnait souvent de bémols de toutes sortes. À Saint-Malachie, la main sur le cœur, Léonard Tremblay, le candidat libéral dans Dorchester, prêchait l'ambiguïté.

«Je ne suis ni un impérialiste ni un jingo[2] et je déclare sans ambages que je suis irréductiblement opposé à la participation du Canada aux guerres extraterritoriales. Mais je veux que mon pays soit protégé contre les étrangers d'où qu'ils viennent.»

Bénoni Bolduc termine son déjeuner, les yeux rivés sur la une de *L'Action catholique*. La manchette lui suffit. Le compte rendu de la victoire libérale et de la nouvelle débandade des conservateurs ne l'intéresse pas. Ses «chers bleus» sont dans un creux de vague. Il a mieux à faire.

---

2. jingo: de «jingoïsme», expression originaire du Royaume-Uni décrivant le chauvinisme belliqueux.

Avec application, il découpe deux grosses couennes de lard qu'il suspendra au-dessus de la bouilleuse pour empêcher l'eau d'érable en ébullition de déborder. Une grosse coulée de sirop en perspective. Auparavant, il fera un détour par le rang Watford. Histoire de vérifier si son fils a terminé les réparations de sa grange. La semaine dernière, Bénoni a planté les pieds de son puîné sur une terre achetée de Sam Watkins. Une bonne terre que les fils Watkins n'ont pas voulu récupérer, préférant Montréal et ses artifices. Quant à l'aîné de Bénoni, il sera bientôt ordonné prêtre. Il en est très fier, mais pas autant que Léda. Elle voit dans l'ordination de son fils un moyen de faire oublier le triste épisode du curé Antonio Quirion, chassé de Saint-Benjamin il y a plus de vingt ans, au terme d'un long combat dont son mari avait été l'un des artisans.

Quand on frappe à la porte à cette heure matinale, Bénoni retrouve ses réflexes d'ancien maire. Cette époque toute récente quand les gens le visitaient à toute heure du jour. Léda hoche la tête d'impatience.

— Entrez! crie Bénoni.

Athanase Lachance s'excuse de le déranger ainsi. Bénoni aurait-il quelques minutes à lui consacrer? Soupçonnant le but de la visite d'Athanase, il l'entraîne hors de la maison pour ne pas contrarier Léda. Il lui a promis de ne plus se mêler des petites intrigues du village.

— Ça va ben mal dans l'village depus que vous êtes pus maire, commence Athanase en boudinant le revers de son chapeau.

— Tant qu'ça? fait Bénoni, petit sourire narquois en coin. Milledieux, le monde voulait du changement, y en ont eu. Avec Godbout pis là Mackenzie King, pis les libéraux d'Saint-Benjamin, vous êtes en d'bonnes mains.

L'amertume de Bénoni affleure à chacun de ses mots. Rudoyé par des malfrats, il souffre encore vivement de son expulsion cavalière du conseil. La blessure reste vive. Au lendemain de la victoire des libéraux d'Adélard Godbout en octobre 1939, Saint-Benjamin, la libérale, a été emportée par un vent de changement. Bénoni Bolduc a été forcé de démissionner. Refoulé dans ses terres. « Dehors, les cabaleux de Duplessis ! » lui a lancé Josaphat Pouliot. « Bon débarras ! » a renchéri le secrétaire, Saint-Pierre Lamontagne. Bénoni a abandonné la mairie et son poste de juge de paix. Maire depuis trente-cinq ans, il avait de trop nombreux ennemis. Cinq ans plus tôt, sa grange a brûlé dans des circonstances nébuleuses. Souvent, ses enfants ont été la cible de fiers-à-bras. Aujourd'hui, Bénoni vit en ermite, sauf le dimanche, messe oblige. À l'affût, ses adversaires, trop souvent échaudés, le craignent toujours. Comme l'ours qui finira bien par sortir de son antre.

Athanase piétine. Duplessis, King, Léonard Tremblay ne l'intéressent pas. Son problème est plus immédiat.

— C'é les Biron, les gars à Damase. Y font ben du trouble.

— Le gros Wilfrid pis son frère Edgar ? Y ont jamais eu l'monopole d'l'intelligence, laisse tomber Bénoni. Y ont fait du tort à quequ'un ?

Athanase opine de la tête, roulant une cigarette molle de sa main droite.

— Y ont tué le chat d'Mathilde Rodrigue, pis hier matin y ont fait brûler sa r'mise.

Abasourdi, Bénoni s'approche d'Athanase.

— T'es sûr que c'é les Biron qui ont fait ça ? Pis pourquoi Mathilde ? A l'a jamais fait d'mal à une mouche. Pis on m'a dit qu'a l'avait un pied dans sa tombe.

— C'é pas elle, le corrige Athanase, c'é pour s'venger d'Maggie Miller, parc' qu'a l'a envoyé leu père en prison.

Bénoni ne comprend pas. Pourquoi vouloir se venger de Maggie Miller maintenant ? Pourquoi ne pas l'avoir fait avant ?

— Depus qu'a l'é r'venue, y paraît qu'y tiennent pus en place, pis qu'y ont juré de s'venger.

Bénoni va d'étonnement en étonnement.

— Milledieux, Maggie Miller é r'venue à Saint-Benjamin?

Comment une telle nouvelle lui a-t-elle échappé? Est-il si déconnecté de la réalité? Pourquoi son fidèle Cléophas ne l'a-t-il pas informé d'un événement aussi important? Sans aucun doute, le retour de Maggie Miller à Saint-Benjamin entre dans cette catégorie.

— Oui, pour rester avec sa tante jusqu'à sa mort. Après, a m'a dit qu'a r'partirait pour Québec.

Bénoni allume sa pipe. Il réfléchit longuement. L'homme n'a pas beaucoup vieilli. Un peu plus de cheveux gris, de rides autour des yeux, mais le regard est perçant, la démarche encore vive et l'esprit toujours alerte. La politique lui manque terriblement.

— Si j'peux t'donner un conseil, Athanase, reste loin d'Maggie Miller. A l'a peut-être changé, mé même si a l'a changé, tiens-toé z'en ben loin. C'ta femme-là, c'é l'trouble en parsonne. J'ai été trop mou avec elle dans l'passé.

— Que c'é qu'a l'a fait d'si grave?

Bénoni le regarde, surpris. Il est vrai qu'Athanase ne vivait pas à Saint-Benjamin quand Maggie a fait damner les bonnes âmes de la paroisse.

— Y a ben du monde qui pense qu'a l'a fait mourir son mari à p'tit feu, pis qu'a l'a forcé à s'passer la corde au cou.

Athanase fronce les sourcils. Froidement, Bénoni trace un portrait dévastateur de Maggie Miller. Mauvaise épouse, impie, comportement scandaleux.

— A r'semblait pas pantoute à nos femmes.

Une femme froide, manipulatrice, qui a abusé d'un homme plus faible qu'elle.

— Domina Grondin, c'était un bon gars, sans défense, qui voulait juste que sa femme s'occupe de lui pis qu'a l'aime, pis qu'à s'donne à lui, comme une vraie femme, renchérit Bénoni.

La mise en garde de l'ancien maire ne surprend pas Athanase. Adelbert Giguère est allé encore plus loin. Maggie Miller? Une sorcière, une dépravée, pire que Marie-Madeleine. «L'diable en parsonne», a-t-il dit.

Athanase commence à regretter de s'être rapproché de Maggie. Doit-il l'éviter? Pourrait-elle corrompre ses filles? Mais comment pouvait-il savoir? Et avait-t-il le choix? Après tout, Mathilde et Maggie sont ses voisines. Pouvait-il deviner que Maggie Miller est l'incarnation du mal? Oui, le magnétisme de Maggie et sa beauté le subjuguent. Aurait-il dû s'en méfier, la regarder du coin de l'œil, de loin, comme on regarde ces femmes venues de la ville, en robe de satin, fardées jusqu'aux oreilles, comme la greluche du «bom» Bernier? Il sera prudent et s'en confessera dimanche prochain.

— Mé si j'voulais vous vouère, c'é à propos des élections. Pensez-vous qu'j'aurais des chances de batt' Romain?

— Romain Nadeau! fait Bénoni, contenant à peine sa rage. Un pognasseux, un fricasseux qui a jamais rien fait d'bon dans vie. Même si t'es pas d'la paroisse, t'as des belles qualités. Parle au monde, mon Thanase. Vois les ceuses qui pourraient t'appuyer. Va vouère les protestants. Y aiment pas Romain, tu pourrais les avouère d'ton côté.

— Vous allez m'aider, m'sieur Bénoni?

— J'te promets rien. Pis y é probable que j'te nuirais plus qu'aut' chose! Pis oublie pas c'que j'tai dit: tiens-toé ben loin d'la Miller, sinon tu vas le r'gretter. Pis l'monde va t'en vouloir. Y l'haïssent encore plus qu'les Biron.

Athanase fait signe que oui de la tête. Il saute dans son robétaille.

— Marche, Rosée.

Sur le chemin du retour, Athanase aperçoit Alexandrine Fleury sur le pas de la porte de Mathilde. Après la mise en garde de Bénoni, il passe son chemin. Toujours trop accaparée par ses enfants, Alexandrine trouve enfin le temps de venir saluer Maggie.

— Tu t'souviens, tu m'as fait l'école en sixième année...

Les yeux fixés sur Alexandrine, Maggie se livre à un petit exercice de remue-méninges. Alexandrine ? Soudain, des images lui reviennent. Alexandrine, l'élève modèle, un peu timide, mais toujours prête à lui rendre service.

— Athanase m'a parlé de toé. Y m'a dit qu'tu gardais ses filles des fois.

— Y sont quésement comme mes propres filles. Pis, deux d'plus ou deux d'moins, ça change pas grand-chose.

Mère de huit enfants, dont cinq filles, Alexandrine a épousé un ami d'enfance, Lucien Boulet. Bien établie dans une grosse ferme, elle besogne du soir au matin, de la cuisine à l'étable. Sans oublier de fréquentes visites qu'elle rendait à Mathilde avant l'arrivée de Maggie.

— J'en r'viens pas pour la r'mise, déplore Alexandrine. Laisse-toé pas étriver par c'ta bande d'écharognés du village.

Maggie rigole. Enfin une alliée !

— Tu vas r'partir aussitôt qu'Mathilde s'ra morte ?

— Oui, c'é mon plan. J'voué pas c'qui pourrait me r'tenir par icitte.

10

Début avril 1940, la loi sur le suffrage féminin est adoptée par l'Assemblée législative de la province de Québec. Une loi vertement dénoncée par le cardinal Rodrigue Villeneuve parce que «son exercice expose la femme à toutes les passions et à toutes les aventures de l'électoralisme».

Malgré l'église, c'est une grande victoire pour les femmes, grâce aux efforts soutenus des Idola Saint-Jean, Thérèse Casgrain et autres suffragettes depuis vingt ans. Ce matin, *The Montreal Star* écrit au sujet de cette victoire : «Mme Casgrain en a été l'avocate mordante ; inflexible, impitoyable, implacable comme un roc de diamant. Mlle Saint-Jean en a été le sabre.»

— J'ai jamais rien vu d'aussi niaiseux, se plaint Parfait Loubier-à-Batèche au magasin général de Saint-Benjamin. J'mettrais ma main au feu que Godbout va le r'gretter.

— En tout cas, Duplessis aurait jamais laissé les femmes voter. Jamais ! plaide Caïus Labonté. Rappelez-vous de c'qu'a dit l'secrétaire avant-hier.

Saint-Pierre Lamontagne, dans une de ses envolées typiques, a cité une déclaration de l'ancien député de Dorchester, Charles Ouellet, à l'Assemblée législative du Québec en 1927 : «L'expérience nous enseigne que l'homme est supérieur en politique et que la femme est supérieure au foyer. Pour que chacun garde sa supériorité, il faut qu'ils tiennent tous deux leur place.»

— Y paraît que l'curé de Saint-Prosper a dit hier que même en France, les femmes ont pas droit d'voter.

— Arrêtez donc d'vous étriver pour des affaires de même, tranche Théodule Bolduc. Les femmes votent depuis vingt ans au moins dans l'Dominion, pis c'é pas encore la révolution. Les curés, y farfinent toujours pour rien !

Mais en ces temps d'incertitude, les messages du clergé tombent à plat. Dans les grandes villes, les évêques n'ont pas réussi à empêcher les femmes de travailler en usine. À Montréal, des employeurs ont même créé des garderies que certains appellent encore des asiles comme au début du siècle, pour faciliter le travail des femmes dans les manufactures. La main-d'œuvre masculine ne suffit plus en raison de la forte demande provoquée par la guerre. Enfin sortie de la grande crise, l'économie de la province est en pleine croissance.

Maggie retourne entre ses doigts la lettre que son patron vient de lui expédier. Une lettre assortie d'une proposition intéressante, celle de diriger une section de la Quebec Stitchdown Shoe en rapide expansion. « Dès que t'en auras fini avec ta tante, donne-moi des nouvelles. » Les yeux au loin, Maggie revoit l'usine, Québec, Walter. Une douleur lui engourdit le cœur.

Hier encore, une telle proposition l'aurait séduite, elle, l'ambitieuse qui rêve de gravir les échelons au même rythme que les hommes, persuadée qu'elle n'a rien à leur envier. Elle qui applaudit les victoires des Casgrain et Saint-Jean, convaincue que la province de Québec entre enfin dans le modernisme et que tout devient possible pour les femmes.

Elle se souvient des plans qu'elle faisait avec un Walter hésitant pour créer leur propre entreprise, un restaurant, une confiserie ou un magasin de chaussures. À la caisse populaire de Limoilou, le gérant lui avait dit que seul Walter pouvait emprunter de l'argent, que seul un homme pouvait diriger une entreprise. Maggie avait renversé son café sur la table du gérant et quitté le bureau, la rage au cœur.

Mais aujourd'hui, pour une raison qu'elle n'arrive pas à s'expliquer, elle tergiverse. Le doute la retient, freine son enthousiasme. Comme si ses ambitions s'étaient figées.

Pourquoi ? Pourtant, les incidents des derniers jours devraient la convaincre de quitter ce village au plus vite. Veut-elle régler ses comptes avant de repartir ? Son cœur est-il en train de lui jouer des tours ?

11

Au village, Cléophas Turcotte n'a que faire du vote des femmes. Toujours essoufflé, la sueur collée à la peau, le gros homme est furieux. Les quatre pneus de sa voiture ont été crevés au cours de la nuit. Des trous de vilebrequin ont été percés dans chaque pneu acheté à gros prix l'automne dernier. Encore une fois, la vieille Packard sedan est la cible de ses adversaires. Cléophas en a assez. Au-delà de sa voiture, ce sont les incidents des derniers jours qui le tourmentent davantage. Bénoni lui a conseillé de contacter la police provinciale. «Appelle Roméo, y t'connaît ben.» Cléophas hésite mais pas longtemps. Les derniers incidents, ses soupçons, la conduite du maire, tout y passe. Roméo Labrecque, le policier, en a plein les oreilles.

Prévenu au téléphone que le policier voulait les voir, Saint-Pierre Lamontagne a convoqué chez lui le maire Romain Nadeau et le conseiller Josaphat Pouliot. En attendant, tout à son plaisir, Saint-Pierre épingle de nouveaux articles de *L'Action catholique* sur le mur de la Cloutier. Qui alimentent sa misogynie. Au crayon rouge, il vient de souligner un extrait du plaidoyer final de l'avocat de la Couronne, maître Noël Dorion, se désolant du triste sort réservé à Vilmont Brochu.

«Toute la souffrance d'un être humain dont la femme est la cause, elle que rien ne touche.»

— J'étais en train de relire le compte rendu du plaidoyer de l'avocat de la Couronne au procès de la Cloutier. C'est incroyable comme elle ressemble en tout point à Marguerite Grondin. S'il n'était pas mort depuis si longtemps, on pourrait exhumer le corps de Domina. On y retrouverait probablement du poison.

— Marg'rite Grondin ? répète Romain.

— Tout à fait, répond le secrétaire. J'me demande bien pourquoi vous l'appelez Maggie Miller alors que son vrai nom est Marguerite Grondin ? Elle a été mariée à Domina Grondin, je l'ai vu dans les registres, alors elle doit porter le nom de son mari, même mort.

— C'é ben trop vrai, admet Josaphat. À moins qu'a l'aille marié son protestant ?

— J'ai demandé à un ami de vérifier à Québec. Ils ne se sont jamais mariés. Son vrai nom, c'est Marguerite Grondin et je suggère qu'on n'utilise que ce nom. De cette façon, on lui rappellera ce qu'elle a été et ce qu'elle a fait à ce pauvre Domina Grondin. Marguerite Grondin, ça fait bout de rang, ça fait « cocession », comme vous dites. C'est pas mal moins excitant que Maggie Miller !

De petits coups secs sont frappés à la porte.

— Bonjour, dit le policier sèchement.

Roméo Labrecque est impressionnant. Les cheveux courts, blonds, des yeux inquisiteurs, des épaules comme celles du lutteur Yvon « le lion » Robert, l'idole des Canadiens français. Plus de six pieds de muscles. L'image du parfait policier. Sa voix d'outre-tombe intimide les trois hommes. Il va droit au but.

— J'ai reçu des plaintes de citoyens de votre paroisse au sujet de veaux morts dans des drôles de circonstances, d'une remise qu'on a fait brûler et, ce matin, des pneus de monsieur Turcotte. Vous savez comme moi, monsieur le maire, que ce sont là des actes criminels ?

— J'ai rien à vouère avec les *tires* de Clophas.

— Vous, peut-être pas, continue le policier, mais vous savez sûrement qui a fait ça. Dans un petit village, tout se sait.

Le secrétaire demeure impassible. Josaphat se tortille sur sa chaise. Romain est démuni. Petit, cheveux bruns, teint basané, il a un long nez d'aigle. De grosses lunettes noires aux vitres épaisses lui barrent le visage. Il ne vous regarde jamais dans les yeux. À la retraite, l'ancien menuisier vit seul avec sa femme, en visite à Québec depuis deux jours. Romain fixe le bout de ses bottes. Il se contente de hausser les épaules.

Le policier se rapproche du maire de plus en plus nerveux, dépourvu. Quoi dire, quoi répondre? Jouer l'innocent qui ne sait rien? Attendre que le secrétaire ou Josaphat vienne à son secours? Roméo Labrecque plante des yeux très durs dans ceux du maire. Romain détourne aussitôt la tête.

— Vous avez idée de qui a fait ça?

— Non, répond le maire d'une petite voix.

— Non? rétorque le policier, incrédule.

Romain Nadeau est de plus en plus mal à l'aise. Se trémoussant sur sa chaise, il implore Josaphat et Saint-Pierre du regard. Le policier allume une cigarette. Un nuage de fumée blanche enveloppe la maison. Pendant un long moment, Roméo Labrecque reste silencieux, auscultant son paquet de cigarettes Player's medium avec bout en liège. Des nouvelles cigarettes que sa femme lui a rapportées de Québec la veille. Il savoure chaque bouffée, comme pour donner aux trois hommes l'impression qu'il a tout son temps. Le policier relève les yeux. Romain se pare contre une autre bourrasque. Rien. Roméo Labrecque est muet. Garder le silence, les yeux fixés sur l'autre, voilà la tactique préférée du policier, une tactique qui réussit souvent à délier les langues. Par attrition. Mais Romain ne dit mot.

— J'vais devoir faire enquête et interroger des témoins, déclare finalement le policier. Vous en connaissez, messieurs?

Romain commence à s'affoler. Josaphat fait non d'un geste de la tête. Il n'en connaît pas. Il se tortille sur sa chaise, couleuvre au fond de la chaudière. Vaut mieux attendre que le temps passe. Tôt ou tard, Roméo Labrecque en aura assez des silences et s'en ira. Mais le policier ne se montre pas pressé.

— Parlez-moi donc un peu de Damase Biron qui vient de sortir de prison. C'est vrai que le monde en a ben peur ?

Romain branle la tête. Soupçonne-t-il Damase d'avoir dégonflé les pneus de Cléophas ? Ce serait logique qu'il veuille se venger. En tant que maire, il s'en est porté garant.

— C'é sûr que quequ'un qui r'vient d'vingt ans d'prison, ça inquiète ben du monde, mé à ma connaissance, y é presque pas sorti d'la maison depuis qu'y é revenu.

Impatient, le policier se lève et marche de long en large dans la cuisine. Les talons ferrés de ses souliers martèlent le plancher de bois. Saint-Pierre grimace. Quand il élève la voix, Romain sursaute. L'orage finira-t-il par passer ? Le policier comprend qu'il a visé juste, mais Romain ne lui en dira pas plus.

— Vous connaissez la loi, monsieur l'maire. Vous savez que j'ai assez de plaintes pour faire une enquête et que vous serez le premier à en subir les conséquences. En attendant que le gouvernement nomme un juge de paix, c'est vous et le curé qui avez la responsabilité de maintenir la paix et le bon ordre. Vous en êtes conscient, monsieur le maire ?

Le ton est persifleur. Le « monsieur le maire », railleur.

— Oui, ben sûr, marmonne Romain.

Roméo Labrecque revient à la charge, sur un ton plus badin.

— Si on doit arrêter quelqu'un, il y a plus de chances que ce soit le maire que le curé !

Le policier rit de sa propre blague, mais son sourire s'évanouit rapidement.

— Écoutez-moi bien, tous les trois. Faites le message aux frères Biron que je voudrai les interroger dès que je reviendrai à Saint-Benjamin. D'accord ? Y a des témoins qui ont vu le plus jeune rôder dans le rang-à-Philémon. Puis, si je trouve une seule preuve qu'il a commis ces crimes, je l'emmène à la prison de Saint-Joseph. Et vous, monsieur le maire, vous savez ce que ça veut dire pour vous? Complice d'un crime, ça vous dit quelque chose?

Le policier ne fait pas dans la dentelle. Il n'a ni le temps ni les moyens d'enquêter sur ces incidents. Son territoire est trop grand et des dossiers beaucoup plus importants s'empilent sur sa table de travail. Mais sa tactique est éprouvée. Il parle fort, intimide, laisse planer la menace d'une enquête et, parfois, même de la prison. Dans presque tous les cas, la stratégie donne de bons résultats. Ou à tout le moins, les esprits se calment… jusqu'au prochain incident.

Romain ne répond pas. Le policier disparaît enfin. Les trois hommes sont soulagés, un soulagement assorti d'une vive inquiétude.

— Quelqu'un a-t-il vraiment vu Edgar Biron rôder dans le rang-à-Philémon? demande le secrétaire.

Josaphat grimace et tourne le dos aux deux autres. Les poings serrés, furieux contre Edgar. «J'y avais pourtant dit de pas s'montrer la face dans l'rang-à-Philémon.» L'a-t-on vu faire brûler la remise? Quelqu'un serait-il prêt à témoigner?

Romain Nadeau est défait. L'interrogatoire du policier l'a bouleversé.

— Si c'é pour être comme ça, moé j'veux pus être maire. M'en vas démissionner.

Il fait penser à un enfant frustré qui refuse de jouer plus longtemps avec ses camarades plus habiles que lui. Étonné, Josaphat dévisage Romain.

— Calmons-nous, commande le secrétaire. On va devoir mettre la pédale douce pour quelque temps. Josaphat, vous allez vous assurer que les frères Biron restent bien sagement chez eux. À la prochaine réunion du conseil, Romain, vous allez signifier très clairement que vous êtes tracassé par ces incidents et que vous avez la situation bien en main. Compris, monsieur le maire?

— Oui.

— Mais en même temps, il faut garder un œil sur cette Marguerite Grondin. Elle ne m'inspire pas confiance. Elle et Bénoni Bolduc, deux ennemis dont il faut se méfier. Vous en convenez avec moi ?

Josaphat et Romain sont d'accord avec le secrétaire.

— Allez, ne vous inquiétez pas, je veille sur tout.

Le maire et le conseiller quittent la maison, ébranlés par la visite du policier, mais rassérénés par la belle assurance de Saint-Pierre Lamontagne.

— Tu peux pas démissionner maintenant, explique Josaphat à Romain. Tu fais un bon maire. T'as fini ta sixième année. Avec autant d'instruction, tu peux comprendre tout c'que l'secrétaire te dit. Moé, j'ai doublé ma troisième, pis j'comprends pas toujours quand Saint-Pierre parle, y é trop instruit pour moé !

12

Deux semaines après l'incendie de la remise de Mathilde, Maggie n'en connaît toujours pas les auteurs. Il n'y a pas de témoin. Rien vu, rien entendu, rien à dire. Surtout, éviter de s'attirer les foudres des frères Biron. Sous le couvert de la main, leur culpabilité fait consensus. Qui d'autre pourrait être en cause ? Ils sont montrés du doigt dès qu'un incident survient. Dernier en ligne : la clôture de perches d'Eugène Loubier, démolie, les perches éparpillées partout sur son terrain. Après l'incendie de la remise de Mathilde, Eugène a menacé, devant tout le monde sur le perron de l'église, de mettre l'affaire entre les mains de la police. Les frères Biron lui ont-ils fait payer sa menace ? Personne n'en doute. Dans le rang-à-Philémon, tous les cultivateurs sont nerveux. Même Pit Loubier, qui joue sur tous les tableaux, rouge avec les rouges et bleu avec les bleus, commence à en avoir assez. Son frère ne mérite pas un tel traitement.

— C'é pas une maudite façon de régler ses problèmes ! a-t-il dit tout haut au magasin général. On a couraillé les vaches pis les moutons pendant deux heures, maudit verrat. Ç'a été une moyenne seceurse !

Quand Maggie le croise en sortant de chez Mathilde, elle songe d'abord à l'éviter. Ses propos stupides sur ses anciennes fréquentations l'ont horripilée. Mais Pit a perdu sa belle prestance. L'heure n'est pas aux familiarités. Il est de mauvaise humeur.

— Salut, Maggie.

Elle le regarde, étonnée. Ce n'est pas le Pit Loubier goguenard qu'elle connaît. Le fanfaron dont les propos abracadabrants accentuent le ridicule. Pourquoi est-il si grincheux ?

— Que c'é qui va pas ? lui demande Maggie, curieuse.

La démolition de la clôture de son frère par des «*bums*», les menaces proférées à son endroit, la vengeance qui le ronge, tout y passe. Pit est intarissable.

— Ç'a pas de maudit verrat d'bon sens ! rage-t-il. M'en vas envoyer une lettre à Délard Godbout lui-même ! Pas plus tard que d'main. Pis si c'é pas assez, m'en vas écrire à King à Ottawa.

Même si elle déteste Pit Loubier, Maggie ne va pas rater une si belle occasion d'alimenter sa colère. Pour mieux l'exploiter ensuite.

— T'as ben raison, lui dit Maggie. Pourquoi vous endurez ça ?

Pit la regarde froidement comme si elle sortait tout droit d'une jâvelle abandonnée.

— Toé, la *smatte* qui vient d'la ville, tu f'rais quoi ? T'as une idée ?

Maggie gomme l'insulte.

— Oui, j'en ai une. Pourquoi on va pas tous à la réunion du conseil la semaine prochaine pis qu'on leu fait pas savouère qu'on en a assez ?

Pit se gratte la tête. Le conseil ? À part Cléophas Turcotte, personne ne les écoutera. Peine perdue ? Maggie ne l'entend pas ainsi, persuadée qu'une vingtaine de personnes dans la maison du secrétaire aurait un effet intimidant sur le conseil.

— Moé, j'sus ben certaine qu'y vont comprendre qu'on é à boutte. Si personne fait rien, y vont continuer, pis ça va être encore ben pire, tu penses pas ?

Pit Loubier tourne en rond, indécis, pas convaincu, mais il ne rejette pas l'idée de Maggie.

— Si toé, Eugène, Conrad, Athanase, moé pis queques aut', on y va, on s'ra plus nombreux qu'eux aut'.

Pit a un petit sourire méchant. L'idée d'être associé à Maggie Miller l'agace un peu. L'idée de jouer les rabat-joie lui plaît énormément.

— Pis, c'é ben sûr que quand y vont t'vouère arriver, y vont ruer sus l'battu en maudit verrat!

Maggie cache mal son plaisir. Quoi de mieux que d'aller les enquiquiner? Leur rappeler qu'elle est de retour et qu'elle ne les craint pas. Pit se dit qu'il n'a rien à perdre. Il mettra tout sur le dos de Maggie.

— Parle à Thanase, suggère-t-il, j'm'occupe de Conrad, de mon frère pis de Wilfrid à Dilon Boily.

Maggie s'éloigne, s'arrête et se tourne vers Pit.

— Si j'emmenais queques protestants, penses-tu qu'ça s'rait une bonne idée? Ça les embêterait encore ben plus?

Pit éclate de rire en se tapant sur la hanche.

— Des protestants? Pourquoi pas? Tant qu'à les chiasser, chiassons-les au boutte!

Le rang-à-Philémon est glaireux, ses bas-côtés piqués de cloques de neige sale. Dans la bergerie, Athanase tente désespérément de convaincre une brebis d'allaiter son agnelet. La scène fait sourire Maggie. Elle la ramène loin en arrière quand, petite, elle faisait boire les agnelets orphelins à la bouteille. Autour d'Athanase, les moutons se pressent, affamés.

— T'as pas l'tour, dit-elle pour le taquiner.

Athanase est distant, froid. Que vient-elle faire ici sans prévenir? Comme si elle était propriétaire de la bergerie. Il évite de regarder Maggie dans les yeux, encore ébranlé par toutes les mises en garde à son endroit. Les descriptions de tous et chacun lui reviennent à l'esprit. Maggie l'insoumise qui a refusé d'obéir à son mari, le chef de famille, celui qui prend les décisions comme dans toute vraie famille. Qui a ridiculisé, humilié et même battu Domina à coups de rondins. La femme indigne. La catin! Maggie devine immédiatement les raisons de la méfiance d'Athanase.

— Bon, ça d'vait arriver. J'imagine que tout l'monde t'a dit qu'j'étais l'diable en parsonne. À commencer par Bénoni, y t'ont tous averti de t'méfier d'moé. Écoute, Athanase, tout ça é arrivé y a plus de vingt ans. C'é l'passé, pis moé, j'vis pas dans l'passé. Si tu veux pas m'parler, dis-lé, j'perdrai pas mon temps avec toé.

Athanase se raidit. L'agressivité de Maggie l'irrite. Cette façon qu'elle a d'exprimer les choses abruptement, sans nuances, sans ménagement. De jouer sur le terrain des hommes sans tenir compte de son rang. Maintenant qu'il connaît son passé, il la voit d'un œil différent. Séduisante, attirante, mais dangereuse. Capable de le conduire en enfer. Doit-il lui signifier son congé?

— Que c'é qui t'amène? demande-t-il sèchement.

Le ton d'Athanase agace Maggie. Pourquoi perdrait-elle son temps avec quelqu'un qui la méprise pour ce qu'elle a été il y a vingt ans? Elle décide de passer outre la froideur d'Athanase.

— T'as pas su pour la clôture d'Eugène Loubier?

— Non.

Maggie lui répète les propos de Pit Loubier, sa colère, ses inquiétudes. Quand elle évoque la réunion du conseil, Athanase hésite. La tête de la brebis coincée entre ses jambes, il dirige une autre fois la gueule de l'agnelet vers la tétine de sa mère. Envahir le conseil? L'idée le séduit, même s'il la trouve périlleuse. Qu'est-ce qui l'inquiète le plus? Être associé à Maggie ou à sa démarche? Se rabaisser en compagnie d'une femme sans morale? Et si la réputation de Maggie était surfaite et grossièrement exagérée? Si Alexandrine avait raison? Athanase est ambivalent. Maggie ou la mairie? Peut-il laisser filer l'occasion de se manifester publiquement, de lancer une première pierre à ses adversaires? S'il doit être candidat à la mairie, aussi bien afficher bien haut ses qualités, immédiatement.

— L'plus gros problème, c'é que si tu viens itou, ça va nous nuire. Y t'haïssent ben gros, pis y nous écouteront pas. Y vont prétendre qu'on défend une femme de…

Athanase s'arrête. Maggie s'impatiente, le ton mordant.

— Une femme de quoi, au juste?

Athanase branle la tête.

— J'voulais juste parler d'la réputation que t'as, que ça soueille vrai ou pas, pis dire qu'y vaut mieux mettre toutes les chances de not' côté si on veut que ça donne queque chose.

Maggie sent la colère monter en elle.

— Que tu l'veuilles ou pas, Athanase, m'en vas y aller. J'te rappelle que c'é à moé qu'y veulent faire peur. Pis j'en ai assez. J'veux leu montrer que j'ai pas peur d'eux aut' pis que j'me cache pas. Si ça fait pas ton bonheur, tant pis, m'en vas y aller avec Pit pis son frère.

— Énerve-toé pas, reprend Athanase, j'essaye juste de trouver la meilleure solution.

Maggie n'a pas l'intention d'abandonner la mission aux seuls hommes du rang-à-Philémon. Elle a eu l'idée de l'incursion à l'assemblée du conseil et elle veut l'exploiter à fond, être là au moment du dénouement. Elle acceptera à contrecœur de se faire discrète, de ne rien dire. Athanase sera le seul porte-parole pour éviter la cacophonie. Car au moindre signe de désordre, Romain Nadeau se dépêchera de mettre fin à l'assemblée.

— On emmènera aussi les protestants, annonce Maggie.

Les protestants? Athanase regimbe encore. Il a des relations polies avec certains d'entre eux, mais sa mère lui a souvent répété de s'en méfier. « Y sont pas comme nous aut'! » Maggie n'a rien à faire de ses hésitations.

— Si tu t'présentes, tu s'ras ben content d'les avouère de ton côté. Ça s'ra ben des votes.

À Cumberland Mills, Maggie retrouve rapidement Ansel Laweryson. Il l'accueille avec un grand sourire. Désœuvré depuis le départ de sa femme, Ansel se sent revivre chaque fois qu'il est en présence de Maggie. Depuis son retour, il pense souvent à elle. Accepterait-elle de le fréquenter assidûment? Pourrait-il la convaincre de vivre avec lui à Cumberland Mills?

— *How's Mathilde?*

Maggie se rembrunit. La santé de Mathilde n'en finit plus de se détériorer. Souvent, elle lui rappelle sa mère, absente, perdue dans ses pensées, incohérente.

— J'me d'mande si c'é pas la folie. Le docteur dit qu'c'é l'âge. Moé, j'trouve que ç'a pas d'bon sens qu'une femme comme elle finisse comme ça. En tout cas, m'en vas rester avec elle jusqu'à la fin.

Ansel voudrait partager sa peine mais, encore une fois, il n'arrive pas à l'exprimer. Maggie en vient au but de sa visite, même si la mention de Mathilde a dilué son enthousiasme.

— Les protestants vont-y voter pour Romain Caron aux élections?

Ansel la regarde, sidéré. Voter pour Romain Caron? Jamais. Depuis le départ de Bénoni, les protestants ont perdu leur siège au conseil. Après la démission de Gordon Wilkins en même temps que Bénoni, le poste est resté vide et, horreur, Romain l'a donné temporairement à un catholique. Lors des prochaines élections, Cumberland Mills entend bien retrouver son siège au conseil. Certains protestants ont même suggéré à Ansel de tenter sa chance, lui qui parle français. Sa candidature ne fait pas l'unanimité, trop teintée par l'alcool. En bout de piste, il sera probablement candidat, mais uniquement parce qu'il est le seul intéressé.

— Dans c'cas-là, poursuit Maggie, j'ai besoin d'toé.

La réunion du conseil, la délégation de mécontents, l'intimidation, l'idée plaît à Ansel. Pourquoi ne viendrait-il pas avec quelques protestants? Et pour le plaisir d'être avec Maggie.

— Plus on s'ra, mieux ce s'ra! assure Maggie.

Ansel opine de la tête. Le projet de Maggie le séduit. Rien ne lui serait plus agréable que de faire sentir à ce groupe de conseillers et à ce maire faiblard que Cumberland Mills n'acceptera pas la tyrannie du village. *Never!*

— *You can count on me and half a dozen of us.*

Maggie est satisfaite. Une vingtaine de personnes opposées au conseil, elle n'en espérait pas tant. Sans compter la joie qu'elle éprouve à tirer les ficelles.

Quand elle revient à la maison, Maggie retrouve une Mathilde désespérée, les deux mains sur les boutons de l'appareil radio que Maggie a apporté de Québec. Malgré un fonctionnement capricieux et une réception intermittente, Maggie et Mathilde arrivent à écouter les nouvelles de la guerre à CBV-Québec, mais surtout leurs radioromans préférés : *Rue Principale* et *La Pension Velder*. Et par jour de beau temps ou de vents favorables, leur plaisir sublime, *L'Orpheline du Faubourg* à CHRC.

— Sainte bibitte, j'arrive pas à faire marcher c'ta chedèvre-là ! Tu m'parles d'un raboudinage ! J'veux écouter la chanson d'la femme Bolduc : « Ça va v'nir, décourageons-nous pas. »

Maggie sourit tristement. Sa tante a oublié d'allumer l'appareil avant de tenter de syntoniser l'une des deux stations.

— Pis les chansons, ma tante, tu peux pas les choisir. C'é eux qui décident s'y font jouer la Bolduc.

— J'aime ben la parlotte, mé encore plus les chansons, dit la vieille femme.

13

Vers six heures, Maggie aide Mathilde à regagner son lit. Quand Athanase frappe à la porte, elle est fin prête.

— J'te laisse la lampe sus la table. Je r'viendrai pas tard, dit-elle en fermant la porte.

L'air est doux. Le printemps sent bon l'eau d'érable. Maggie monte dans le robétaille d'Athanase et s'assoit près de lui. Les guides dans les mains, il se tasse un peu, embarrassé. Il aurait souhaité qu'elle s'asseye sur le siège arrière. Que dira-t-on ?

— Tes filles sont chez Alexandrine ? demande Maggie.

— A s'entendent ben avec les filles d'Alexandrine. A les a adoptées quand on é arrivés à Saint-Benjamin.

— Tant mieux ! Alexandrine é une bonne femme. Tu sais que j'y ai fait l'école ?

Rassurée quant au sort des filles d'Athanase, Maggie passe à l'action. Elle a une réunion à préparer, un plan à élaborer. Athanase a besoin d'arguments solides, qu'il devra présenter clairement et calmement.

— S'y essayent de t'faire étriver, tu les laisses parler. Montre-toé plus fin qu'eux aut'. Continue à expliquer sans t'arrêter.

Athanase est agacé. Comme si une femme pouvait lui dicter une ligne de conduite. Il laisse retomber les guides sur le dos de la jument et énumère tous les incidents : les veaux, le terrain de Conrad Veilleux, le chat et la remise de Mathilde, la clôture d'Eugène Loubier... les *tires* de Clophas.

— Les *tires* de Clophas ? répète Maggie.

Voilà un incident qu'elle ignorait. Un de plus. Elle est impressionnée par l'aplomb d'Athanase.

— Tu vas tout mentionner pis demander au maire c'qu'y a l'intention d'faire. Y a-t-y appelé la police ? Y va-t-y l'faire ? Y sait-y quand un juge de paix s'ra nommé ? Tout.

— Ben oui, grogne Athanase, irrité une fois de plus par l'insistance de Maggie. M'prends-tu pour un niaiseux ?

Maggie frotte son épaule contre la sienne, met sa main sur son bras. Voilà une façon de s'excuser qui surprend Athanase. Pas habitué à tant de familiarité, il est remué au contact d'une femme.

Quand Maggie et Athanase arrivent dans la maison du secrétaire, le maire, Josaphat Pouliot et deux autres conseillers sont déjà regroupés autour de la table. Blagues, gros mots, rires bruyants. Un peu en retrait, les deux frères Biron. Le secrétaire est dans sa chambre.

À la vue de Maggie, les voix s'éteignent. Stupéfaction ! Ahurissement ! Edgar Biron bondit, les poings fermés. Son frère le retient. Maggie le regarde droit dans les yeux. Josaphat lui fait signe de se calmer. Flairant le danger, Romain Nadeau se tortille sur sa chaise, se lève et se rassoit aussitôt, tiré par la manche. Josaphat va prendre la parole quand Pit Loubier entre à son tour, suivi d'une dizaine de personnes. Provocatrice, Maggie va s'asseoir à côté d'Edgar Biron. Elle le dévisage effrontément. Il se cale dans sa chaise, les lèvres tremblantes, incrédule. Maggie s'étonne elle-même de son audace. Pourquoi le provoquer davantage ? Une impulsion qu'elle n'a pu retenir. Elle est fière de son geste. Trop heureuse de l'embarras qu'elle cause. Quand les deux frères Boily s'assoient tout près, elle est rassurée. Wilfrid et Edgar Biron en ont souvent décousu, à leur grand regret, avec les frères Magella et René Boily, fraîchement revenus des chantiers.

Rapidement, Josaphat Pouliot et le maire réalisent qu'ils sont coincés. Pas d'échappatoire. Ça devient encore plus évident quand Ansel Laweryson entraîne à sa suite une demi-douzaine de protestants. Saint-Pierre Lamontagne sort de sa chambre, toise l'assemblée et maugrée. Sa maison est trop petite pour accueillir autant de monde. Sans compter cette Marguerite Grondin qu'il méprise. «J'me demande si elle n'est pas plus exécrable que la Cloutier», souffle-t-il à l'oreille de Calixte Côté.

— Madame Grondin, vous n'avez rien à faire dans ma maison. Je vous prierais de sortir immédiatement.

Des murmures d'approbation accueillent l'intervention du secrétaire.

— Et pourquoi donc? demande Maggie, vexée par le méprisant «madame Grondin».

— C'est ma maison, madame, et vous n'y êtes pas la bienvenue.

— Ce soir, c'é la maison du conseil. Y vous paye pour la louer. Ça veut dire que tout l'monde a l'droit d'être icitte.

La réplique cinglante de Maggie éteint tous les murmures. Frustré, le secrétaire se tourne vers Josaphat. Annuler la réunion? C'est aussi l'idée de Romain Nadeau.

— Non, lui murmure Josaphat à l'oreille. Torvice de viac, laisse-lé parler, on verra ben après. J'mettrais ma main dans l'feu qu'c'é Cléophas pis Bénoni qui ont organisé ça. Y ont du toupette tout l'tour d'la tête pour ram'ner la Grondin icitte.

Quelques minutes avant le début de l'assemblée, Cléophas entre dans la salle, salue tous les citoyens, sauf Maggie. Elle a droit à un regard dédaigneux, même si elle est là pour embarrasser ses adversaires. Son alliée? Non, Cléophas méprise cette femme. Il prend sa place autour de la table, à bout de souffle comme toujours.

— À l'ordre!

Romain Nadeau veut expédier l'assemblée le plus rapidement possible. Fou de rage, ne pouvant plus se contenir, Edgar Biron se lève en trombe et quitte la maison, suivi des yeux par Maggie et les deux frères Boily. La porte claque derrière lui.

— À l'ordre!

— M'sieur l'maire, tonne Athanase. J'voudrais parler au nom du groupe ici présent.

Romain Nadeau se tourne vers Josaphat. Cléophas vient à la rescousse d'Athanase.

— Ben sûr qu'on va t'laisser parler. Pas vrai, m'sieur l'maire Josaphat?

L'assemblée éclate de rire. Romain et Josaphat sont furieux. Pour calmer la tempête, le maire donne la parole à Athanase. Il regarde sa montre pour s'assurer que le temps imparti à l'imposteur ne dépassera pas cinq minutes. Athanase rappelle tous les incidents des derniers mois, comme Maggie le lui a suggéré. D'une voix forte et posée. L'assemblée l'écoute religieusement. Wilfrid Biron s'est recalé dans son siège et songe à rejoindre son frère à l'extérieur.

— M'sieur l'maire, on a tous dans l'village une p'tite idée de qui a fait ça. Pis mon idée é probablement la même qu'la vôtre. Comme y a toujours pas d'juge de paix, allez-vous d'mander à la police de faire enquête?

— Oui, m'sieur le maire, ironise Cléophas, vous allez d'mander à la police d'nous délivrer des deux *bums* qui font peur au monde.

Wilfrid Biron s'enfonce encore un peu plus contre le dossier de sa chaise. Romain Nadeau a la gorge nouée. Josaphat vient à son secours.

— Si vous les connaissez pis qu'vous avez des preuves, pourquoi vous les dénoncez pas à la police?

— Pis pourquoi le conseil de Saint-Benjamin protège pas le monde honnête? hurle Pit Loubier, hors de lui. Vous êtes pires qu'une gang de vaches à nadjière!

Maggie penche la tête. Pas lui! Il va tout faire échouer. Elle jette un coup d'œil à Athanase qui se dépêche de reprendre l'initiative.

— C'qu'y faut à Saint-Benjamin, c'é un juge de paix qui va pouvouère régler ces histoires-là. Que c'é qu'y attend, l'gouvernement, pour en nommer un ? Vous êtes pas capables d'y parler ?

Romain et Josaphat n'ont pas de réponse ou ne veulent pas en donner. Engoncés dans leur chaise, résignés à laisser passer l'orage. Déjà, la visite du policier les a énervés. La manifestation de ce groupe de paroissiens leur envoie un autre message, tout aussi clair. Certains comportements ne sont plus tolérables. Un changement de stratégie s'impose. Mettre la pédale douce, comme l'a dit le secrétaire. Éviter l'anarchie. De plus, le retour des frères Boily, ennemis jurés des frères Biron, n'a rien de très rassurant.

Maggie a les yeux rivés sur Athanase. Elle est très fière de son intervention. Il fait preuve d'un courage certain. Il n'a pas peur de s'afficher, de s'exprimer clairement et avec fermeté. Tout l'opposé de Walter, toujours discret, qui avait horreur des démonstrations en public, préférant passer inaperçu.

Quand Athanase termine son exposé, Romain Nadeau se prépare à prendre la parole, mais Ansel Laweryson l'en empêche. Nouveau coup de poing !

— M'sieur le maire. Nous aut', les protestants, on va faire une plainte au gouvernement d'la province de Québec *against* Léonard Veilleux. Y a volé not' siège. C'é l'siège de Cumberland Mills pis, *as far as I know*, Léonard vient pas d'Cumberland Mills, pis y é pas protestant.

Encore plus embarrassé, Romain se tourne vers Léonard, rouge comme la crête d'un coq. Pris sur le fait. Choisi arbitrairement par Josaphat, qui a tenu pour acquis que les protestants avaient renoncé à leur siège. Pourquoi n'ont-ils pas suggéré de remplacer Gordon Wilkins, parti en même temps que Bénoni ?

— On avait personne pour remplacer Gordon, bredouille le maire.

— Vous avez même pas demandé au monde de Cumberland. *It's illegal*. Si y arrête pas de siéger *today*, demain, j'fais une plainte au gouvernement d'la province de Québec.

Un silence lourd tombe sur l'assemblée. Josaphat se penche à l'oreille de Romain. Fin de la discussion. Fin de l'assemblée. Le secrétaire est déjà debout.

— À l'ordre, dit Romain, la séance é l'vée.

— *What ?* hurle Ansel.

Rien à faire. Le maire et les conseillers, sauf Cléophas, quittent rapidement la salle par la porte arrière, comme des chevreuils cernés par une bande de loups affamés.

— Gang de tampates ! lance Pit Loubier.

Aussitôt, Athanase, Pit et Ansel entourent le secrétaire.

— C'est le maire qui décide, mes amis. Je n'y peux rien.

— Comment ça, maudit verrat ? C'é toé qui écrit toué papiers, vocifère Pit Loubier. C'é à toé de pas leu laisser faire toutes ces maudites folies.

Embarrassé, le secrétaire choisit d'ignorer Pit. Il lisse sa moustache avec affèterie et lui tourne le dos. La réunion est finie.

Maggie jubile. Elle a atteint son but : déséquilibrer le conseil, le forcer à retraiter, acheter la paix, le temps de se rendre aux élections. Après pareille intervention, Josaphat et les siens y penseront à deux fois avant de faire appel aux gros bras. Dans ce contexte, il serait étonnant que de nouveaux incidents surviennent, par crainte de représailles violentes.

Au retour, Maggie félicite Athanase pour sa belle prestation. Il sourit. Rentrée politique réussie. Vivement les élections ! Athanase sent l'épaule de Maggie contre la sienne chaque fois que le robétaille saute sur un des nombreux nids-de-poule de la route. Une sensation qui le perturbe.

— J'sus ben fière de toé, dit Maggie. T'as tout c'qu'y faut pour faire un bon maire.

Le compliment le touche, mais Athanase reste méfiant. Est-ce que Maggie essaie de l'enjôler, de le séduire ? Se sert-elle de lui pour se venger de ses ennemis ? Que cherche-t-elle exactement ? Pourquoi s'intéresserait-elle à lui alors qu'elle repartira dès que Mathilde aura rendu l'âme ? Il doit éviter de tomber dans le piège, de laisser son cœur s'emporter, même s'il est déjà aux abois. Maggie devine ses pensées. Elle n'ose pas le prendre de front, le rassurer, tenter de redorer son image auprès de lui. Ce qu'elle ressent pour Athanase est encore flou, ambivalent. Elle refuse de succomber au fourmillement de son cœur. Il y a encore beaucoup trop d'obstacles. Et Walter a placé la barre bien trop haute.

Au village, Saint-Pierre Lamontagne, soulagé, met la clef dans la porte, éteint la lampe et retourne dans sa chambre à la recherche d'un passage du procès de la Cloutier qui lui est revenu en tête pendant l'assemblée. Le voilà ! Tout à sa jouissance, il passe lentement son doigt sur le texte, ce texte incriminant, qui ne laisse aucun doute sur la culpabilité de la Cloutier.

Achille Grondin déménage chez elle dix jours après la mort de Brochu. Elle riait le soir de la mort de son mari. Elle avait fait transférer les assurances à son nom, la veille.

Exactement comme cette répugnante Marguerite Grondin. Elle a fait mourir Domina et s'est enrichie en vendant tous ses biens, pense Saint-Pierre Lamontagne. Pourquoi n'a-t-elle pas été pendue ? Une phrase de Corneille, qu'il a lu au séminaire, lui revient à l'esprit :

« Je demande sa mort… Non pas au lit d'honneur, mais sur un échafaud. »

14

En se levant, la première pensée de Maggie est pour Athanase. Surprise, elle sourit. Normalement, c'est toujours l'image de Walter qui lui vient à l'esprit en premier, au réveil. «Drôle d'homme, cet Athanase!» Manières un peu rustres, opinions parfois rétrogrades, il n'accepte pas facilement les conseils, surtout s'ils proviennent d'une femme. Mais il l'intrigue. C'est un homme plein de bonne volonté et intègre. Elle songe encore à la huche de pain. À ses deux filles qui ont l'air si heureuses. Un bon père.

La manifestation de la veille a été une réussite. Les visages défaits du maire et de ses proches! La débandade après la réunion! La bouche pincée du secrétaire! «Quels imbéciles!» Maggie est fière du résultat. Pavoiser? Oui, mais avec retenue, rien n'est encore gagné. Athanase l'a mise en garde hier soir en rentrant: «Fais ben attention. Edgar Biron a pas d'génie à r'vendre. Pis t'aurais pas dû l'provoquer comme ça! Josaphat pis son frère vont l'surveiller de proche, pour pas qu'y leu z'échappe. Mais garde les yeux ben ouverts! Y peut t'sauter d'sus quand tu t'en attends l'moins.» Maggie ne le croit pas. Si un crime est commis, on saura tout de suite qui en est coupable. La police l'épinglera rapidement. À court terme, pas de danger, à plus long terme, elle se méfiera.

Maggie se tire doucement du lit. Plus tôt, elle a entendu Mathilde tousser, mais depuis quelques minutes, elle semble dormir profondément. Un concert de corneilles la sort de sa rêverie. «Si on en compte douze, disait son père, c'é la preuve que le printemps é arrivé pour de bon.» Une belle journée! Poudroiement de soleil sur ce petit matin paresseux. Maggie souhaiterait regagner Québec et retrouver son logement confié à une amie. En ce beau samedi, elle irait faire un tour à la Compagnie Paquet ou au Syndicat de Québec. Avant tout, pour fouiner. Souvent, elle entraînait Walter dans les magasins. Bon prince, il l'accompagnait toujours, masquant son ennui. En rentrant, fidèles à leurs habitudes du samedi, ils achetaient quelques bouteilles de bière d'épinette La Canadienne et, parfois, deux bouteilles de bière Black Horse, malgré les réserves de Walter. «Ben voyons, disait Maggie, ça coûte cinq cennes la bouteille, c'é pas ça qui va nous ruiner!»

— Maggie?

Elle sursaute. Mathilde l'appelle rarement de la sorte. Maggie accourt auprès de sa tante, assise dans son lit.

— Ça va?

— Oui, oui, j'me sens r'nippée pis j'meurs de faim. Aide-moé à sortir ma carcasse du litte.

Maggie pouffe de rire. Souvent, le matin, Mathilde est en meilleure forme et fait preuve de plus de lucidité, mais à mesure que les heures s'envolent, son état se détériore. Pendant que Maggie s'affaire dans la cuisine, la radio en sourdine, Alexandrine Fleury frappe à la porte, cruchon de crème en main. Jolie femme, rondelette, cheveux bruns courts, elle est toujours de bonne humeur.

— T'es d'bonne heure, dit Maggie. T'as d'jà fait déjeuner tout ton monde?

— Oui, j'en ai l'habitude. Pis ta soirée? demande-t-elle, fort intriguée d'avoir vu Maggie partir avec Athanase.

Les détails de l'épisode de la veille amusent Alexandrine. Elle n'en croit pas ses oreilles, trop heureuse de l'embarras causé aux dirigeants de la paroisse.

— Depus la démission d'Bénoni, on é ben mal amanchés.

— Pis ce sainte bibitte de Romain, c'é pas pus fiable que l'cul d'la chatte! renchérit Mathilde.

Maggie l'approuve. Comparé à Bénoni avec qui elle avait eu maille à partir à quelques occasions, Romain

Nadeau est une «guénille» qui n'a pas un brin de fierté. Pourquoi s'humilier de la sorte ? Pourquoi ne pas démissionner et laisser le poste à Josaphat, le véritable maire ? Vraiment, elle ne comprend pas.

— En tout cas, ajoute Maggie, c'é ben évident qu'c'é pas lui qui mène. J'ai jamais vu un flanc mou comme ça !

Soudain, Mathilde s'anime au son d'une chanson de La Bolduc à la radio : «Monsieur, Monsieur, je voudrais danser oh ! la bastringue et pis la bastringue ! Monsieur, Monsieur, je voudrais danser la bastringue dans vot' Gaspé.» Mathilde se dandine sur sa chaise, grand sourire aux lèvres, battant la mesure des mains, fredonnant les paroles avec la Bolduc. Le regard attendri, avec un brin d'apitoiement, Maggie et Alexandrine l'observent du coin de l'œil, prenant bien soin de ne pas la tirer de sa béatitude. Une fois la chanson terminée, Mathilde replonge dans son passé. Maggie se verse une autre tasse de thé et remplit celle d'Alexandrine. Le soleil lèche la fenêtre et brode de l'or autour du rideau. Comme les enluminures d'un vieux missel.

— Pis Athanase ?

Le ton d'Alexandrine est teinté d'ironie, d'une curiosité à peine déguisée. Maggie plisse les lèvres et fait mine de ne pas saisir l'allusion de sa voisine.

— Ça f'rait un bon maire, dit-elle. Y a été ben bon hier soir. Si en plus Bénoni voulait l'appuyer, y pourrait sûrement gagner. Mé c'é pas faite. Y hésite beaucoup à cause de ses deux filles. Pis comme tout l'monde, y a peur des Biron.

— Pis, y é ben jeune itou, poursuit Mathilde, qui sort tout à coup de sa torpeur, pour envoyer un message à Maggie. Y a juste trente-cinq ans, y é ben d'trop jeune pour toé !

Alexandrine voit dans les yeux de Maggie qu'Athanase ne la laisse pas indifférente. Doit-elle l'encourager ? Pas avant d'avoir la certitude que Maggie ne disparaîtra pas après la mort de Mathilde. Alexandrine a trop d'estime pour Athanase pour le pousser dans un cul-de-sac, une histoire d'amour dont il pourrait ressortir blessé.

— Pis toé, ma tante, t'avais ben six ans d'moins qu'mon oncle Gaudias, répond Maggie.

— Un homme un peu plus vieux, c'é pas grave. Mé une femme plus vieille qu'son mari, c'é pas ben ben d'équerre.

Maggie et Alexandrine éclatent de rire. Maggie se lève de table et va à la fenêtre. Oui, Athanase l'attire. Pour la première fois depuis la mort de Walter, un autre homme la titille. Athanase est un très bel homme. À n'en pas douter. Comme Walter. Cinq ans de moins, et après? Et lui, est-il intéressé? Hier soir, au retour, elle a senti une pointe de jalousie dans sa voix quand il a voulu connaître la nature exacte de ses relations avec Ansel Laweryson. «Y a l'air de ben t'aimer, Ansel?» Maggie s'est contentée de sourire. «Je l'connais depuis si longtemps! Ansel, c'était le meilleur ami de Walter...»

Maggie observe l'attelage d'Eugène Loubier qui va au pas dans le rang-à-Philémon. Il guide un immense cheval, percheron caramel à la longue crinière dorée et au toupet natté. La queue tressée comme la tire de la Sainte-Catherine est «l'œuvre d'art» de Pit Loubier, le champion tresseur de queues de chevaux! L'automne dernier, quand Pit, maladroit, a conduit son automobile sur le bas-côté de la route, le cheval d'Eugène l'a ramenée dans le droit chemin, sans trop d'efforts. Alexandrine la tire de sa réflexion.

— Tu penses à Walter? Pis à la belle vie à Québec?

Maggie sourit. Non, elle ne pense pas à Walter, pour une fois. Ni à Québec. Une idée a germé dans sa tête. Farfelue à première vue, mais qui mérite d'être exprimée.

— Si Athanase s'présente pas contre Romain pis qu'y a personne d'aut', pourquoi, moé, j'me présenterais pas?

Alexandrine s'étouffe avec son thé, le visage cramoisi. L'annonce de l'arrivée de Hitler dans le rang-à-Philémon ne l'aurait pas surprise davantage. Mathilde s'indigne.

— Ben voyons donc, es-tu tombée sus à tête ? Saint bibitte, c'é pas la place des femmes ! Les élections, c'é des affaires d'homme. Le curé pis l'évêque l'ont répété ben des fois. Moé, j'ai jamais voté au fédéral. J'avais pour mon dire qu'ça appartenait à mon mari. Pis j'vivrai pas assez longtemps pour voter dans la patente à Godbout !

Maggie n'est pas surprise de la réaction de sa tante et d'Alexandrine. Maggie n'est pas dupe. Voter, c'est déjà un pas énorme de franchi, se faire élire maire d'un petit village comme Saint-Benjamin relèverait du miracle. Aux dernières élections fédérales, une seule des neuf candidates a été élue dans l'ensemble du Canada.

— Pis t'es pas propriétaire, ajoute Alexandrine. T'as pas de bien-fonds.

Obstacle incontournable ? Non. Maggie se souvient d'un article du *Quebec Chronicle* que Walter lui avait montré. Coiffé du titre «Le Bill de Montréal», le texte expliquait que les femmes propriétaires, mariées ou célibataires, avaient le droit de voter. Seulement à Montréal ? Encore faudrait-il le vérifier.

— Mé j'te répète que t'es pas propriétaire à Saint-Benjamin. Quand t'es partie, t'as tout vendu.

Propriétaire ? Est-ce que l'achat d'un petit lopin de terre suffirait ? Elle a une meilleure idée.

— J'pourrais ach'ter la maison d'ma tante. Que c'é qu'tu veux qu'on en fasse après sa mort ? A l'a pas d'enfants. À moins qu'ça intéresse quequ'un dans parenté, mé j'vois pas...

Maggie jette un coup d'œil à Mathilde, perdue dans ses pensées, loin de la conversation.

— Si tu veux vivre à Saint-Benjamin, c'qui m'étonnerait ben gros, commente Alexandrine, achète-la. Si tu r'pars, tu la vendras, pis tu diviseras l'argent ent' la parenté.

Maggie l'approuve de petits coups de tête. Elle savoure l'idée de déloger Romain Nadeau, de dominer Josaphat Pouliot et de passer le bâillon à Saint-Pierre Lamontagne, ce secrétaire prétentieux. Frissons de plaisir par anticipation. Réaliste? «*If you don't try, you'll never know*», avait l'habitude de dire Walter. L'aurait-il encouragée à briguer la mairie de Saint-Benjamin? Pondéré, prudent, Walter aurait réfléchi, hésité, avant de donner une réponse qui aurait ouvert toutes les portes à sa Maggie.

— Pis à part d'ça, j'en sus pas là. M'en vas continuer à pousser dans l'dos d'Athanase.

— Y ferait un mosus de bon maire. Pis un ben bon mari itou, ose Alexandrine.

Un bon mari! À n'en pas douter. Mais SON mari? L'expression agace Maggie. Elle lui rappelle Domina, la dépendance, la soumission qui sont le lot de tant de femmes.

15

Pour tromper l'ennui, Maggie prend l'habitude de sortir à la tombée du jour. Elle aime ces douces soirées de printemps, l'eau qui babille dans les ruisseaux, la roulade nerveuse des merles à l'orée de la nuit. Le parfum âcre des labours glaireux. La silhouette de l'école dans l'obscurité. Une lampe chancelle à la fenêtre de l'institutrice. Des vaches meuglent dans l'étable de Pit Loubier. Ce qu'on est loin de Québec et de son animation !

Longue marche à l'abri des regards curieux. Moments privilégiés à remuer ses souvenirs, à faire revivre Walter. Depuis quelque temps, elle se surprend à penser à Athanase. Pourrait-elle s'entendre avec lui ? Infléchir son attitude ? Lui qui semble toujours agacé quand Maggie lui indique la voie à suivre. Walter l'écoutait la plupart du temps, toutefois lui aussi se rebiffait fréquemment. Ils restaient sur leurs désaccords, il n'y avait ni gagnant ni perdant, mais plein de compromis. Ils partageaient tout. Les décisions, les plaisirs, les peines. Elle songe à aller frapper à la porte d'Athanase, pour placoter avec les filles, les aider dans leurs travaux scolaires. Elle sent qu'une belle complicité pourrait s'établir entre elles, pourtant elle y renonce.

Une grosse lune se détache à la frange de la nuit. Le vent furète dans les sapins. Maggie avance lentement, de l'air frais plein les poumons. Quel changement avec ses promenades, rue Saint-Jean à Québec ! La cohue du soir, les cris emmêlés des enfants et des chevaux et le sifflement affûté du train. Ces gens si pressés d'aller nulle part. Rarement croise-t-elle des voisins pendant ses promenades nocturnes. Elle sourit en pensant à l'embarras de Jimmy et Nora Wintle, rencontrés il y a une semaine. Pas un mot, les yeux en fuite. Décidément, la réputation de Maggie n'est pas meilleure à Cumberland Mills ! Pourtant, Jimmy se souvient sûrement de Lina, la sœur de Maggie, la fille engagée de ses parents, que Maggie n'a plus revue depuis qu'elle s'est exilée aux États-Unis. Elle aurait bien aimé parler à Jimmy et à Nora, prendre des nouvelles, faire la démonstration de son aisance en anglais, langue qu'elle a apprise aux côtés de Walter. Tout à coup, un bruit sec dans la forêt la fait sursauter. Une branche cassée ? Elle tourne la tête, scrute les environs, mais ne voit rien d'anormal. «Probablement un animal», se dit-elle. Mais...

Les pensées de Maggie se figent lorsqu'un violent coup lui est asséné derrière la tête. Ses réflexes s'éteignent. Les bras engourdis, une douleur fulgurante à la nuque, elle tente de se retourner. Un voile lui couvre les yeux. Elle plie les genoux, tombe. Elle entend vaguement des bruits de pas qui s'éloignent à la course. Elle ne doit pas s'évanouir. Elle s'efforce de rester consciente, d'identifier son assaillant. Lutter de toutes ses forces contre le mal qui la paralyse.

Maggie Miller s'écrase dans le chemin, la tête dans la boue, un filet de sang coulant de son chapeau. Autour d'elle, le bruissement discret de la forêt. La lune dans sa robe givrée module les premières palpitations de la nuit. Soudain, un individu s'approche, gourdin en main. Il hésite à cause de la lumière à la fenêtre de l'école. Il fait un autre pas, lève le bras. Un chien accourt en jappant. Il songe à l'amadouer, mais se sauve de peur qu'un homme n'accompagne la bête. Maggie ne bouge pas, inerte, inconsciente. Aucune réaction quand le chien de Conrad Veilleux la renifle et lèche le sang dans son cou. Il tourne autour d'elle, impuissant, aboie à la lune et s'en retourne.

Au bout d'une heure, Maggie retrouve ses esprits. Le froid a envahi tout son corps. Où est-elle ? Elle tâche de bouger le bras pour soulager sa tête, labourée par une douleur lancinante. Maggie n'arrive pas à se tirer de sa torpeur. Ses bras refusent de lui obéir. Ses jambes sont paralysées. Elle veut crier. Aucun son ne sort de sa bouche. La mémoire lui revient, le coup à la tête, la peur. Chuintements dans le sous-bois. Puis, elle croit entendre des pas. La douleur augmente, intense. L'assaillant revient-il compléter sa sale besogne ? Edgar Biron ? Elle ouvre les yeux. L'image est floue, brumeuse. Maggie essaie de nouveau de parler. Le faible bruit qu'elle émet suffit à attirer l'attention de Pit Loubier qui revient d'une visite chez son frère.

— Maudit verrat, que c'é qu'y s'passe icitte ?

Pit s'arrête, troublé. Rêve-t-il ? Il s'approche mais se fige en voyant une silhouette étendue en travers de la route. Quelqu'un veut-il lui jouer un tour ? Un revenant ? Pourtant, personne parmi ses proches n'est encore au purgatoire. Il a payé tant de messes depuis la mort de sa femme ! Une fortune donnée à Dieu. Pit avance un peu et reconnaît alors Maggie. Il se penche sur elle.

— Maudit verrat, veux-tu ben m'dire c'que tu fais là affalée dans la bouette ?

Maladroit, il ne sait pas comment l'aider. Quand elle tente de se soulever, il ne trouve rien de mieux à faire que de lui pousser dans le dos, comme on roule un sac de patates trop pesant.

— T'es-tu tombée ? demande-t-il.

— Non, murmure faiblement Maggie.

Pit aide Maggie à se relever, mais elle ne peut pas tenir sur ses jambes. Poupée de guenille, il l'empoigne comme un enfant et la transporte dans ses bras jusqu'à la maison de Mathilde. En apercevant Maggie dans les bras de Pit, la vieille femme ne cache pas sa surprise. Elle se signe.

— Sainte bibitte, que c'é ça ? fait-elle, le visage décomposé, prête à s'évanouir.

Pit lui explique l'affaire. Il l'a retrouvée inanimée dans la route. Elle n'est pas tombée, c'est tout ce qu'il a réussi à tirer d'elle. Sur le sofa où Pit l'a déposée, Maggie grimace de douleur et tâche de se redresser.

— Peux-tu ben m'dire que c'é qu'y t'é arrivé ?

Maggie porte lentement la main à sa tête pour mesurer l'ampleur de la blessure. Une grosse bosse s'y est formée. En retirant sa main, elle constate qu'elle est pleine de sang.

— Quequ'un m'a assommée par en arrière, répond-elle douloureusement, les mots entrecoupés de plaintes.

— Qui ça ? s'indigne Pit Loubier. L'gros Edgar Biron ? J'mettrais ma main dans l'feu qu'c'é c'maudit verrat-là.

Mathilde interroge Maggie du regard, de plus en plus inquiète. La situation n'est pas claire. La corneille, l'incendie de la remise, Maggie attaquée devant sa maison… Elle ne comprend pas.

— J'sais pas, dit Maggie, j'ai rien vu.

— Veux-tu que j'demande à Conrad d'appeler l'docteur ?

— Non, fait sèchement Maggie.

Pit se lève, branlant furieusement la tête, les poings en colère.

— T'es chanceuse que j'aille pas pris mon char. J't'aurais pas vue pis j't'aurais probablement écrasée. M'en vas t'envoyer Alexandrine pour t'soigner.

Une fois Pit sorti de la maison, Mathilde s'approche de Maggie et lui prend la main. Elle veut vérifier ses soupçons et poser toutes ces questions qui jaillissent dans sa tête. Tout est tellement embrouillé.

— Edgar Biron, c'é l'gars à Damase qui vient d'passer vingt ans en prison. Ça a-t-y à vouère avec ça ?

Maggie acquiesce d'un clignement des yeux. Elle a trop mal pour engager une conversation avec sa tante. Elle lui expliquera tout quand elle ira mieux. Mathilde essaie de comprendre, de recoller les pièces du casse-tête. Voûtée, elle tourne en rond dans la cuisine, un œil sur Maggie, assoupie.

16

Tenaillée par la douleur, Maggie dort mal, souvent réveillée, inquiète de ne pas pouvoir porter secours à sa tante. Tendue au moindre crépitement, chaque fois que le vent secoue les arbres. Le sommeil de Mathilde est agité. Sa respiration, lourde et saccadée, elle est sans doute bouleversée par les événements de la soirée.

Alexandrine a été exemplaire. La plaie a été nettoyée, badigeonnée de mercurochrome et recouverte d'un gros pansement. Elle lui a même préparé une tisane «capable de soulager le mal». Autant qu'elle l'a pu, Alexandrine a rassuré Mathilde qui pleurait comme une enfant. Elle est restée avec Maggie jusqu'à ce que la vieille femme soit endormie.

— M'en vas r'venir d'main matin, promet-elle avant de partir.

À son réveil, Maggie se tire douloureusement du lit. Une main contre le mur, elle se rend dans la chambre de sa tante. Mathilde ouvre les yeux dès qu'elle sent la présence de sa nièce. Elle fait un effort pour se soulever, sans y arriver. Maggie l'aide à se redresser et à sortir du lit.

— C'pas drôle qu'on a la falle basse à matin, dit Mathilde.

Maggie a un sourire contraint. Un sourire qui lui fait mal, qui étire les muscles de son visage et lui tord les vertèbres du cou.

— En tout cas, ça restera pas là. J'appelle la police. Edgar Biron va r'gretter de pas m'avouère tuée. Y perd rien pour attendre.

Mathilde essaie toujours de comprendre. Pourquoi Edgar a-t-il attaqué Maggie ? Est-il à l'origine des incidents des derniers jours ?

— Tu m'as ben dit hier que c'é Edgar Biron, l'gars à Damase, qui a passé vingt ans en prison après qu'y a tué Catin? Sainte bibitte, y a la mémoire longue, l'Edgar!

La colère pétille dans les yeux de Maggie, ranime ses vieux démons. Ceux qui assommaient Domina Grondin à coups de rondins. Mathilde lève soudain la tête.

— L'feu d'la remise, c'tait-y lui itou?

Personne n'a rien vu, aucune preuve, mais tout tend à démontrer qu'Edgar Biron en est l'auteur. Lui ou ses complices. Après le chat, la remise et l'attaque sournoise d'hier soir, quelle sera la prochaine étape?

— Depus que j'sus arrivée à Saint-Benjamin qu'y veut m'faire peur, mé ça march'ra pas.

Mathilde n'ose pas poser la question directement. Son chat disparu depuis quelques semaines?

— La corneille, c'tait quand même pas lui? demande-t-elle.

Maggie hésite un long moment. L'heure est venue de lui dire la vérité.

— Y a tué mon chat, mon beau Marabout, devine la vieille femme, le visage décomposé.

Maggie s'approche d'elle et lui prend la main. Les joues de Mathilde sont noyées de larmes. Son compagnon des quinze dernières années, zigouillé par un imbécile. Son dernier lien avec son mari. Gaudias l'avait trouvé sous la galerie, si petit, renfrogné, toutes griffes dehors, abandonné. Mathilde l'avait recueilli, apprivoisé et s'en était fait un compagnon fidèle, surtout après la mort de son mari.

— J'peux pas craire qu'y a du monde si méchant.

Méchant et dépourvu de sensibilité, de jugement. Tuer un chat de cette façon! Seul un barbare oserait un geste aussi exécrable.

— Après déjeuner, m'en vas vouère Athanase pour y d'mander d'téléphoner à la police.

Mathilde essuie une larme.

— Y a pas l'téléphone. Tu f'rais mieux d'aller à Cabarlonne.

Ansel l'aidera à trouver un téléphone. Alors qu'elles se mettent à table, quelqu'un frappe à la porte. Nerveuses, les deux femmes se regardent. Elles hésitent un moment. Edgar Biron n'aurait quand même pas l'audace de revenir en plein jour, au vu et au su de tous, et de cogner poliment à la porte.

— Entrez, dit Mathilde d'une voix mal assurée.

Athanase vient aux nouvelles, le visage plein d'inquiétude. Pit lui a tout raconté. Il détaille Maggie de la tête aux pieds. Pansement en bandeau autour du front, rougeurs, égratignures, visage tuméfié, la belle Maggie est en mauvais état. Athanase s'en désole. Irritée, elle lui tourne le dos au moment où Alexandrine arrive à son tour.

— T'as rien vu? lui demande-t-il.

Non, elle n'a rien vu. Juste un coup derrière la tête suivi de l'évanouissement jusqu'à l'arrivée de Pit Loubier. Athanase n'a aucun doute. Edgar Biron et son frère sont les coupables. Même si Maggie n'a pas de témoin. Dans le voisinage, personne n'a vu les frères Biron la veille. Personne n'était au courant de l'agression sauvage contre Maggie.

— Que c'é qu'tu vas faire?

Le regard impitoyable, Maggie fixe le mur.

— C'é un crime. M'en vas mettre ça dans les mains d'la police, pis si la police fait rien, m'en vas m'en occuper moé-même.

— Ma pauvre Maggie, objecte Alexandrine, tu pourras rien contre ces baveux-là. Depus qu'Bénoni a démissionné, y font la pluie pis l'beau temps dans l'village. Les deux Biron, ç'a toujours été des p'tits voyous. À l'école, c'taient deux cruches qui doublaient tout l'temps. La maîtresse les cachait quand l'inspecteur d'école f'sait sa visite. Le monde les prenait en pitié parce que leu père était en prison. Leu mère gagnait juste assez d'argent en f'sant d'la couture pour les faire vivre.

Athanase l'écoute avec attention, angoissé par le fil des événements. Il pense à ses enfants. Quel sort leur réservera-t-on s'il décide de se lancer sur le terrain électoral ?

— Moé, j'les prendrai pas en pitié. J'donne une semaine à la police pour s'en occuper.

— Sinon ? ose Alexandrine.

Maggie regarde dans le vide, les yeux en feu. Se faire justice elle-même ? A-t-elle d'autres choix ? Autrement, qui l'aidera ? Si seulement Walter était là ! Lui qui était toujours prêt à monter aux barricades pour défendre sa Maggie ! Mais ici, qui la protégera contre ces voyous ? La majorité des paroissiens ne souhaite-t-elle pas qu'elle retourne à Québec le plus rapidement possible ? Cet incident lui vaudra-t-il un courant de sympathie ? Suffisant pour faire pencher la balance de son côté ? Les paroissiens choisiront-ils plutôt de fermer les yeux, d'ignorer l'affaire et d'agir comme si de rien n'était ? Pourrait-elle compter sur Athanase ?

— Sinon, ça va fesser fort, annonce Maggie.

Athanase en est persuadé, Maggie doit envisager le pire ou partir, une solution qui lui répugne. À moins que la police arrête Edgar Biron et le jette en prison. Mais il n'y a ni preuve ni témoin, juste des suppositions qui ne tiendront pas la route dans une enquête.

— Si tu veux r'tourner à Québec maintenant, hasarde Mathilde, vas-y. M'en vas d'mander à Exélina Loubier de v'nir m'aider.

— Non, coupe Maggie, j'partirai quand moé, je l'déci-derai. J'sus venue pour t'aider, pis m'en vas t'aider jusqu'à la fin. Mé que j'parte, demain ou dans trois mois, m'en vas régler mes comptes avec les Biron avant d'm'en aller.

Athanase et Alexandrine échangent un long regard chargé d'appréhension. Son désir de vengeance est plus fort que tout. Comment la calmer, l'empêcher d'agir sans réfléchir ? Alexandrine revoit la Maggie d'il y a vingt ans, celle qui frappait Domina et tenait tête au curé Quirion et au maire. Celle qui défiait la communauté protestante. Celle qui, carabine en main, menaçait d'abattre Damase Biron et Euzèbe Poulin après le meurtre de Catin-à-Quitou.

— Tu vas faire ben attention, Maggie, conseille doucement Athanase.

Elle le regarde, ahurie. L'attitude paternaliste d'Athanase l'exaspère. Qu'il s'occupe donc de ses enfants!

— Prends-moé pas en pitié, j'sus capable de m'défendre toute seule.

Athanase n'en est pas convaincu. Les frères Biron représentent des adversaires pas mal plus coriaces que Domina Grondin. Si elle réussit à les neutraliser, à les tuer dans un moment de colère, elle sera accusée de meurtre. Pourrait-elle invoquer la légitime défense? Le juge la croirait-elle? Une femme qui tue un homme n'a jamais le bénéfice du doute. L'histoire récente le démontre. La justice a un préjugé contre les femmes, dès les premiers mots de l'interrogatoire. Quel sort attendra Maggie si elle blesse ou tue un homme? Profitera-t-on de l'occasion pour lui faire payer ses fautes passées? Lui faire expier la mort de Domina à travers celle d'Edgar Biron?

— Pense à la Cloutier. Y ont pas hésité à la pendre, rappelle Athanase.

Alexandrine l'approuve d'un hochement de la tête. Maggie sursaute. Ce procès l'a passionnée, l'a rivée au compte rendu détaillé du *Soleil*. Marie-Louise Cloutier était-elle coupable? Les faits mis en preuve étaient accablants. Lui a-t-on donné le bénéfice du doute? A-t-on essayé de comprendre ses motivations?

— Y a des tonnes de femmes qui endurent le martyre avec des maris ivrognes pis couailleux. Des maris qui pensent rien qu'à la couchette. Elle, au moins, a l'a eu l'courage de s'en débarrasser.

La dernière phrase de Maggie fait sursauter Athanase. Le crime de la Cloutier a-t-il été puni trop sévèrement?

Pourquoi pas l'emprisonnement plutôt que l'échafaud?
Pourquoi a-t-on sauvé Damase Biron de la potence, mais
pas Marie-Louise Cloutier? Alexandrine et Athanase n'osent
pas l'interrompre. Athanase retrouve soudainement la
Maggie dont on lui a si souvent parlé et elle lui fait peur.

— Son mari buvait comme un trou, poursuit Maggie
froidement. Y s'dérangeait avec d'aut' femmes, pis y
travaillait pas la plupart du temps. C'é elle qui faisait l'train
toute seule, pis qui coupait du *pulp* pour l'faire vivre.
Vilmont Brochu a eu c'qu'y méritait.

Le ton de Maggie est incisif, sans appel. Alexandrine
comprend qu'il ne sert à rien d'insister. Immobile, Mathilde
est perdue dans ses pensées. Athanase met son chapeau,
s'en va. Entre Marie-Louise Cloutier et Vilmont Brochu, sa
sympathie va au deuxième.

17

Une volée de mainates, grégaires et tapageurs, s'abat sur l'épicerie de Célanire Veilleux. Une coulée de boue serpente au pied de la galerie. Des torrents de pluie sont tombés la veille. «Dans c'temps-citte, la pluie tombe comme une jument qui pisse!» a dit Pit Loubier. La côte du village, fraîchement gravelée, est ravinée, à peine carrossable. L'automobile de Roméo Labrecque, le policier de Sainte-Germaine, bute dans les rigoles jusqu'à la maison de Damase Biron.

Quand il entre dans la demeure, le visage de Damase se fige. Une visite imprévue qui le fait angoisser. Vient-il le chercher? Veut-il le ramener en prison? Damase s'esquive aussitôt. Il met sa veste et quitte la maison, habité par un vague sentiment de culpabilité, par la peur déchirante de se retrouver dans cette prison où il a tant souffert. Pourtant, il n'a plus rien à se reprocher, sa peine est purgée. Curieusement, il n'arrive pas à s'en convaincre. Roméo Labrecque ne s'en offusque pas, ce n'est pas lui qu'il veut voir.

— Je cherche Edgar Biron, annonce le policier d'une voix ferme, celle de quelqu'un qui n'entend pas à rire.

Lucia Biron est étonnée. Elle aussi a cru que le policier voulait parler à son mari. Edgar? Pourquoi? Qu'a-t-il fait encore? Lucia ignore tout du drame qui s'est joué l'avant-veille.

— M'en vas l'charcher, dit Lucia Biron, perplexe.

Quand elle revient dans la maison avec son fils, Edgar joue l'étonnement, regarde tout autour et évite de croiser les yeux du policier. Il tire une chaise derrière la table et s'assoit. Roméo Labrecque va droit au but.

— Où étais-tu lundi soir?

Les deux mains dans les poches, avachi sur son siège, Edgar hausse les épaules, fronce les sourcils. Comme si la question était impertinente.

— Icitte, dans maison.

— T'es pas sorti?

Edgar hésite un peu et fait signe que non. Le policier le fixe longuement sans rien dire. La tactique ne fonctionne pas. Edgar s'enferme dans son mutisme. Il joue avec les boutons de sa chemise pour bien montrer qu'il s'ennuie, qu'il n'est nullement intimidé.

— Ben sûr, tu vas m'dire que t'as rien à voir avec c'qui est arrivé à Maggie Miller?

Assis un peu en retrait, Wilfrid Biron blêmit. Se pourrait-il qu'Edgar lui ait fait faux bond pour attaquer Maggie Miller? L'a-t-il blessée gravement, ou pire, l'a-t-il tuée? «Y en é ben capable», s'inquiète Wilfrid.

— Que c'é qui é arrivé à c'ta bonne-à-rienne-là? demande Lucia Biron. On n'a pas entendu parler de rien.

Roméo Labrecque se tourne vers elle, sourire narquois aux lèvres.

— Je suis bien sûr que votre fils pourrait répondre à la question, madame Biron.

Edgar fait signe que non de la tête. Il feint la surprise. Comme s'il entendait la nouvelle pour la première fois. Le policier s'impatiente. Il allume une cigarette, les yeux plantés férocement dans ceux de son interlocuteur.

— Quelqu'un a tenté de tuer Maggie Miller lundi soir. Fais pas l'imbécile et fais-moé pas perdre mon temps, parce que je te mets les menottes, je t'embarque tout de suite et je t'emmène à la prison de Saint-Joseph.

Edgar relève légèrement la tête. De petits tressaillements des yeux trahissent à peine son inquiétude. Il se ressaisit aussitôt. La prison comme son père? Lucia est dans tous ses états. Elle connaît bien son fils. Si le policier avait raison et qu'il était l'auteur du crime? Au plus profond d'elle-même, elle le sait capable de tout pour venger son père adoré. Pourquoi ne lui en a-t-il pas parlé ? Pourquoi Wilfrid n'a-t-il rien dit ?

— A l'é morte ? demande Lucia.

Wilfrid relève vivement la tête, craignant la réponse du policier et ses conséquences. Lucia retient son souffle.

— Non, pas morte, mais blessée très sérieusement, explique Roméo Labrecque. Disons qu'on pourrait appeler ça une tentative de meurtre. Ça va chercher dans les vingt ans de prison.

Le policier se lève, va à la fenêtre, observe le décor sans le voir. Il donne l'impression de réfléchir. Quand il revient vers Edgar, Roméo Labrecque tire une chaise et s'assoit devant lui.

— Qu'est-ce que t'as fait lundi soir ?

Edgar a un alibi. Il a fait ce qu'il fait presque tous les soirs.

— Ma mère pis mon frère peuvent vous dire que j'étais dans la maison lundi soir. Pis qu'on a joué au euchre.

Réflexes familiaux obligent, Lucia et son fils aîné sont trop heureux de le confirmer. Edgar était bel et bien dans la maison. Il n'en est pas sorti de la soirée.

— Ben oui, on a joué aux cartes, le défend Lucia. Comme d'habitude.

— Aux cartes ? répète Roméo Labrecque avec une pointe d'ironie dans la voix.

Il se penche un peu plus vers Edgar. Lui met la main sur le bras, resserre sa prise. L'autre sent la force de l'étreinte du policier, son haleine de tabac.

— Regarde-moi dans les yeux et dis-moi que t'as aucune idée de qui a fait ça !

Edgar évite le regard du policier. Il fait non de la tête. Aucune idée. Pourquoi le saurait-il ?

— Dans la paroisse, les gens disent que tu fais toujours faire tes coups de cochon par les autres ? T'as engagé quelqu'un pour aller tuer Maggie Miller ? Tu sais que si on trouve le coupable, pis compte sur moi, je vais le trouver, et que t'es complice, tu risques de passer quelques années en prison ou de te retrouver sur l'échafaud ?

Même ces menaces n'intimident pas Edgar. Son visage demeure imperturbable. Affolée, Lucia voudrait demander à Damase de se porter à la défense de son fils, mais elle l'en sait incapable. Roméo Labrecque joue sa dernière carte. Calepin et crayon en mains, il prend tout son temps pour griffonner quelques notes. Un lourd silence habite la cuisine. La tension est palpable. Wilfrid se tortille sur sa chaise. La stratégie fonctionnera-t-elle ? L'accusé finira-t-il par craquer et vider son sac ? Edgar Biron reste impassible. Il ne dévoilera rien. N'admettra rien. Roméo Labrecque se tourne vers Wilfrid.

— Et toi, qu'est-ce que tu peux m'apprendre ?

— Rien pantoute, j'sais même pas d'quoi vous parlez.

Le policier le regarde longuement. Wilfrid baisse les yeux et allume une cigarette pour se donner contenance.

— À moins que j'interroge votre père ? Où était-il lundi soir ?

Edgar se raidit, blanc de colère. Interroger son père ? Jamais. Les poings fermés si fort qu'ils lui font mal. L'envie de sauter sur le policier, de le rosser.

— Y s'couche à sept heures, argue Lucia pour freiner les élans de Roméo Labrecque.

— À sept heures ?

— Oui, m'sieur, confirme Lucia, sur un ton mordant. Y dormait.

Roméo Labrecque se lève, fouille dans ses poches et griffonne quelques chiffres sur un bout de papier à l'intention de Lucia.

— C'est mon numéro de téléphone, madame. Si jamais vous entendez parler de quelque chose qui pourrait m'intéresser, vous êtes ben mieux de m'appeler.

Lucia saisit le bout de papier et le glisse dans la poche de sa robe.

— Y paraîtrait, ajoute Roméo Labrecque, dans une dernière tentative de provoquer Edgar, que quelqu'un t'aurait vu ravauder autour de l'école du rang dans l'après-midi de lundi. C'est vrai ?

— Non.

La réponse a été spontanée, vive. Roméo Labrecque regarde Edgar, longuement. Défiant.

— Je vais l'interroger. Je veux en avoir le cœur net.

Edgar Biron reste de glace. Rien ne semble l'atteindre. Il ne manifeste aucune émotion. Inquiet à l'arrivée du policier, il a vite levé des barrières pour se protéger. Roméo Labrecque ne réussira pas à percer sa carapace.

— On va se r'voir, Edgar Biron.

Le policier quitte la maison sans aucun échange de politesses. Il claque la porte derrière lui pour bien marquer son mécontentement. Lucia s'approche d'Edgar.

— T'as pas faite ça, pour l'amour de Dieu ?

Edgar ne répond pas.

— J't'ai toujours dit de rien faire sans m'en parler avant, gronde Wilfrid. Pis Josaphat t'a répété cent fois la même chose, maudite tête de cochon ! Quand est-ce que tu vas comprendre ? Tu veux te r'trouver en prison comme popa ?

Edgar laisse la pluie tomber. Ils devront se contenter des réponses données au policier. D'un bond, il se lève et soulève le rond du poêle pour y jeter son mégot de cigarette. Il enfile sa veste et quitte la maison. Accoudé au hangar, son père fume en silence. Quand il a entendu les éclats de voix du policier, il a mis les deux mains sur ses oreilles. Damase regarde brièvement son fils et retourne à sa cigarette. Edgar s'approche. Il voudrait engager la conversation avec son père, tout lui raconter. Faire jaillir sa fierté, obtenir sa bénédiction. Damase est perdu dans ses pensées. La présence d'Edgar le laisse indifférent. Il balaie le sol du bout de sa botte. Il n'a rien à dire à son fils.

Dans le rang-à-Philémon, l'automobile du policier est engagée dans une course d'obstacles. Roméo Labrecque peste contre le mauvais état de la route. Comme si un cultivateur venait de la labourer ! L'interrogatoire de Maggie et Pit Loubier n'a rien donné. Les voisins n'ont rien vu. Le policier a horreur de ce genre d'enquête. Aucune piste solide. Pas de témoins. Les victimes ne se rappellent rien. Les présumés coupables ont plus d'alibis qu'il n'y a de pépins dans une pomme. Perte de temps.

18

La nouvelle fait rapidement le tour du village. Les réactions sont mitigées. Il y a peu de sympathie pour Maggie Miller. Mais l'incident est déplorable. Y aura-t-il une autre victime? Le pire est à craindre. Les hypothèses sont nombreuses. Qui a fait le coup? Damase a-t-il voulu se venger de Maggie? Lui-même? Son ami Josaphat? Non. Le consensus se fait rapidement autour d'une autre théorie. À n'en pas douter, Edgar Biron a pris la justice entre ses mains. Un scénario inquiétant. Jusqu'où ira-t-il? Qui pourra l'arrêter? La peur s'installe, alimentée par mille rumeurs. À la nuit tombée, la vie cesse. Portes verrouillées. Rideaux tirés.

— Justice n'a jamais été faite dans le cas de Marguerite Grondin, ânonne le secrétaire Saint-Pierre Lamontagne au magasin général. Je ne dis pas qu'on doit s'en prendre à elle, c'est contraire à la loi, mais il ne faut pas s'en surprendre. Le parallèle entre Marguerite Grondin et Marie-Louise Cloutier est évident. Comme la Cloutier, elle n'a jamais aimé son mari et elle s'est acoquinée avec un protestant peu de temps après sa mort.

— Oui, mé pendant l'procès, la Cloutier a dit qu'a l'aimait Vilmont, soutient Trefflé Vachon. J'sus ben sûr que c'é Grondin qui a tué Brochu, pas la Cloutier.

Saint-Pierre ne désarme pas. Même si Achille Grondin est le seul responsable de l'empoisonnement de Vilmont Brochu, la Cloutier est non seulement complice mais coupable d'un autre crime, plus grave encore. Elle a cessé d'aimer son mari. La preuve? Cette réponse de la Cloutier à une question du curé de Saint-Méthode d'Adstock. Mimant une voix de femme, méprisant, Saint-Pierre lance cette citation : « Si vous êtes capable de me faire avoir l'amour que j'avais pour mon mari autrefois, vous êtes bon. »

Au-delà du théâtre de Saint-Pierre Lamontagne, ils sont nombreux dans le village à trouver des ressemblances entre les deux femmes. À se demander si Maggie Miller n'aurait pas dû être jugée après la mort de son mari.

— On aurait dû exhumer Domina et chercher dans ses entrailles le poison qui l'a poussé à se pendre, persifle Saint-Pierre.

Fouillant dans le comptoir des tissus à l'arrière du magasin, l'ancienne institutrice du village bondit. Florentine Boulet a le plus profond mépris pour Saint-Pierre Lamontagne qu'elle soupçonne des vices les plus répréhensibles. Souvent, pendant les récréations, elle l'apercevait, à demi caché par le rideau, surveillant le jeu des enfants.

— Ben voyons donc ! Ne devenez pas fou ! Domina est allé se pendre à l'autre bout du monde après avoir essayé de tuer sa femme et avoir fait brûler la grange de Pit Loubier. Ce n'est pas du tout la même chose !

Saint-Pierre n'ose pas la contredire. Il n'est pas de taille avec Florentine, une femme forte qui ne tolère ni bavardage inutile ni mesquinerie. Il bat en retraite. Marguerite Grondin, Marie-Louise Cloutier et, maintenant, Florentine Boulet, toutes ces femmes sont la preuve qu'il a eu raison de ne jamais se marier.

La visite du policier a ébranlé les villageois et confirmé leurs soupçons. Une seule personne a été interrogée sérieusement, Edgar Biron. Il est évident que c'est le vrai coupable. Qu'on ait aussi rencontré Maggie et Pit Loubier montre bien le sérieux de l'affaire. Quant au maire, il est introuvable. A-t-il été mêlé à cette histoire ? Le conseil veut-il chasser Maggie Miller de la paroisse ? Josaphat Pouliot se moque de ces hypothèses, brandissant l'argument irréfutable. « Edgar é pas coupable. Y jouait aux cartes avec sa mère pis son frère c'soir-là. C'est sûrement un protestant qui a voulu la tuer. »

Dans le rang-à-Philémon, les habitants tentent de retrouver une vie à peu près normale. La nervosité est palpable. Toujours à l'affût, les parents reconduisent leurs enfants à l'école. L'institutrice ne les laisse plus sortir pour la récréation.

— C'ta maudite Maggie devrait r'tourner d'où c'é qu'a vient, grince Parfait Loubier-à-Batèche, qui s'est arrêté pour discuter de l'affaire avec Pit Loubier et Athanase Lachance. A l'a viré la paroisse à l'envers, y a vingt ans, pis v'là qu'a r'commence. C'é pas une femme normale.

Pit et Athanase cachent mal leur étonnement. Pas normale ? Que lui reproche Parfait ? La litanie du vieil homme est longue et accablante. Maggie Miller a manqué à ses devoirs naturels d'épouse et de mère. Une femme sans enfants qui a été soupçonnée et qui était sûrement coupable d'infidélité.

— A s'promenait en béciq la jupe r'troussée jusqu'au califourchon, pis a vivait dans l'péché pis avec un protestant par-dessus l'marché !

Athanase est agacé par le ton de Parfait. Pit Loubier secoue la tête, en désaccord avec son vieil oncle. Depuis que les Biron s'en sont pris à son frère, il est prêt à tout, même à défendre Maggie.

— On peut quand même pas accepter que quequ'un essaye d'la tuer, dit Athanase sur un ton sec. A l'a l'droit de v'nir par icitte pis d's'occuper d'sa tante.

Pit Loubier renchérit.

— J'veux pas la défendre, mé maudit verrat, on va-t-y laisser l'gros Biron battre l'monde en pleine route ? La prochaine fois, y va tuer quequ'un, comme son père.

Parfait se tait, sceptique, étonné que Pit et Athanase se portent aussi spontanément à la défense d'une femme qu'il méprise.

Maggie se sent mieux. Elle a encore beaucoup de douleurs, mais moins vives que la veille. Elle a répondu à toutes les questions du policier. Roméo Labrecque ne pourra pas trouver de preuves, elle en est certaine. Elle ne peut donner aucun détail sur son assaillant. Aucun témoin. Aucune illusion. Aucune attente. Elle a eu l'impression que le policier ne la prenait pas au sérieux. Dans quelques jours, tout aura été oublié. Dossier fermé ? Maggie ne s'y résigne pas.

Sans compter que l'incident a plongé Mathilde dans une torpeur inquiétante. Souvent, Maggie la surprend à bredouiller le nom de Gaudias, celui de Marabout et même d'Edgar. Marmottement décousu, confus.

Le lendemain, Maggie va retrouver Athanase en train de relever une clôture. Il ne cache pas sa surprise en la voyant arriver. Maggie est encore amochée. Œil mauve, grosse tache lie-de-vin le long de la joue, raideurs au cou, les résultats de l'agression sont visibles. Malgré les ecchymoses, Athanase la trouve aussi belle. Il comprend mieux la fascination qu'elle exerce sur les hommes. La semaine dernière, quand Parfait lui a raconté l'histoire des maquereaux, il n'en a pas cru un mot. Il n'a pas voulu le croire. Rien d'autre que des fantasmes d'hommes frustrés ! Qu'elle se soit amourachée d'un protestant, peut-être, mais de tous les hommes qu'elle fréquentait ? Athanase ne veut pas y croire.

— J'ai besoin d'toé, dit-elle, mé ça d'vra rester un gros secret entre nous deux.

Athanase ne voit pas trop où elle veut en venir. Un gros secret ?

— C'é par rapport à quoi ?

— Edgar Biron. Si j'fais rien, l'monde va oublier, pis' l'gros Edgar s'en sauvera encore. Pis y r'commencera.

Athanase est d'accord. L'analyse de Maggie est juste. L'enquête est terminée faute de preuves. Que des suppositions. Edgar Biron a commis le crime parfait. Il est acquitté sans procès ni jugement. Laisser mourir l'affaire ? Non. Se venger ? Oui, pour éviter qu'il récidive, qu'il finisse par la tuer. Athanase l'écoute, curieux.

— Tu connais les deux frères Boily ?

— Oui, surtout leu père, mé j'connais les gars itou. Quand j'sus débordé, y viennent m'aider. Ben du monde pense qu'y sont pires qu'les Biron, mé c'é pas vrai. Y prennent un coup des fois, mé c'é des gros travaillants, pis y donnent une partie d'leu z'argent à leu père.

— Écoute ben mon plan, enchaîne Maggie.

Un plan qui prévoit une attaque semblable à celle dont elle a été victime et qui enverra le message très clair que les actes de violence à son endroit ne resteront pas impunis. À l'évidence, elle ne pourra pas exécuter ce plan elle-même. Maggie a besoin de complices.

— Creusse, tu veux qu'y bat' Edgar Biron ? devine Athanase.

Maggie se mord la lèvre. Son plan est pas mal plus diabolique. Sa vengeance sera féroce. Elle veut leur donner une bonne leçon, s'assurer qu'ils la laisseront tranquille aussi longtemps qu'elle restera à Saint-Benjamin.

— Pas Edgar... ni son frère.

Athanase ne comprend pas.

— Tu m'as déjà dit qu'Edgar pense que son père é un héros, pis qu'y en é fier comme si c'était Adélard Godbout ?

— C'é c'qu'on raconte au village, atteste Athanase qui ne voit toujours pas où Maggie veut en venir.

— Tu sais vraiment pas c'que j'veux faire ? Qui j'veux faire payer ?

— Qui ?

Elle le regarde froidement dans le fond des yeux, déçue que l'autre ne comprenne pas plus vite. Athanase attend sa réponse avec impatience.

— Damase, laisse tomber Maggie.

Athanase vient près de s'étouffer avec la fumée de sa cigarette. Damase ? Pourquoi ? Il n'est pas coupable. C'est un homme brisé, fini. Voilà un plan qui relève de la pure cruauté. Athanase n'aime pas l'idée. Maggie va trop loin. Son désir de revanche l'empêche de rationaliser l'affaire.

— Damase ? C'é sûrement pas lui qui a fait ça. Y paraît qu'y parle pus à parsonne pis qu'y passe ses journées derrière sa maison pour pas voir l'monde.

D'accord, il n'a rien fait, mais s'en prendre à Edgar Biron serait trop prévisible, trop facile ! Lui donner une bonne raclée ne changerait rien. Personne ne s'en éton- nerait. Personne ne prendrait sa défense. Il voudrait se venger et recommencerait. Mais faire payer Damase, c'est faire croire que c'est lui qui a battu Maggie. C'est envoyer le message que le criminel n'a retenu aucune leçon des vingt années passées en prison. Qu'il est toujours aussi dangereux et que s'il a tenté de tuer Maggie, il pourrait bien tuer un autre Catin. Tous les citoyens en auront peur. Sans compter que les conséquences seront désastreuses tant pour Romain Nadeau que pour Josaphat Pouliot. Un lourd prix à payer pour s'acoquiner avec les Biron.

— Ca leu f'ra comprendre que chaque fois qu'y toucheront à quequ'un, un membre de leu famille sera battu, père ou mère. Ça sera ma vraie vengeance. Ça leu f'ra encore plus mal qu'une bonne volée à Edgar. Que cé qu't'en penses ?

— Ça les rendra p't-être ben plus dangereux !

— Ça peut pas être pire que c'é là !

— Pis tu voudrais que les Boily savonnent Damase ? Magella, l'plus jeune, accepterait peut-être, mé pas son frère. Y s'marie dans queques semaines.

Maggie ouvre son châle et fouille dans ses poches. Elle en tire dix billets d'une piastre qu'elle balance sous le nez d'Athanase. Les yeux exorbités, il ne quitte pas les billets des yeux. Tant d'argent pour assouvir une vengeance !

— Tu vas vouère Magella, pis tu y dis que quequ'un é prêt à lui donner dix piastres pour qu'y magane Damase Biron.

Athanase se gratte la tête. Il allume une cigarette et fait quelques pas le long de la clôture avant de revenir vers Maggie.

— C'é un maudit gros secret! Pis, c'é péché.

Maggie est stupéfaite.

— Péché?

— Le catéchisme dit ben clairement que tu dois pas faire de tort à ton voisin. «Homicide point ne seras, de fait ni volontairement.»

— Pas l'tuer, rien y casser, mé l'maganer comme y faut. Comme Edgar m'a fait.

Maggie n'en revient pas. Elle avait prévu qu'Athanase hésiterait, mais de là à citer le catéchisme!

— Laisse tomber, m'en vas d'mander à Ansel.

La mention d'Ansel fait bondir Athanase.

— Pars pas en peur, attends un peu, j'ai pas dit non.

En évoquant Ansel, Maggie éveille en lui une jalousie qu'il ne soupçonnait pas, qu'il n'avait jamais ressentie clairement auparavant. Il ne veut pas la décevoir, mais il n'aime pas le plan. En plus du péché, qu'arrivera-t-il si on découvre qu'il a été l'intermédiaire, le complice, entre Magella Boily et Maggie? Compromet-il la sécurité des siens? Et comment vendre l'idée à Magella? Doit-il d'abord en parler à son père et lui rappeler qu'il a été écarté cavalièrement du conseil par Josaphat? Peut-il convaincre le fils de venger son père? Les dix dollars l'allécheront-ils?

— Y sauront tout d'suite que ça vient d'toé.

Athanase hésite à légitimer le plan de Maggie. Au-delà du geste criminel, l'attitude de la femme qui l'attire l'inquiète. Jusqu'où peut-elle aller pour arriver à ses fins? Quel sort lui réserverait-elle s'il se plaçait un jour en travers de sa route?

— Tu dis que ben du monde à Saint-Benjamin en ont assez. Toé le premier, Athanase. Voudrais-tu qu'y battent tes filles?

— J'les tuerais.

Athanase est sur ses gardes depuis la réunion du conseil. Josaphat aurait promis de lui faire payer cher son intervention. Il n'aime pas le projet de Maggie, mais il est le premier à constater que la situation a dégénéré. Sa propre sécurité et celle de ses filles sont menacées. Ces Biron ne reculeront devant rien et Maggie a raison, il est temps de leur envoyer un sérieux message.

— Passe-moé l'argent, m'en vas parler à Magella.

Maggie glisse les dix dollars dans la poche de chemise d'Athanase. Elle retire sa main très lentement, laissant glisser ses doigts sur son bras. Il en est remué. Tous ses sens sont en émoi. Maggie lui serre le bras. Sourire équivoque. Boutefeu? Elle s'éloigne tranquillement.

— J'compte sus toé, Athanase. Laisse-moé pas tomber.

Athanase la suit des yeux. Il voudrait la retenir, la prendre dans ses bras, la posséder.

19

— Tu d'vineras pas qui s'marie aujourd'hui ? demande Alexandrine à Maggie.

Quelle question ! Maggie regarde Alexandrine, curieuse. Sûrement quelqu'un qu'elle ne connaît pas.

— Annette Busque, la fille de Jeanne-Mance à qui t'as fait l'école. Pis, ça m'étonne ben gros. J'me d'mande si c'é pas arrangé pour sauver l'gros Ephrem d'la guerre.

Inconsolable, Annette Busque pleure depuis le début de la cérémonie. Pourquoi la force-t-on à épouser Ephrem Veilleux ?

Ses parents ne lui ont pas donné le choix. Son geste sauvera Ephrem de la conscription.

— Ça m'surprend pas, commente Maggie. J'ai lu dans l'journal que c'é comme ça partout dans la province de Québec.

Partout en effet, des dizaines de filles se marieront pour éviter l'enrôlement de leur futur époux. Des prétendants souvent « suggérés » par leurs parents. Pourtant, Mackenzie King, le premier ministre du Canada, répète qu'il n'imposera pas la conscription. Cette promesse n'a jamais vraiment rassuré les citoyens de la province. Déjà, l'hiver dernier, des étudiants, menés par un certain Daniel Johnson, manifestaient contre les « dangers de la conscription ». Depuis quelques jours, la rumeur véhiculée par les journaux s'intensifie. Le premier ministre demandera d'être relevé de sa promesse pour satisfaire le Canada anglais. Déjà, plusieurs jeunes hommes de la région se sont enrôlés comme volontaires. Ils ont signé le formulaire de leur engagement. « C'est plein de kakis dans les rues », a dit Gualbert Laflamme de Saint-Prosper, le village voisin. Si l'enrôlement volontaire est insuffisant, il sera sûrement suivi de la conscription. Une véritable panique s'est emparée des jeunes hommes en âge de combattre. C'est la course folle au mariage.

— Pourquoi on peut pas attendre à l'été prochain? a demandé Annette à sa mère.

Contrairement à sa cousine, soumise et trop heureuse de trouver mari, Annette frémit à l'idée de passer sa vie avec Ephrem. Elle ne l'aime pas. Malgré ses pleurs, supplications et menaces de fuite, ses parents n'ont pas fléchi. Elle ignore qu'en retour le père d'Ephrem effacera la dette de son père, soixante dollars, une fortune.

— Ça t'fera un bon mari, lui a assuré sa mère pour l'influencer.

La jeune femme refuse d'écouter sa mère. Elle lui en veut et ne lui pardonne pas cette traîtrise.

— J'comprends mieux pourquoi la Cloutier a tué son mari, lance Annette en s'éloignant.

— Annette! J'te défends d'parler comme ça.

Jeanne-Mance Busque trouve ignominieux le crime de la Cloutier. Quel scandale pour la paroisse de Saint-Méthode d'Adstock et pour toute la province! Tuer son mari, c'est la pire des trahisons. Le tuer froidement, sans remords, dans une chambre où pend le crucifix! Devant les yeux atterrés de la Vierge et du Sacré-Cœur! Statues impassibles! Témoins impuissants! Jeanne-Mance en est convaincue, Marie-Louise Cloutier a commis le plus atroce de tous les crimes. Tuer son mari! Quel sacrilège!

En désespoir de cause, Annette joue la carte ultime. Dans le secret du confessionnal, elle demande au curé de ne pas bénir ce mariage. Peine perdue, le curé l'écoute, l'encourage, mais à la fin, il ne consent pas à s'en mêler. L'idée qu'un jeune homme soit forcé de s'enrôler lui déplaît.

Deux jours plus tard, quand Vidal Demers, mal à l'aise, lui demande si elle veut épouser Ephrem Veilleux, elle hésite, un long moment. Le prêtre doute. Devrait-il refuser de les marier? Chuchotis étouffés dans l'église, les deux familles au grand complet retiennent leur souffle. Un seul absent, Damase Biron, l'oncle d'Annette. Il n'a pas voulu accompagner sa femme et ses deux fils. Aucun intérêt. Quand le curé pose la question une deuxième fois, la mère d'Annette se signe. Quelle honte pour la famille si sa fille se désiste au pied de l'autel!

À bout de ressources, Annette murmure un tout petit oui au grand soulagement de tous. Son futur mari la glorifie d'un large sourire niais. Ce couple n'est pas unique. Plusieurs parents tentent de marier leurs garçons pour les soustraire à la guerre. Même l'un des deux frères Boily a trouvé sa dulcinée. Dans son cas, rien de contraignant, Blanche Lacasse l'attend depuis si longtemps, se demandant s'il l'épouserait un jour. Lucia Biron aussi voudrait bien marier ses deux fils, mais quelle fille consentirait à s'imposer pareil sacrifice? Sauf une brève relation entre Wilfrid et une voisine, les deux frères Biron n'ont jamais eu de fréquentations suivies.

Au retour de l'église, Lucia cherche son mari. Elle s'étonne de ne pas le trouver dans la cuisine. Est-il couché comme il lui arrive souvent? Damase n'est pas dans la maison.

— Y doit fumer derrière le hangar, dit Wilfrid.

Edgar sort aussitôt de la maison et trouve son père derrière le hangar, inanimé, le visage ensanglanté, inconscient. Edgar le transporte immédiatement dans la maison.

— Moman, Wilfrid!

Son cri désespéré attire son frère. Les yeux de Wilfrid Biron vont de son père à son frère. Incompréhension totale. Qui a fait cela? Pourquoi? Lucia sort de sa chambre en catastrophe.

— Que c'é qui s'passe?

En apercevant son mari étendu sur le sofa, elle retient son souffle.

— Mon Dieu!

Edgar tourne en rond, le teint couleur craie. Wilfrid éponge le sang sur le visage de son père avec une serviette imbibée d'eau froide.

— Popa, tu m'entends ?

Damase grogne un peu, mais n'ouvre pas la bouche. La douleur l'accable. «En autant qu'y aille rien d'cassé», pense Wilfrid. Sa mère lui enlève la serviette des mains et s'empresse de lui nettoyer le visage.

— T'es-tu tombé ?

Damase ne répond pas, esquissant à peine une légère grimace de douleur. Dans la tête de ses deux fils, les idées se bousculent. Maggie Miller ? Elle ne pourrait pas et n'oserait pas. D'anciens prisonniers qui avaient encore des comptes à régler avec leur père ? Mais comment l'auraient-ils retrouvé à Saint-Benjamin ? Qui a fait le coup en plein milieu d'une noce ? Comment savait-on que Damase était seul à la maison ?

Pendant que leur mère fait bouger bras et jambes à son mari pour s'assurer qu'il n'a rien de cassé, Wilfrid et Edgar sortent de la maison. Ils inspectent méticuleusement la cour arrière. Aucune trace. Aucun indice. Seul le chien de Rosario Boulet a l'air agité. Mais la maison est vide. Rosario et les siens ne sont pas revenus de la noce.

— Que c'é qu'on fait ? demande Edgar à son frère.

— Attendons qu'y r'vienne à lui pour savouère c'qui é arrivé.

Furieux, Edgar Biron n'a qu'un seul désir, retrouver le coupable et lui faire payer cher son méfait. À l'intérieur, Damase recouvre lentement ses facultés. Il est visiblement mal en point. Quand Lucia s'approche avec une autre serviette, il la repousse, mais le geste lui arrache une grimace de douleur.

— Quequ'un t'a frappé ? demande-t-elle.

Damase fait signe que oui de la tête.

— C'é-t-y Maggie ? L'as-tu vue ?

Nouveau signe de tête, négatif celui-là. Damase n'a rien vu. Tout s'est passé très rapidement. Frappé au crâne, assommé et roué de coups, le tout s'est déroulé en moins d'une minute. Des experts.

— Qui a ben pu faire ça? maugrée Lucia Biron.

Pour toute réponse, Wilfrid et Edgar hochent la tête. Ils ne peuvent que spéculer. L'attaque aurait visé Edgar qu'ils n'auraient pas été surpris. Mais Damase! Qui? Pourquoi? Appeler la police? Damase refusera carrément de témoigner. Indécis, les deux frères décident d'aller tout raconter à Josaphat Pouliot. Le gros conseiller les écoute attentivement. Il se gratte la tête, dépassé par les événements.

— Les hosties d'Boily? avance Wilfrid.

— Ça m'étonnerait, tranche Josaphat. Le plus vieux s'marie la semaine prochaine. Y prendrait pas la chance de tout gâcher. Pis les Boily, c'é pas des lâches. Si y avaient voulu venger Maggie, Conrad pis Eugène, c'é vous deux qu'y auraient attaqués, pas vot' père.

— Ça pourrait-y être la Miller? demande Edgar.

Josaphat n'écarte pas cette possibilité. Il se souvient encore de Domina Grondin, le visage tuméfié, après avoir subi les foudres de Maggie. Jamais il n'a réussi à la maîtriser. Une femme forte qui ne lésinait pas sur les moyens. Jeune, sur le chemin de l'école, elle avait toujours un rondin dans son sac.

— La maudite chienne! laisse tomber le plus jeune des deux frères.

Edgar Biron roule des yeux colériques. Les poings lui démangent. Et s'il allait lui régler son compte une bonne fois pour toutes, à la Miller? Josaphat se tourne vers lui, le regard sévère.

— Toé, tu vas te t'nir tranquille, tu m'as compris? Tu restes à la maison, pis tu fais rien. Parce que moé, j'pourrai pus vous défendre. C'é ben clair?

Edgar accepte à regret de se soumettre à la volonté de Josaphat. Pour l'instant. Le conseiller promet aux deux frères qu'il enquêtera discrètement.

— J'ai des connaissances à la Cabarlonne.

Josaphat Pouliot est très inquiet. Pour la première fois, quelqu'un réagit aux mauvais coups qu'il a parrainés. Après des mois de règne incontesté, l'opposition se manifeste. Est-ce le prix à payer pour avoir imposé une autorité parfois brutale ? Quel est le rôle de Maggie Miller ? Josaphat a du mal à croire qu'elle est à l'origine du tabassage de Damase. Pourquoi ne pas avoir ciblé Edgar sur qui portent tous les soupçons ? Les pistes sont brouillées.

— Faites-moé signe quand vot' père prendra du mieux. J'veux y parler.

Les deux frères Biron rentrent à la maison. Josaphat les observe longuement. Le vent vient-il de tourner ? Et si l'intimidation ne fonctionnait plus ? À écouter les conversations au magasin, à la boutique de forge ou à la beurrerie, il est clair que les actes gratuits et revanchards des derniers jours dégoûtent les citoyens. Tôt ou tard, « ça va nous sauter en pleine face ». Le temps est-il venu d'adopter une nouvelle stratégie ? Mais laquelle ?

20

Quand on frappe à la porte en l'absence de leur père, Madeleine court toujours plus vite que Laetitia pour aller ouvrir. Elles attendaient leurs amies, les filles d'Alexandrine, mais elles sont contentes de retrouver Maggie.

— C'é madame Magie, dit Madeleine.

Maggie éclate de rire.

— Pas Magie, Maggie, corrige-t-elle, amusée. Vot' père é-t-y icitte?

— Non, y é à l'étable, l'informe la plus vieille. Voulez-vous que j'aille l'chercher?

— Ça presse pas.

Maggie s'assoit à la table avec les deux filles qui la dévisagent, inquiètes de ses blessures.

— J'sus tombée la tête la première dans les marches du perron, à cause d'la pluie, confie-t-elle en mimant la chute avec ses bras.

Madeleine pouffe de rire. Sa sœur la réprimande sévèrement des yeux. Maggie examine les cahiers d'école de Laetitia. Rien n'a vraiment changé depuis ses années d'enseignement. Les mêmes cahiers d'exercices et le même manuel de mathématiques se retrouvent dans le sac de la fillette. Le petit catéchisme l'attend sûrement au détour de la classe! Maggie s'émerveille de leur vivacité, des lettres bien tracées de Laetitia et des dessins naïfs de Madeleine. Laetitia et sa sœur n'ont rien de ces orphelines malheureuses, confinées aux crèches, et dont parlent souvent les journaux. Athanase y est sûrement pour beaucoup! Quand il revient de l'étable, pris de court, il a un moment d'hésitation. Comme une volée de grêlons, toutes les mises en garde de ses voisins lui reviennent à la face. Et si cette femme avait une mauvaise influence sur ses filles? Mais cette image est aussitôt effacée par une autre. Il ne peut s'empêcher de voir Maggie dans le rôle de mère adoptive. Il est tourmenté.

— J'sus venue te d'mander un grand service.

Athanase fronce les sourcils. Un autre service? Il regarde ses deux filles. Maggie comprend son malaise et se dépêche de le rassurer.

— J'm'en vas à Québec pour trois jours. La plus vieille d'Alexandrine rest'ra avec Mathilde, mé j'me d'mandais si tu pourrais pas passer une coup' de fois par jour pour t'assurer que tout é ben correct. Avec c'qui é arrivé dernièrement, dit-elle à voix basse pour ne pas alarmer les filles, j'aime mieux pas la laisser toute seule, pis m'assurer que toé pis les aut', vous gard'rez un œil sus la maison.

— Oui, ben sûr. Fais-toé-z'en pas.

Mais au-delà de la surveillance de Mathilde, Athanase est inquiet. À brûle-pourpoint, il lui demande:

— Tu vas r'venir?

Maggie est étonnée par la question et, surtout, par le ton d'Athanase. Étonnée et réjouie de constater qu'il s'inquiète de la voir partir. À l'évidence, elle ne le laisse pas indifférent. Elle l'a souvent surpris à la regarder, à la détailler avec envie. Était-ce une attirance purement physique? Elle a essayé de s'en convaincre. Aujourd'hui, elle n'en est plus certaine. Athanase a-t-il décidé de passer outre toutes les mises en garde et de laisser son cœur s'emballer? Maggie se surprend à le souhaiter.

— Oui, oui, juste pour trois jours. J'ai des choses à régler à Québec.

Des choses à régler? Maggie a surtout besoin de changer d'air, de retrouver la ville et son animation, d'oublier Edgar Biron et la petitesse de Saint-Benjamin. Elle en profitera pour avoir une bonne discussion avec son patron en prévision d'un éventuel retour. Elle récupérera un peu d'argent à la caisse populaire et ira fouiner dans les magasins.

— Aucun problème pour Mathilde, la rassure Athanase. Moé pis Alexandrine, on ira deux ou trois fois par jour. Pis si tu veux, j'irai te r'conduire aux gros chars.

Maggie accepte la proposition d'Athanase. Décidément, il est dans de bonnes dispositions !

— On va aller jouer aux cartes avec elle, gazouille Madeleine.

Mathilde n'est pas très heureuse de la situation. Elle préférerait rester seule plutôt que de se retrouver avec une gamine de quatorze ans. Maggie ne lui a pas donné le choix. Pendant que sa nièce prépare sa valise, Mathilde, confuse, cherche son chat.

En début d'après-midi, Athanase conduit Maggie à la gare de Cumberland Mills. Il voudrait la questionner, découvrir ses véritables intentions, lui demander si elle restera à Saint-Benjamin après la mort de Mathilde. Il n'ose pas. La conversation ne va pas au-delà de balivernes sur le temps qu'il fait. Rien que des vétilles ! L'important, ils sont incapables de l'exprimer, parce qu'il est mal défini. Trop de zones grises.

— Tu viendras m'charcher vendredi soir ?

Athanase le promet. Maggie arrive à la gare au moment où Ansel Laweryson en ressort. Il est content de la voir. Maggie lui sourit et lui met la main sur le bras. Athanase sent son cœur se rebeller, taraudé encore une fois par la jalousie. Que représente Ansel pour elle ? Seulement un ami ? Il est seul, sans enfants, protestant comme Walter. Bel homme, il a tout pour attirer Maggie.

Le sifflet de la cheminée du train le ramène à la réalité. Le convoi s'ébranle dans un frottement d'acier insupportable. La locomotive crache une fumée noire, entraînant une vingtaine de wagons de marchandises, un seul wagon de passagers et la *caboose*. La jument d'Athanase se cabre. Athanase essaie de voir Maggie à l'une des fenêtres du wagon des passagers pour la saluer d'un geste de la main, sans succès. Reviendra-t-elle au bout de trois jours comme elle l'a promis ? Et ce maudit Ansel ? Doit-il s'en inquiéter ?

Le wagon réservé aux passagers du train de la Quebec Central Railway est presque vide. Il brille de propreté. Maggie choisit un siège capitonné de cuir marron près de la porte et tire un livre de son sac. Un roman anglais, *Jane Eyre* de Charlotte Brontë, qu'elle se promet de lire depuis qu'elle a vu *Wuthering Heights* au cinéma avec Laurence Olivier, un film inspiré du roman du même nom d'Emily Brontë, la sœur de Charlotte. Maggie s'y plonge, oubliant le bruit du train qui tressaute jusqu'à Québec.

En descendant, Maggie se retrouve immergée dans l'animation de la gare du Palais. Va-et-vient de gens pressés, les arrivées et départs d'autobus, les tramways qui dégorgent leurs passagers, voilà la scène typique d'une fin d'après-midi. Partout, le bruit, l'agitation, l'énervement.

Maggie saute dans un taxi et se fait conduire à son appartement dans Limoilou, près de la Quebec Stitchdown Shoe. Le chauffeur de taxi l'examine.

— T'as d'quoi payer ?

Maggie le fusille des yeux. « Sûrement la première fois qu'une femme seule monte dans son taxi ! » Il n'insiste pas.

Son amie a laissé la clef sous la grosse roche à la gauche de l'entrée. Maggie est contente de se retrouver chez elle, dans ses affaires. Elle fait le tour de l'appartement. Une photo de Walter sur la commode lui tire des larmes, la remue. Elle s'arrête un instant. Prend la photo dans ses mains, secoue la tête, ne comprenant toujours pas pourquoi il est parti si jeune. Au sous-sol, les voisins se disputent encore, probablement ivres tous les deux. La rue bourdonne d'activités. Elle se surprend à regretter la tranquillité du rang-à-Philémon. Pas d'automobiles qui circulent sans arrêt et qui klaxonnent pour rien. Elle met du temps à s'habituer aux bruits de la nuit. À moitié endormie, elle se réveille en sursaut au moindre craquement comme si Edgar Biron l'avait suivie jusqu'à Québec.

Le lendemain, ses collègues de travail l'entourent à son arrivée à la Quebec Stitchdown Shoe, trop heureux de la revoir. Pourquoi cette rougeur au visage que Maggie n'a pas réussi à dissimuler complètement avec une poudre ? Mauvaise chute, explique-t-elle. Ses collègues sont rassurés, puis déçus qu'elle reparte aussitôt. Maggie ne s'attarde pas, ses amis sont débordés par le travail. La manufacture tourne à plein régime à l'image de l'économie de la province. Des boîtes de chaussures sont empilées le long des murs, destinées aux marchés de Montréal et Toronto. L'odeur du cuir partout. Gilles Bouthiller qui a remplacé Walter à l'emballage vient la saluer. La gorge de Maggie se serre. Avant qu'elle ne franchisse la porte, son patron l'entraîne dans le bureau et reformule sa proposition. Il a besoin d'une personne qui parle parfaitement le français et l'anglais pour s'occuper des clients des provinces de Québec et de l'Ontario.

— Tu corresponds tout à fait à la personne que je cherche.

Intéressée, Maggie l'est encore plus par le salaire que lui fait miroiter le propriétaire de la manufacture. Plus d'argent qu'elle ne pourra jamais en dépenser ! Trois fois plus que le salaire qu'elle aurait obtenu après l'adoption par le gouvernement Godbout de la nouvelle loi sur le salaire minimum qui remplacera la loi des salaires raisonnables.

— Ça m'intéresse, dit Maggie, m'en vas y penser ben sérieusement pis vous donner une réponse après la mort de ma tante Mathilde. A l'en a pus pour ben longtemps.

En mentionnant le nom de Mathilde, Maggie voit immédiatement apparaître l'image d'Athanase. Même à Québec, il est dans ses pensées. Elle en est agacée. Pourquoi s'enticher de lui quand elle sait qu'elle ne restera pas à Saint-Benjamin et qu'il ne la suivra jamais à Québec ?

— Je serai patient, lui promet le patron. Prends tout ton temps.

Maggie se retrouve sur la 3ᵉ Rue et décide de marcher un peu jusqu'à la 1ʳᵉ Avenue pour se rendre à la caisse populaire de Limoilou. Une marche lente, le temps d'absorber la proposition et d'évacuer Athanase de son cerveau. La caisse lui rappelle de mauvais souvenirs. La succession de Walter a été compliquée parce qu'ils n'étaient pas mariés légalement. Un directeur misogyne multipliait les obstacles pour l'empêcher de toucher les économies de Walter, une jolie somme de cinq cents dollars. Pourtant, Walter avait laissé une lettre contresignée par un notaire, dans laquelle il donnait tout à Maggie. Ajouté à ses propres économies, cela fait plus de mille dollars, une somme qui lui permettrait de respirer plus à l'aise en attendant la suite des choses. Au guichet de la caisse, Maggie retire cinquante dollars qu'elle cachera en différents endroits de la maison de Mathilde, dans l'éventualité d'un séjour prolongé.

La seule pensée de retourner à Saint-Benjamin la laisse ambivalente. Sa vie est à Québec, mais veut-elle encore y revenir après la mort de Mathilde ? Pourtant, à son arrivée à Saint-Benjamin, elle n'avait aucun doute quant à ses intentions. Pourquoi hésite-t-elle aujourd'hui ? Pourquoi ne pas sauter à pieds joints sur la proposition attrayante de la Quebec Stitchdown Shoe qui la fera grimper dans la hiérarchie de la compagnie ? Athanase en est-il la seule raison ? Est-elle vraiment amoureuse de cet homme ? Si oui, est-il préférable d'y renoncer avant qu'il ne soit trop tard, avant que la séparation ne soit trop douloureuse et que Laetitia et Madeleine n'en souffrent aussi ?

Dans l'après-midi, bouquet en mains, Maggie va au cimetière protestant Mount Hermon, chemin Saint-Louis, se recueillir sur la tombe de Walter. Ces dernières semaines, elle a beaucoup moins pensé à lui, trop absorbée par les événements qui ont ponctué son retour à Saint-Benjamin. Elle s'en veut. Elle n'a pas le droit de l'oublier, de s'intéresser à un autre homme. Il a été et restera toujours son grand amour. Personne ne le remplacera. Comme Mathilde avec

Gaudias, elle le retrouvera un jour dans une autre vie, au ciel ou ailleurs. Maggie renoue avec la douleur qui l'a habitée si longtemps. Elle repense aux paroles de Mathilde. «À ton âge, tu dois r'faire ta vie. Moé, j'attends juste d'aller r'trouver Gaudias, mé toé, t'es ben trop jeune pour dételer. Trouve-toé un bon parti pis r'marie-toé.» Un bon parti! Comme si elle pouvait placer une petite annonce dans *L'Action catholique* ou *Le Soleil*. «Femme mature recherche bon parti!» En quittant le cimetière, Maggie se demande avec tristesse quand elle y reviendra. Elle jette un coup d'œil à l'inscription à l'entrée expliquant l'origine du nom du cimetière: «Le mont Hermon, à la frontière de la Syrie et du Liban, est une montagne sacrée depuis les temps immémoriaux.»

Le lendemain, Maggie fait la tournée des magasins. Québec étincelle, réveillée par le printemps. La ville est belle, grouillante de monde, d'automobiles qui vont trop vite et des derniers tramways brinquebalants que les autorités veulent reléguer au rang des vieilleries et remplacer par des autobus. Maggie retrouve le plaisir d'arpenter les rues, d'observer les gens, de respirer les odeurs de café qui s'échappent des restaurants. Elle laisse tomber le foulard et le gros manteau. Cohue au Syndicat de Québec, la petite cantine est bondée. Elle achète quelques vêtements, deux livres et, surtout, des cadeaux pour Mathilde, les deux filles et Athanase. Elle flâne jusqu'en fin de matinée avant de se rendre à la gare du Palais où le train l'attend.

Au retour, Maggie est partagée entre la tristesse et l'anticipation. Triste de quitter sa chère ville, même si elle la trouve moins attrayante depuis la mort de Walter. Quand le train franchit le pont de Québec, son cœur bat plus vite, mû par la perspective de revoir Athanase à la gare. Pendant tout le trajet, elle se laisse prendre au jeu. Elle mesure les bons et mauvais côtés d'une relation avec cet homme plus jeune qu'elle, père de deux filles. Survivrait-elle à la ferme, aux odeurs de l'étable, aux travaux éreintants et ou bouillonnement d'un village sans gouvernail? Survivrait-elle au jugement des autres? Athanase pourrait-il faire abstraction des remarques désobligeantes, blessantes, vraies ou inventées, qui ne manqueraient pas de pleuvoir sur elle? Elle se dépêche de chasser ces pensées et de replonger dans *Jane Eyre*.

À Cumberland Mills, Athanase l'attend, inquiet. Et si elle ne revenait pas? Finalement, l'énorme locomotive se découpe dans la forêt avec une demi-heure de retard, crachant sa fumée noire. Le monstre s'arrête, soufflant sa vapeur par les soupapes latérales. Le crissement des freins est étourdissant. Maggie est la seule passagère à descendre du train. Les bras chargés de cadeaux, elle est accueillie par le grand sourire d'Athanase. Sa joie est évidente, même s'il feint le détachement, en mauvais acteur qu'il est. Maggie cache mieux ses émotions. Mais une réalité la rattrape. En le retrouvant, elle est forcée d'admettre, et ça l'agace, que seul Athanase pourrait la retenir à Saint-Benjamin après la mort de Mathilde. Doit-elle éteindre ce feu avant qu'il ne devienne un sérieux obstacle à son retour à Québec?

— T'as faite un bon voyage?

— Oui.

Athanase s'empare de l'un des sacs de Maggie et le dépose à l'arrière de son robétaille. Ils échangent quelques mots sur les travaux du printemps et le retard du train. Les vaches de Pit Loubier broutent l'herbe le long de la route. Son vieux chien, le museau entre les deux pattes, les surveille. En l'espace de quelques minutes, ils sont aux abords de la maison.

— Viens avec les filles après souper, j'ai des cadeaux pour elles.

Athanase est ravi de l'invitation. Il apportera l'une des deux tartes au sucre qu'il a préparées en matinée. Il sent une grande bouffée de chaleur envahir son corps. Pendant son absence, il n'a pas cessé de se poser des questions, de tenter d'apprivoiser ces sentiments qui l'habitent. Des

sentiments envahissants qu'il n'a jamais éprouvés auparavant, même pas pour Rosa, sa première femme, une
amie d'enfance avec qui il allait main dans la main sur le
chemin de l'école. Athanase a épousé Rosa parce que ça
allait de soi. L'aimait-il? Oui, bien sûr, d'un amour entendu
comme on aime un ami, un cousin, un parent. Jamais il
n'avait ressenti une passion comme celle que Maggie lui
inspire. Le temps est venu d'avoir une sérieuse conversation
avec elle.

Quand elles arrivent à la maison de Mathilde, Laetitia
et Madeleine sautent de plaisir en voyant les colis joliment
enveloppés.

— T'en as acheté, des affaires, dit Madeleine.

— Oui, pis ces deux-là sont pour toé pis Laetitia.

Les yeux écarquillés, les deux fillettes déballent
rapidement les cadeaux. Deux jolis foulards roses comme
celui que porte Maggie et qui leur faisait tant envie. Une
boîte de chocolat Laura Secord pour Mathilde et un paquet
de cigarettes Sweet Caporal pour Athanase. Ému, il ne
sait pas comment réagir. Elle a pensé à lui.

— J'aurai pas besoin d'rouler pendant deux jours,
baffouille-t-il, mal à l'aise, en guise de remerciements.

Maggie sourit, les yeux sur Laetitia et Madeleine qui se
disputent le miroir, foulard au cou.

— Contente d'être r'venue? lui demande Mathilde.

Maggie fait oui de la tête.

— Pis Québec? enchaîne Laetitia. C'é comment?

— C'é une merveille, dit Maggie. La prochaine fois,
j'vous emmène avec moé.

Les deux filles se tournent vers leur père en attente de
son approbation. Athanase se contente de hausser les
épaules, sourire incrédule aux lèvres.

— On amènera papa? veut savoir Madeleine.

— Ben sûr, répond Maggie, narquoise.

21

— Ça peut pus durer comme ça! hurle Éleucippe Boily, le bedeau, dans le magasin général. On crairait qu'les Allemands ont déclaré la guerre à Saint-Benjamin! Hospice, y a-t-y quequ'un qui va arrêter c'ta folie-là?

— Y auraient ben dû garder Damase en prison, renchérit Caiüs Labonté.

Éleucippe et Caiüs ne sont pas les seuls à s'inquiéter. La recrudescence de la violence sème la crainte dans tout le village. Contusionné, Damase n'est pas sorti de sa maison. À peine a-t-on entrevu sa femme et ses deux fils. La machine à rumeurs s'est de nouveau emballée. «Damase est à l'article de la mort!» Qui l'a rossé ainsi? Maggie a-t-elle engagé quelqu'un pour battre Damase, profitant des noces d'Annette et d'Ephrem pour faire le coup? En plein jour!

— Rappelez-vous, mes amis, argue le secrétaire Saint-Pierre Lamontagne, qu'elle a de bonnes raisons de se venger et que ce ne serait pas la première fois qu'elle battrait un homme. Souvenez-vous de ce qui est arrivé à ce pauvre Domina Grondin.

Même si Damase est affaibli, le cerveau anémié, personne n'arrive à imaginer la scène d'une Maggie déchaînée, le martelant.

La crainte des villageois est assortie d'un malaise. La victime et son assaillant présumé suscitent peu de sympathie. Damase et Maggie sont deux indésirables. Qu'ils règlent leur différend, mais pas au prix de la paix des honnêtes gens. Un peu partout, des citoyens inquiets cherchent des solutions pour éviter l'anarchie. En l'absence d'un juge de paix, avec un maire muré dans son impuissance, la paroisse n'a plus de direction. La loi du plus fort est imposée par un petit groupe de fiers-à-bras.

La veille, Clovis Rodrigue-à-Bi, le marguillier en chef, est allé voir le curé, aiguillonné par un groupe de paroissiens. Tous les deux ont décidé de passer outre les dirigeants de la paroisse. Ils demanderont au gouvernement provincial d'intervenir. Le curé et Clovis conviennent qu'il faut remettre Bénoni dans le coup. Il a ses entrées partout. Lui seul peut obtenir des résultats.

Quand le curé cogne à sa porte, Bénoni cache mal son étonnement. Léda lui offre à dîner. Le curé se met aussitôt à table.

— La paroisse a besoin de vous, monsieur Bolduc.

L'ancien maire regarde le curé, l'air surpris. Sa relation avec Vidal Demers est cordiale, sans plus. Lors de son arrivée dans la paroisse, le curé connaissait la réputation du maire. L'évêché l'avait longuement renseigné sur la bataille épique qui l'avait opposé à Antonio Quirion, mais la démission de Bénoni n'a pas donné au curé l'occasion de se mesurer à l'homme fort de la paroisse.

— Monsieur Bolduc, j'ai horreur de m'immiscer dans les affaires de la paroisse. Je ne l'aurais jamais fait quand vous étiez maire. Mais là, je dois intervenir, c'est mon devoir. Le bien-être de nos concitoyens en dépend.

Bénoni toise le jeune curé du haut de ses trente années d'expérience à la tête de la paroisse. Un blanc-bec qui n'a pas compris les subtilités de la politique municipale, qui ne sait pas que tout remplacement d'une administration en poste depuis trop longtemps entraîne le chaos. Que les nouveaux maîtres veulent imposer leur autorité avec, souvent, un déficit d'élégance et de jugement.

— Écoutez, m'sieur l'curé, avec tout l'respect que j'vous doué, dans la province de Québec, à partir de maintenant, ça ben l'air que l'maire é bleu quand l'gouvernement é bleu à Québec, pis qu'y é rouge quand l'gouvernement d'la province é rouge.

Pourtant, Bénoni n'a que «ses bleus» à blâmer. Ce sont ces mêmes bleus de Duplessis qui ont vidé les officines rouges en 1936, trop contents de montrer la porte à ces libéraux qui avaient gouverné la province sans interruption depuis le premier ministre Félix-Gabriel Marchand en 1897 jusqu'à la fin du régime Taschereau-Godbout en 1936.

Le curé exècre les combines politiques. La partisanerie excessive l'horripile. Son père, un notaire influent de Québec, n'a jamais affiché ses couleurs politiques. Bleus ou rouges, c'est du pareil au même! Au plus, c'est tête-bêche. Pour lui, tous les citoyens de Saint-Benjamin ont droit aux mêmes services, aux mêmes égards, au même respect.

— Personne d'autre que vous ne peut sortir Saint-Benjamin de cette situation dangereuse.

Léda sert au curé une généreuse portion de pommes de terre, de rôti de porc et deux grosses tranches de pain pour lécher le reste de l'assiette. Un pot de mélasse l'attend en retrait.

— Dangereuse? fait Bénoni.

— Vous avez su ce qui est arrivé à Damase Biron?

Bénoni fait signe que oui de la tête. Cléophas s'est empressé de tout lui raconter. Que s'est-il passé au juste? Personne ne le sait. Damase refuse de parler. Les spéculations vont bon train. Bénoni a sa petite idée.

— Les vrais coupables sont pas les ceuses qu'on pense.

La réponse énigmatique de l'ancien maire laisse le curé confus. Bénoni fait-il allusion à Josaphat Pouliot? À Maggie Miller? Le curé a sursauté quand Trefflé Vachon lui a dit la veille que Maggie Miller était une sorcière qui jetait plein de mauvais sorts sur Saint-Benjamin. Bénoni se gratte la tête. Maggie Miller?

— Est-ce que cette Maggie Miller est si dangereuse? demande le curé. Vous étiez maire lors des incidents qu'on lui reproche. Était-ce si grave?

Bénoni fronce les sourcils, mais ne répond pas directement à la question.

— Vous savez mieux que moé, m'sieur l'curé, qu'une femme qui a pas d'enfants pis qu'y a pas d'maison à t'nir peut être tentée par le vice.

Léda l'approuve, branlant la tête de dépit.

— Elle a commis des crimes, il y a vingt ans ? demande le curé.

Bénoni se contente de hausser les épaules. Rien n'a jamais été prouvé. Maggie était-elle innocente pour autant ? Bénoni voudrait bien réécrire l'histoire. Avec le recul, il aimerait refaire le procès de Maggie et démontrer sa culpabilité à l'aide d'une preuve de circonstance. La femme seule qui tombe facilement dans l'oisiveté. Sans enfants, elle cherche des compensations ailleurs. Dans l'infidélité, l'adultère. Il aimerait refaire le procès des maquereaux et la condamner.

— Je vois, fait le curé.

Bénoni n'a pas répondu à sa question. Quel crime a-t-elle commis ? Pourquoi ne l'a-t-on pas condamnée comme la Cloutier ? Vidal Demers n'arrive toujours pas à comprendre les raisons profondes de cette méfiance quasi maladive à l'endroit de Maggie Miller. Même l'ancien maire réagit comme Imelda Lacasse !

— Que c'é qu'vous attendez d'moé exactement, m'sieur l'curé ?

— J'aimerais vous inclure dans le petit groupe de paroissiens qui ira à Québec.

Le curé souhaite que Bénoni l'accompagne à l'Assemblée législative à la tête d'une petite délégation, avec comme mandat de demander au gouvernement de nommer un juge de paix pour rétablir l'ordre.

— Pis qui en f'ra partie ?

Le curé nomme quelques personnes : Clovis Rodrigue-à-Bi, Onézime Rancourt, le président de la commission scolaire et Eudore Boulet, le président de la Ligue du Sacré-Cœur. En plus de Bénoni et du curé.

— Vous aurez besoin d'un rendez-vous avec Wilfrid Girouard, le procureur général d'la province. C'é lui qui a l'pouvouère de nommer un juge de paix.

— Vous nous accompagnerez ?

Bénoni hésite. Léda lui lance un regard furibond. Peut-il dire non au curé alors que son propre fils accédera bientôt à la prêtrise ? S'il accepte, les dirigeants de la paroisse interpréteront-ils son geste comme une tentative de les renverser et de reprendre le pouvoir ?

— Y vont pas trouver ça bizarre, à Québec, que l'maire fasse pas partie d'la délégation ?

Le curé lui donne raison. Mais il a tout essayé. Deux fois, il a dépêché le bedeau auprès de Romain Nadeau pour l'inviter à passer au presbytère. Deux fois, le bedeau s'est cogné le nez à une porte barrée.

— J'ai tout fait, mais je ne peux pas le sortir de sa cachette de force, déplore le curé. Et je vous avouerai que je n'ai pas réussi non plus à parler à Josaphat Pouliot. On dit qu'il en mène large. Je ne sais pas s'il accepterait.

— Y sait même pas lire, maugrée Bénoni, la voix pleine de dédain.

Bénoni a le plus profond mépris pour Josaphat Pouliot, la source de tous les problèmes. Quand sa grange a brûlé, Bénoni a soupçonné Josaphat ou ses hommes de main. La police l'a interrogé. Josaphat avait un alibi inattaquable. Les Biron aussi.

— J'peux vraiment pas, conclut Bénoni. Au lieu d'aider, ça va rempirer les choses pis rendre c'te bande d'imbéciles encore plus dangereux. Am'nez Cléophas pour représenter l'conseil. J'connais un fonctionnaire à Québec qui a ses entrées au bureau du procureur, m'en vas l'appeler à soir. C'é l'plus que j'peux faire. Quand voulez-vous aller à Québec ?

— Dès que possible. Au début de la semaine prochaine ? propose le curé.

Bénoni lui promet de tout faire pour l'aider, mais il ne les accompagnera pas. Léda est déçue et soulagée à la fois. Déçue parce que le curé, c'est le curé ! Mais davantage soulagée que son mari reste à la maison. Loin des tentations ! Pourquoi le replonger dans « sa maudite politique » ? Pourquoi raviver une passion à peine assoupie ?

— Merci, madame Bolduc. Vous êtes une cuisinière hors de l'ordinaire. Je vous confesse que je ne mange pas aussi bien au presbytère.

— Vous devriez avouère une servante comme les aut' curés, lui dit Léda.

Le curé refuse d'avoir une servante. Une présence encombrante, intimidante, qui ferait obstacle à sa solitude chérie. Même le bedeau doit garder ses distances. Bénoni l'aide à détacher son cheval et à monter dans son robétaille.

— Au r'vouère, m'sieur l'curé.

Le curé reprend la route du village, Bénoni retourne à ses travaux. Il a une longue clôture à planter et une réflexion à poursuivre, la tête pleine d'un bouillonnement d'idées contradictoires. À l'évidence, les nouveaux dirigeants ne sont pas à la hauteur. Bénoni doit-il préparer son retour ? Pas tout de suite. Il laissera d'abord Josaphat et les siens couler à pic, mal guidés par l'imbuvable secrétaire qui est plus préoccupé par sa collection de nids d'oiseaux, d'articles de journaux et de pages de vêtements pour enfants du catalogue de Dupuis Frères.

22

Mai 1940

La guerre perdure. Encore plusieurs mois, disent les plus optimistes. La Hollande vient de capituler. Envahis par les nazis, le Luxembourg et la Belgique pourraient tomber aussi. Sans compter la France qui n'arrive plus à refouler les hordes d'Hitler. Les Anglais retrouvent un semblant d'optimisme avec l'arrivée d'un nouveau premier ministre, un certain Winston Churchill.

Au Canada, Mackenzie King subit d'énormes pressions pour imposer la conscription. L'opposition est convaincue qu'il reniera sa promesse. Pour l'instant, le gouvernement songe à un enregistrement de tous les Canadiens aptes à faire la guerre. Première étape vers l'imposition de la conscription, soutient le maire de Montréal, Camillien Houde.

— Maudite guerre !

Maggie Miller revoit Walter dans son costume militaire à son retour de la guerre, blessé, un genou amoché, condamné à claudiquer légèrement, faisant des efforts pour le dissimuler, par fierté et pour ne pas embarrasser Maggie, elle qui pourtant n'était nullement embêtée par son boitillement.

Maggie ferme l'appareil de radio et se lève, courbaturée. L'attaque dont elle a été victime a laissé des séquelles même si elle se remet bien de ses blessures. La bosse derrière la tête a disparu, mais elle a toujours cette rougeur à la joue et un halo grisâtre autour de l'œil. Même si sa vengeance a été assouvie, elle n'est pas complètement satisfaite.

— J'ai ben envie d'faire peur aux Biron, lance Maggie.

Athanase s'étonne. N'abandonnera-t-elle jamais ?

— Comment tu vas t'y prendre ? l'interroge Athanase qui s'arrête de plus en plus souvent à la maison sous prétexte de prendre des nouvelles de Mathilde.

— J'ai un plan, articule Maggie, mystérieuse.

Athanase n'est pas rassuré. Un autre de ces plans diaboliques dont il devra se faire le complice ? Pourra-t-il l'aider une autre fois ? Mathilde roule de gros yeux inquiets. Que mijote encore sa nièce ?

— Sainte bibitte, ça sert à rien d'les provoquer. Y sont tranquilles depuis un boutte d'temps. Va pas les picosser pour rien.

Maggie n'oublie pas facilement. Oui, les frères Biron sont restés dans leur tanière comme des renards blessés. Mais tôt ou tard, ils resurgiront pour venger leur père.

— C'é quoi ton plan ? demande Athanase.

Maggie sourit malicieusement. Elle se propose d'aller au bureau de poste et faire du maître de poste, Honoré-à-la-Pie Gilbert, son complice involontaire. Un incontrôlable bavard, à qui elle confiera une fausse nouvelle.

— Quelle fausse nouvelle ? demande encore Athanase, de plus en plus impatient.

Maggie fera croire à Honoré que son ami de la police provinciale viendra sous peu à Saint-Benjamin pour enregistrer tous les hommes en âge d'aller à la guerre. Elle inventera une histoire qui colle à la réalité, crédible. Mathilde n'y comprend rien. Athanase a une moue incrédule.

— Creusse, tu penses qu'ça va marcher ? Pis que les Biron vont s'sauver dans l'fond des bois ?

Maggie en est certaine. Elle se souvient de Séverin Biron, le frère de Damase, et de leurs cousins qui s'étaient cachés pendant deux ans dans une vieille cabane à sucre pour échapper à la conscription pendant la première guerre mondiale. Frustrée parce que « son » Walter avait été forcé de s'enrôler, elle avait souvent songé à les dénoncer.

— C'é deux gros peureux pis paresseux, explique Maggie. Jamais y voudront aller à la guerre. C'é d'famille. Aussitôt qu'y vont apprendre la nouvelle, y vont aller s'cacher, pis on aura la paix pour un boutte d'temps.

Maggie est-elle naïve? Athanase voudrait bien la croire sur parole, mais il n'est pas convaincu que sa stratégie fonctionnera.

— Savez-vous que l'curé pis une délégation sont allés à Québec aujourd'hui pour rencontrer l'premier ministre?

Maggie le regarde, interloquée.

— L'premier ministre? T'es ben sûr? Et pourquoi donc?

— À cause de tout c'qui s'é passé darnièrement. Ç'a l'air qu'y vont d'mander au premier ministre de s'en mêler.

Maggie s'étonne parfois de l'ingénuité d'Athanase. Elle est surprise qu'il ne lise pas le journal, n'écoute pas la radio et qu'il vive ainsi, coupé du reste du monde. Mais avec tout le travail qui l'attend chaque matin, faut-il s'étonner qu'il n'ait pas beaucoup de temps à consacrer aux loisirs?

— Sûrement pas l'premier ministre, Athanase, y é ben trop occupé pour ça. Si y sont chanceux, y vont rencontrer un ministre, mé pas plus. Qui é dans la délégation?

— Le curé pis les marguilliers pis même Bénoni, paraît-il.

Athanase n'a pas toute l'information. Il extrapole à partir d'une phrase lancée à la sauvette par Pit Loubier.

— Bénoni? répète Maggie, surprise.

— C'é c'qu'on m'a dit.

Bénoni à Québec à la tête d'une délégation? Prépare-t-il son retour? Maggie se prend à l'espérer même s'il mettrait fin à ses velléités de candidature. Seul Bénoni pourrait rétablir l'ordre dans la paroisse. Après les incidents des derniers mois, ses fautes passées lui seraient rapidement pardonnées et son retour, salué par la majorité.

— On d'vrait aller à messe dimanche pour vouère c'que l'curé racontera, suggère Mathilde. Pis ça s'rait ma darnière messe pis ma darnière sortie, je l'sens.

— Ben voyons, ma tante, dis pas ça.

Maggie réfléchit. Aller à l'église, l'idée lui semble ridicule. La messe, le long sermon, le placotage, il y a tellement d'irritants ! En même temps, l'occasion serait belle de montrer aux paroissiens qu'elle ne se cache pas et qu'elle n'a peur de personne ! Qu'une nouvelle Maggie est née, respectueuse de la religion et attentive aux besoins de sa tante.

— J'sus ben sûr que Pit vous donn'ra une *ride* dans sa chedèvre si vous êtes pas peureuses. Y paraît qu'y conduit ben mal, mé comme y a pas beaucoup d'machines dans l'village, vous allez arriver à l'église rien qu'd'un morceau !

— Bon, OK, concède Maggie, si t'es r'nippée, ma tante, on va à la messe. T'as encore ton banc ?

— Oui, ma belle, pis dans la cinquième rangée devant Damase pis sa femme.

Athanase se lève. Maggie l'accompagne à l'extérieur. Elle a envie de le retenir, de le toucher.

— Comment vont les petites ?

— Deux vraies bonnes filles. A m'ont d'mandé si tu r'viendras nous vouère. Toé, l'ancienne maîtresse d'école, tu dois avouère pas mal le tour avec les enfants ?

Maggie hoche la tête. Ça fait si longtemps ! L'invitation d'Athanase la remue même si elle manque de subtilité. Elle le laisse sur son appétit.

— Magella Boily a-t-y posé ben des questions quand tu y as d'mandé d'battre Damase ?

— Presque pas. Y voulait savouère d'où venait l'argent, pis j'y ai dit que c'tait pas important, mé qu'y avait ben du monde dans l'village qui d'mandait pas mieux que d'leu z'envoyer un message. Y a dit oui tout d'suite. Y é allé tout seul. J'y ai donné cinq piastres avant qu'y parte, pis l'aut' cinq piastres quand j'ai été ben sûr qu'y avait fait la *job*.

Maggie sourit. Elle trouve astucieuse cette idée des deux versements, ce qui la rassure sur la perspicacité d'Athanase.

— Tant mieux ! commente Maggie.

— Tu veux v'nir souper à maison d'main soir après l'barda ?

— Si Mathilde é pas trop pire, ben oui, j'aimerais ça.

23

Mathilde endormie, Maggie allume une lampe, met le loquet à la porte et se rend chez Athanase. Assises sur le perron, Madeleine et Laetitia l'attendent depuis une vingtaine de minutes, trop heureuses d'avoir de la visite, autre que celle d'Alexandrine et de ses filles. Dès qu'elles aperçoivent Maggie, elles se lèvent et vont à sa rencontre.

— Salut, les filles, j'vous ai apporté des r'tailles de robes pour habiller vos catins.

Laetitia et Madeleine sautent de joie et, une fois dans la maison, se disputent les ciseaux. Maggie rejoint Athanase dans la cuisine.

— Salut. Ça va ? T'as l'air inquiète !

— J'ai toujours un peu peur de laisser Mathilde toute seule depuis que l'gros Biron m'a attaquée. J'espère qu'y é pas assez sans-cœur pour s'en prendre à une vieille femme.

— On va j'ter un coup d'œil sus la maison de temps en temps.

La cuisine fleure bon le bouilli de légumes et de bœuf. Maggie l'observe avec curiosité. Elle pense à Walter qui avait horreur de la cuisine. Certes, il l'aidait à faire la vaisselle, mais il ne fallait pas lui demander de râper une carotte ou d'éplucher des patates.

— Touche pas ! dit Laetitia à Madeleine.

Maggie laisse Athanase à ses chaudrons et s'assoit par terre avec les filles. Laetitia découpe minutieusement un morceau de l'étoffe apportée par Maggie sous les yeux attentifs de sa sœur.

— Que c'é que tu fais ? demande Maggie.

— Une jupe pour ma catin, comme la tienne.

Maggie l'observe attentivement avec un mélange de curiosité et de tendresse.

— Tu pourrais y faire une jupe craquée. M'en vas t'montrer comment. Pis on en f'ra une aut' pour la catin d'Madeleine.

Un grand sourire allume le visage des deux fillettes.

— Viens t'asseoir à table, l'invite Athanase. Vite, les filles, à table. Vous avez assez catiné!

Athanase leur sert à chacune une bonne portion de bouilli. Il tranche un pain, met un peu de beurre dans une soucoupe et pose la salière au milieu de la table. Rien de très sophistiqué, mais Maggie est encore une fois impressionnée par sa débrouillardise. Certes, il n'a pas le choix, pourtant d'autres hommes, en pareilles circonstances, auraient préféré abandonner leurs enfants à des parents ou à une crèche.

— Tu veux jouer aux cartes avec nous aut'? demande Laetitia après le repas.

Maggie n'a jamais aimé les cartes, mais pour faire plaisir aux filles, elle jouera quelques parties de «paquet voleur» jusqu'à ce que l'heure du sommeil sonne. Pendant qu'Athanase fait la vaisselle, Maggie et les filles s'en donnent à cœur joie. Cris, éclats de rire, grognements de frustrations, souvent, Maggie a l'impression d'entendre Aldina et Fred Taylor quand ils jouaient aux cartes dans la salle de classe.

Bonne nuit, dit Maggie aux deux fillettes en remontant la couverture sur leurs épaules.

Athanase les embrasse à son tour.

— Bonne nuit, les filles.

Athanase sort un instant sur la galerie, inspecte les environs et revient dans la maison, rassuré.

— Tout a l'air ben tranquille.

Il sert un thé à Maggie et s'assoit à la table en face d'elle. Une sorte de malaise s'installe, ni l'un ni l'autre n'osant aborder directement le sujet qui les intéresse.

— Peux-tu m'dire pourquoi not' beau secrétaire t'appelle Marguerite Grondin plutôt qu'Maggie Miller ?

Elle secoue la tête, furibonde. Marguerite Grondin ! Ce nom l'horripile et la replonge dans ce passé qu'elle veut oublier.

— Le secrétaire, c'é rien qu'un vieux gars frustré.

— Pis Marguerite, c'é ton vrai nom ?

Marguerite est le nom inscrit sur son baptistère. Son père avait insisté pour l'appeler Marguerite, Marie, Maggie Miller, mais le curé avait carrément refusé d'inscrire un prénom protestant sur le document. Déjà que Miller lui posait problème, il n'était pas question d'ajouter Maggie au surplus.

— Pis ton deuxième mari ? Taylor, j'pense ? Tu portes pas son nom non plus ?

Maggie est étonnée par la question, contrariée. Où veut-il en venir ? En quoi ça peut l'intéresser ? S'imagine-t-il qu'un jour, elle deviendra madame Lachance ? Qu'elle l'épousera ? La conversation prend une tournure que Maggie n'aime pas. Le mariage, madame Lachance, voilà des notions qui lui déplaisent. Faut-il absolument se marier et changer de nom pour vivre avec un homme ? À la Quebec Stitchdown Shoe, elle n'était pas la seule femme vivant en union libre.

— Parce qu'on s'é jamais mariés, laisse tomber Maggie froidement.

— Jamais ? Même après vingt ans ensemble ?

— Non, dit-elle sans plus d'explication.

Athanase cache mal sa surprise. Il tenait pour acquis que Maggie avait été mariée à Walter pendant toutes ces années à Québec. Vivre avec une femme en dehors des liens du mariage, Athanase ne peut même pas l'imaginer, encore moins l'envisager. Sa mère en aurait une syncope !

— Pis Grondin ?

— C'était l'nom de Domina. Après sa mort, j'avais aucune raison de l'garder.

Athanase en est troublé. Ils ont tous raison, à défaut d'être la diablesse dont on parle, Maggie Miller n'est pas une femme comme les autres. Elle ne fait rien comme tout le monde. Pourquoi serait-ce si épouvantable de se marier et de porter le nom de son mari ?

— Pis vous avez jamais eu d'enfants ?

— Non.

Maggie est de plus en plus frustrée. Elle songe à se lever, à claquer la porte et à aller retrouver Mathilde. Elle y renonce. Doit-elle lui mentir ou lui dire la vérité ? Une vérité qu'il ne pourra probablement pas accepter et qui le fera fuir à tout jamais. Mais vaut mieux qu'il sache tout. Il est préférable de jouer cartes sur table, tout raconter à Athanase pour que le portrait qu'il se fait d'elle soit complet.

Non, on a ben essayé, mé ç'a jamais marché. J'ai déjà perdu un bébé, pis l'docteur disait au début qu'ça pouvait dépendre de ça, mé après y ont trouvé qu'c'é Walter qui pouvait pas.

Athanase l'interrompt.

— T'as déjà perdu un bébé ?

— Oui, l'bébé d'Walter avant qu'y parte pour la guerre. Comme y avait arrêté d'm'écrire, j'ai cru qu'y me r'viendrait jamais. J'ai fait des folies, pis j'ai perdu l'bébé. J'avais dix-sept ans, pis j'ai eu peur. Y a juste Mathilde pis Walter qui étaient au courant de ça.

Le visage d'Athanase blanchit, ses gestes se figent. Une relation sexuelle hors mariage à dix-sept ans avec un protestant ! Non seulement elle ne s'est jamais mariée, mais la seule fois où elle aurait pu avoir un enfant, elle s'en est débarrassée. Il repense à sa femme, morte en couches pour sauver Madeleine. Un sacrifice énorme auquel Maggie, de toute évidence, n'aurait jamais consenti. Pourtant, la maternité est le résultat légitime du mariage. Une femme mariée sans enfants n'est pas une femme normale, à moins que son infertilité résulte de causes naturelles. Athanase est contrarié, la femme qui le titille n'a aucun respect pour la vie, la religion et la morale.

— Quelles sortes de folies? finit-il par demander.

Maggie s'emporte. Elle ne veut pas subir cet interrogatoire plus longtemps. Elle n'a pas le goût de revenir sur ces deux folles semaines pendant lesquelles elle a multiplié les acrobaties pour tuer le fœtus dans son sein.

— J'ai pas envie de t'raconter ça en détail. J'veux juste que tu saches toute à mon sujet. J'veux rien t'cacher.

Mais l'honnêteté, la franchise de Maggie ne suffisent pas à Athanase. Il veut tout savoir.

— Pis la religion? Fais-tu encore tes dévotions? Vas-tu à la messe?

Maggie se lève, livide. Elle voudrait le secouer, le sortir de son carcan religieux. Elle a envie de hurler, de dénoncer son étroitesse d'esprit. Elle baisse la voix pour ne pas réveiller les filles.

— Écoute, Athanase, j'fais pas les affaires comme tout l'monde, j'sus pas comme les aut' femmes, j'l'ai jamais été, pis je l'serai jamais. J'en sus pas capable. J'ai besoin d'liberté, pis j'ai besoin qu'on m'traite comme une égale. Pis si c'é trop pour toé, pis que t'aimes mieux m'éviter, pas d'problème, j'comprendrai. J'ai une *job* qui m'attend à Québec, j'ai pas besoin d'toé. Salut.

Maggie se lève et quitte la maison sans attendre la réponse d'Athanase. Elle descend l'escalier de la galerie deux marches à la fois et s'en va d'un bon pas jusqu'à la maison de Mathilde. Elle entre, barre la porte et s'engonce dans la chaise berçante de sa tante. Son cœur cogne si fort dans sa poitrine qu'elle en a mal. Aurait-elle dû mentir à Athanase? Était-ce vraiment nécessaire de tout lui raconter? À l'évidence, il est bouleversé, stupéfait. Pourrat-il un jour l'accepter telle qu'elle est? Maggie en doute. Ses convictions religieuses l'emporteront, l'empêcheront de faire des compromis. Il ne tolérera jamais qu'elle ait mis fin à la vie d'un enfant. Est-ce la conclusion d'une belle histoire d'amour qui n'a jamais vraiment commencé? Elle le croit, mais ne regrette rien. Si Athanase ne peut l'accepter telle qu'elle est, à quoi bon? Pourquoi s'engager auprès d'un homme qui lui resservira sans cesse ses fautes passées, qui ne respectera pas son indépendance et qui la confinera à la cuisine?

Après s'être assuré que les filles dormaient bien, Athanase s'assoit sur la galerie, perdu dans ses pensées, le cœur en charpie. Il avait déjà plein de doutes au sujet de Maggie, il a maintenant trop de certitudes. Le voilà confronté à une femme qui n'a pas de principes, qui n'a pas de morale et ne pratique probablement pas sa religion, sauf à l'occasion pour sauver les apparences. Fervent croyant, Athanase ne dévie jamais des principes religieux qui le gouvernent. Des principes inculqués par ses parents dès son jeune âge. La droiture, l'honnêteté, le respect de la vie sont à la base de ce qu'il est.

Athanase allume une dernière cigarette. Ce qui le dérange le plus, c'est le crime que Maggie a commis, le crime des crimes. Comment peut-on en arriver à tuer son enfant avant sa naissance? Et de quelle façon l'a-t-elle fait? Un charlatan? Avec des broches à tricoter? Athanase préfère ne pas le savoir. Il n'était pas d'accord quand le docteur a laissé mourir sa femme pour sauver Madeleine, mais, à l'opposé, il aurait eu beaucoup de difficulté à vivre avec la mort d'un enfant sur la conscience.

Quand sa mère a voulu donner ses enfants à sa sœur, Athanase a refusé. Il s'est battu bec et ongles pour les garder. Elle ne le lui a jamais pardonné. Laissé à lui-même, Athanase a élevé deux jeunes enfants faciles qui, heureusement, ont semblé comprendre la situation de leur père. Mais, nuits blanches, petits bobos et traite des vaches avec un bébé endormi dans son berceau près du poulailler ont été le lot d'Athanase depuis la mort de sa femme. Heureusement, Alexandrine et son mari ont volé à son secours, la plus vieille de leurs filles s'improvisant gardienne le plus souvent possible. Le reste du temps, Athanase ne s'éloigne jamais de la maison ou, s'il doit le faire, Alexandrine prend la relève. Malgré les énormes difficultés, entre les repas, le lavage, l'étable et tous les travaux domestiques, il ne s'est jamais découragé.

Dans la même situation, Maggie Miller s'est débarrassée de son enfant. Elle a abdiqué. Une conduite inacceptable surtout pour une femme, pense Athanase. Il ne pourrait jamais vivre avec une femme qui n'hésite pas à sortir des sentiers battus quand ils deviennent trop étroits. Qui ne peut accepter le moindre sacrifice. A-t-il d'autres choix que de renoncer complètement à Maggie Miller? La laisser repartir à Québec sans essayer de la retenir? Son cœur le regrette, sa raison lui dicte que c'est la seule solution. Il en parlera à Alexandrine.

24

À l'Assemblée législative, la délégation de Saint-Benjamin est accueillie froidement. Le secrétaire du procureur général se montre condescendant, méprisant. Une longue heure d'attente dans une minuscule salle, attenante au bureau du ministre.

— M'en vas l'étrangler, souffle Cléophas à l'oreille du curé.

— Patience, monsieur Turcotte, on n'a pas le choix.

Le gosier coincé dans sa chemise trop petite, le cou tranché par le collet empesé, les pieds à l'étroit dans ses souliers neufs, Cléophas est dépité. Il a accepté à contrecœur de faire partie de la délégation. «Tu y vas pis t'arrêtes de chialer», lui a ordonné Bénoni. En l'absence du maire et des autres conseillers, Cléophas n'a pas eu le choix. Il est frustré aussi en raison de l'absence du député. «Ma présence vous nuira plus qu'elle vous aidera, les rouges me détestent pour s'en confesser», lui a révélé Jos-D Bégin, le député bleu de Dorchester. Cléophas et le curé n'acceptent pas l'explication. Au-delà de la partisannerie, un député ne doit-il pas d'abord servir ses électeurs? Il dira sa façon de penser à Jos-D lors de leur prochaine rencontre. Ses collègues de la délégation sont tous d'accord avec lui.

— J'veux ben craire qu'les rouges pis les bleus, ça fortille pas ensemble, renchérit Eudore Boulet, le président de la Ligue du Sacré-Cœur, mé tu peux être sûr que, l'tordieu, y aura pas mon vote la prochaine fois.

— Y l'a-t-y déjà eu? lui lance Cléophas, narquois.

La porte s'ouvre. Enfin! Le procureur les recevra. Grand, guindé, les cheveux gominés, le secrétaire ne s'excuse même pas du retard. Il affiche un mépris sans nom pour ces paysans venus du fin fond de leur campagne.

— Si vous voulez bien me suivre et faire vite, monsieur le procureur général est fort occupé. Après le gâchis laissé par Duplessis et ses incapables de ministres, nous n'en finissons plus de remettre le train sur ses rails.

Cléophas bouillonne. Ce secrétaire lui rappelle Saint-Pierre Lamontagne.

— Les secrétaires sont-y tous aussi frais chiés? murmure-t-il à l'oreille du curé.

— Monsieur Turcotte, s'il vous plaît, restez calme.

Cléophas rêve de lui tordre le cou comme à un vulgaire coq!

— Pis en plus, y sent l'parfum d'guidoune!

— Monsieur Turcotte, c'est assez!

Le curé ouvre la marche. Wilfrid Girouard, le procureur général, est poli et affable.

— Votre lettre m'a beaucoup inquiété, monsieur le curé. Tous ces incidents et cette jeune femme qu'on a voulu tuer, ça n'a rien de rassurant. On a réussi à tirer tout cela au clair?

— La police provinciale poursuit son enquête, mais il n'y a aucun témoin. Pire, peu de temps après, le père des présumés coupables a reçu une violente correction. Ça ne peut plus durer.

— Vous avez raison, c'est rendu beaucoup trop loin. On ne peut pas bafouer ainsi la justice dans notre belle province de Québec.

Vidal Demers ne sait trop comment aborder le ministre, forcé de se substituer à des autorités municipales qui ne prennent pas leurs responsabilités. Il est appelé à jouer un rôle jamais défini dans tous ses traités de théologie. Devant le ministre, il tergiverse. Le prendre de front, lui servir un ultimatum ou opter pour l'approche douce? Quelle est la meilleure stratégie?

— Et les autorités municipales? demande le procureur.

Le curé hésite. Dénoncer des amis du régime libéral? Est-ce habile, pertinent? La tactique fera-t-elle long feu?

— Seul monsieur Turcotte a bien voulu nous accompagner. Le maire et les autres conseillers ont refusé et, sachez, monsieur le procureur, que je le regrette beaucoup.

Le ministre écoute attentivement le jeune curé. Il devine son malaise et ne cherche pas à l'intimider. Wilfrid Girouard prend des notes et promet de nommer un juge de paix dans les meilleurs délais.

— Avec les nouveaux gouvernements, il y a toujours des périodes d'ajustement. Parfois, nos partisans sont pressés. Ils posent des actes irréfléchis. Mais pour l'essentiel, vous avez bien raison, monsieur le curé. Vous pouvez compter sur moi.

Le secrétaire du ministre multiplie les gestes, les moues d'impatience, pressé d'en finir avec ce groupe de culs-terreux et ce petit curé qui ressemble davantage à un servant de messe. Aucune de ses contorsions n'a échappé à Cléophas, resté debout derrière le curé.

— Vous avez un nouveau maire dont on me dit du bien. Vous comprendrez que ce n'est pas facile de combler un poste aussi important que celui de juge de paix. Comme on n'a pas de député dans Dorchester, nous devons nous en remettre à nos amis libéraux et nous n'avons reçu aucune recommandation de leur part. Mais je comprends très bien qu'on ne doit pas laisser l'anarchie s'installer.

Un fonctionnaire qu'il a mandé dans son bureau entre et se plante aux côtés du procureur. Le secrétaire sort de la pièce. Cléophas, sous prétexte de se rapprocher, fait un pas et lui écrase le pied de tout son poids. Il hurle sa douleur.

— Espèce de péquenot, vous ne pouvez pas regarder où vous mettez vos gros sabots !

— Monsieur le secrétaire, dit le ministre, un peu de respect pour nos invités.

Le curé se tourne vers Cléophas qui ne fait rien pour éteindre un sourire de satisfaction. Le ministre se lève.

— Faut lui pardonner, il est nerveux. Monsieur Laferrière s'occupera de ce dossier en priorité.

— Si vous voulez bien me suivre dans mon bureau, dit le fonctionnaire.

Le procureur serre la main de tous les membres de la délégation. René Laferrière se montre efficace. Il demande une liste de noms de citoyens de Saint-Benjamin aptes à devenir juge de paix. En raison des exigences du poste, peu de candidats ont les qualités requises. Sans trop y croire, la délégation soumet deux noms. Le fonctionnaire les contactera dans les prochains jours.

— Vous savez, messieurs, que le candidat choisi devra obtenir l'approbation des instances libérales appropriées.

« Les instances libérales appropriées », Cléophas hoche la tête de dépit en quittant le bureau. Jamais les deux candidats proposés ne seront entérinés par les « instances libérales appropriées » de Saint-Benjamin.

— Faire approuver un juge de paix par Romain Caron pis Josaphat Pouliot, j'vous dis qu'y faudrait être désespéré !

— Pas si vite, monsieur Pouliot, prophétise le curé. Je suis convaincu que les événements des derniers jours ont fait réfléchir monsieur le maire et ses collègues.

Cléophas a un sourire méchant. Réfléchir ? Romain et Josaphat ? En sont-ils seulement capables ? Dans le train qui les ramène à Saint-Benjamin, Cléophas relance Eudore Boulet qui achète souvent le bois de Josaphat.

— Que c'é que t'en penses, Eudore ? Tu les connais ben, penses-tu que Josaphat pis Romain vont réfléchir ?

Stoïque, Eudore ne relève pas la raillerie de Cléophas. Il est commerçant de bois. Tous ses clients sont traités de la même façon, jamais de flagornerie ou d'impolitesse.

— Faut dire, reprend Eudore, que ça va ben plus mal depuis qu'la Maggie é r'venue à Saint-Benjamin.

Le train démarre dans un bruit étourdissant. Impossible de poursuivre la conversation. Une fois le mastodonte sur sa lancée, le bruit étouffé, Cléophas revient sur la remarque d'Eudore.

— Que c'é que tu voulais dire au juste ?

— Qu'on d'vrait la mettre à porte d'la paroisse.

— J'étais là, déclare Cléophas, quand le conseil a essayé d'la j'ter à porte. On s'était pas rendus jusque-là. A l'était partie d'elle-même avant, mé Bénoni a toujours pensé qu'un conseil a pas l'pouvouère de mettre l'monde à porte d'une paroisse. Pis l'avocat Beaudoin avait dit qu'y fallait pas juste juger sus les apparences. Y fallait des preuves.

— Sans la j'ter dehors, poursuit Eudore, on pourrait y faire comprendre qu'a l'a intérêt à partir.

Les yeux se tournent vers le curé qui essaie toujours de comprendre ce qu'on reproche à Maggie.

— Si je suis bien renseigné, madame Miller est venue de Québec pour aider sa tante à finir ses jours. C'est une démarche très louable.

Personne ne donne la réplique au curé. Il se tourne vers Cléophas.

— Il y a vingt ans, monsieur Turcotte, on voulait l'expulser pourquoi exactement? Chaque fois que je pose la question, je n'ai pas de réponses précises.

Mal à l'aise, Cléophas fronce les sourcils. Il a détaché sa chemise, remisé la cravate. Il meurt d'envie de retirer ses souliers.

— A l'a fait mourir son mari.

Cléophas en est convaincu. Maggie a poussé Domina dans ses derniers retranchements. Froide, calculatrice, Maggie a ourdi la mort de Domina dès le lendemain de leur mariage en ajoutant chaque jour quelques gouttes de venin additionnelles.

— A l'a pas empoisonné, mé c'é tout comme, enchaîne Cléophas.

D'entrée de jeu, elle a refusé d'être la femme de Domina. Maggie Miller n'a jamais été une vraie femme, celle qu'un homme respecte comme sa mère, sa sœur, son épouse.

— Je vois toute la haine et l'horreur qu'elle vous inspire, mais qu'a-t-elle fait au juste? A-t-elle tué son mari, lui a-t-elle passé la corde au cou?

Cléophas s'impatiente.

— Ben, a couraillait pis à s'é amourachée d'un protestant après avouère fait mourir son mari à p'tit feu.

Le curé le regarde, curieux.

— Elle a été jugée, condamnée?

Cléophas est forcé d'admettre qu'aucune accusation n'a été portée contre Maggie, qu'on n'a jamais déterminé avec exactitude qu'elle avait été infidèle. Son mari s'est pendu loin dans la forêt. En défendant la maison de Maggie, Catin-à-Quitou a été tué par Euzèbe Poulin et Damase Biron. Elle était à Québec ce soir-là.

— Je suis d'accord avec l'avocat Beaudoin, signale le curé. Il ne faut pas se fier uniquement aux apparences et aux ouï-dire. La situation a commencé à se détériorer bien avant l'arrivée de madame Miller. J'ai essayé d'en parler au maire, mais il me fuit comme la peste. J'espère maintenant que les citoyens de Saint-Benjamin comprendront la gravité de la situation et profiteront des élections pour corriger le tir.

Les propos du curé laissent les trois autres membres de la délégation pantois. Arborant un petit sourire de satisfaction, Cléophas est convaincu que le prêtre va se mêler des prochaines élections et qu'il sollicitera des candidats pour déloger Josaphat et ses collègues. Cléophas ira voir Bénoni ce soir, il a tant de choses à lui raconter. Quant à Eudore, il continue de penser que l'expulsion de Maggie Miller réglerait tous les problèmes, mais il ne le dira pas au curé.

25

Maggie est abattue. Sa courte soirée avec Athanase l'a déconcertée. Lui en veut-elle? Oui, même si elle tente de le comprendre. La rigidité de ses principes la désarme. Il ne l'a pas exprimé clairement, mais son regard atterré trahissait l'horreur que lui inspire la perte de l'enfant. Un geste qui lui a confirmé tout le mal qu'on dit d'elle. Pourrait-il un jour faire fi de ses principes religieux et lui pardonner? Elle en doute.

En attendant de retourner à Québec, Maggie décide de consacrer toute son énergie, toute son attention à Mathilde, la seule raison de sa venue à Saint-Benjamin. Elle prodiguera soins, tendresse et amour à cette femme exceptionnelle qui a su lui pardonner ses fautes passées. Peu de femmes de sa génération auraient aidé Maggie comme elle l'a fait.

Mathilde n'en a plus pour longtemps. Chaque jour accentue son dépérissement. Mais aujourd'hui, elle est en meilleur état. Son propos n'est pas toujours cohérent, mais Maggie lui fera plaisir. Elle l'emmènera à la messe une dernière fois. Ça lui changera les idées et elle fera un pied de nez à Athanase en lui montrant qu'elle n'est pas complètement réfractaire à la religion catholique.

Avant la messe, Mathilde fait ses recommandations à Maggie, comme une mère à son fils avant sa première communion.

— T'es pas obligée d'prier si t'en as pas envie, mé fais-moé pas honte dans l'église.

Maggie sourit. Non, elle n'embarrassera pas sa tante. Elle mettra un châle pour couvrir ses épaules. Elle écoutera le sermon avec attention. Mais prier et communier, voilà une étape qui lui répugne.

— T'es pas pour rester dans l'banc comme une codinde quand tout l'monde va aller communier. Y vont craire que t'es en état d'péché mortel !

De nouveau, Maggie ne peut s'empêcher de rire. Péché mortel ? Véniel peut-être, mais mortel ? Mathilde la regarde, courroucée.

— Ben voyons, ma tante, y crairont ben c'qu'y voudront. Tu penses que ça m'dérange ! Mé j'peux ben aller communier si tu veux.

Mathilde est rassurée, mais pas complètement. Maggie est si imprévisible. Sur un coup de tête, elle peut aussi bien sortir de l'église avant la fin de la messe.

Quand la rutilante Studebaker de Pit Loubier s'immobilise devant la maison, Mathilde a un geste d'appréhension.

— Sainte bibitte, avec Pit ! As-tu envie de mourir aujourd'hui ?

Cette fois, Maggie éclate de rire.

— On é quand même pas pour y aller à pied !

Rassérénée, Mathilde se résigne. Après avoir fait ses recommandations, le doigt pointé vers Pit, elle monte dans l'auto.

— T'es ben mieux d'pas nous garrocher dans l'faussette avec c'ta cabarouette-là !

— J'sais ben pas pourquoi tu t'étrives de même, riposte Pit. C'char-là é béni !

L'an dernier, quand Pit est revenu de Saint-Georges dans sa flamboyante Studebaker bleu œuf de merle, il s'est rendu tout droit au presbytère.

— M'sieur l'curé, j'viens d'dépenser neuf cents piastres, vous allez m'bénir mon char, pis ménagez pas sus l'eau bénite !

Amusé, le curé avait béni l'automobile tout en demandant à Pit à quoi elle lui servirait dans ce pays d'hiver.

— Vous savez, moé, les moteurs-à-crottes, j'veux pus en entendre parler !

— Où avez-vous trouvé les neuf cents piastres pour acheter cette automobile-là ?

— J'ai ménagé toute ma vie, m'sieur l'curé. C'é mon vieux-gagné !

Pit a beaucoup hésité avant de récupérer l'argent caché dans la tasserie. En pleine nuit, à la lumière d'une chandelle, il a soulevé le foin, déterré un gros chaudron et compté neuf cents belles piastres du Dominion. Il lui en reste encore mille.

Après les averses de la veille, le soleil est de retour, aveuglant. Mathilde cligne des yeux et peine à les garder ouverts. Le vent incommode la vieille femme. Maggie s'en inquiète. Est-ce une bonne idée de l'emmener à l'église ? Son état s'est amélioré depuis quelques jours, mais survivra-t-elle à l'expédition ? Mathilde s'engouffre dans l'automobile de Pit.

— T'es ben sûr qu'on va s'rendre au village ? demande Mathilde.

Pit éclate de rire. Mathilde le détaille.

— Pendant la s'maine, t'es pas d'cérémonie, mé là, tu t'es r'nipé pas pour rire.

Chaque dimanche, Pit Loubier, un veuf irréductible, enfile une chemise blanche au collet trop empesé, une grande redingote grise et une cravate qui lui tombe sur les genoux. Son scapulaire autour du cou, on dirait un clown sorti tout droit du Cirque Royal de Ricketts. Un épouvantail à corneilles ! Tout un contraste avec le Pit Loubier dépenaillé des jours de semaine.

— J'espère qu'j'attraperai pas mon coup d'mort, geint Mathilde dont c'est la première sortie depuis l'automne.

Le trajet de presque trois milles est pénible. La route est en mauvais état, ravinée par la pluie, percée de trous vaseux. Calée sur le banc arrière avec Maggie, Mathilde ignore les facéties de Pit.

— Prends ton temps, Pit, y a pas d'cassure ! Va pas si vite !

Les yeux de Mathilde redécouvrent ce canton qu'elle habite depuis quarante et un ans. La nostalgie de ses nombreuses visites au village avec Gaudias, le robétaille sautillant sur la route pierreuse au rythme du trot régulier de Sabonne, la vieille jument. Elle éprouve la même sensation dans l'automobile de Pit. Qui a parlé de progrès?

En arrivant, Pit Loubier les laisse descendre devant le perron de l'église où les paroissiens dégourdis par le soleil font le plein de nouvelles et de potins. Deux vieilles femmes viennent aussitôt à la rencontre de Mathilde, ignorant Maggie.

— Mé si c'é pas la Mathilde-à-Clermont!

Trop heureuses de se retrouver, les trois femmes parlent en même temps, se touchent et rient aux éclats. Elles ont tant de choses à se raconter.

— T'es pétante de santé! gazouille Fédora-à Poléon.

— Ça va mieux d'pus que Maggie é à la maison pour m'aider. Mé ça s'ra pas long que m'en vas m'en v'nir icitte pour de bon, conclut Mathilde en montrant le cimetière du doigt.

Sur le perron de l'église, les retrouvailles des trois octogénaires n'intéressent personne. Tous les yeux sont fixés sur Maggie Miller. Les hommes la reluquent à l'insu de leurs femmes.

— On dira c'qu'on voudra, murmure Appolinaire Bolduc, c'é une verreuse de belle catin!

Jovette Pouliot lui lance un regard méprisant. Maggie se contente de sourire, le port fier, sobrement vêtue d'une longue jupe noire et d'une blouse blanche, un châle gris jeté sur les épaules. Quand Athanase et ses deux filles montent les marches du perron de l'église, Madeleine se précipite vers Maggie. Athanase est embarrassé, gêné d'être surpris en flagrant délit d'amitié avec Maggie Miller. Que pensera-t-on de lui? Petit sourire furtif, il rappelle Madeleine et se dépêche d'entrer dans l'église avec ses filles. Déçue, Maggie comprend qu'Athanase ne s'est pas remis de leur dernière rencontre.

L'église est pleine, mais Damase et les siens sont absents. Maggie le regrette. Elle aurait bien aimé les provoquer une fois de plus et voir le résultat de la commande passée à Magella Boily. S'assurer que ses piastres ont été bien dépensées !

— Y sont probablement v'nus à basse-messe, dit Mathilde.

Autour de Maggie et de Mathilde, les fidèles mettent du temps à retrouver leurs habitudes. Maggie les dérange. Certains se retournent pour mieux la voir. Bénoni Bolduc et Léda l'ont ignorée. Romain Nadeau et Josaphat Pouliot bougonnent. En voyant Maggie, Saint-Pierre Lamontagne branle la tête de dépit. Quand le curé sort enfin de la sacristie, il ne fait pas attention à l'assemblée des fidèles, ni à l'animation provoquée par la nouvelle venue.

Le chœur de chant peine sur le kyrie, mais la cérémonie se déroule rondement jusqu'au sermon du curé.

— Mes chers frères, commence Vidal Demers.

La soutane trop grande, le geste discret, il n'est pas un très bon orateur. Ses sermons, appris par cœur, ont souvent l'air de déclamations d'enfants de première année. Mais aujourd'hui, fini la langue de bois, Vidal Demers va parler clairement à ses ouailles.

— Les événements survenus à Saint-Benjamin ces derniers temps nous ont convaincus, votre humble serviteur et quelques citoyens de la paroisse, de poser un geste inhabituel pour tenter de rétablir l'ordre. Nous avons rencontré le procureur général de la province de Québec qui nous a promis qu'un juge de paix sera nommé dans les meilleurs délais.

Romain Nadeau se tourne vers Josaphat qui l'avait pourtant persuadé que la démarche ne donnerait aucun résultat. Humiliation additionnelle pour le maire, renfrogné dans son banc.

— Le procureur, continue le curé, est bien d'accord avec nous pour éviter que l'anarchie s'installe dans notre paroisse et qu'un petit groupe de gens sans scrupules se servent de leurs poings pour régler les problèmes.

Un silence complet enveloppe la nef. Pour la première fois, le curé sort de ses bréviaires et burettes pour aborder les vrais problèmes. Le soulagement est perceptible. Les attentes sont très grandes.

Athanase est surpris par la fermeté du curé. « Y était temps qui sorte de sa coquille ! »

— En attendant le juge de paix, articule Vidal Demers, je vous demande de faire preuve de gros bon sens. Si vous n'arrivez pas à vous entendre, venez me voir, ma porte est toujours ouverte.

Jamais, depuis son arrivée, le curé n'a lancé une telle invitation aux paroissiens.

— Après la messe, je demanderais à monsieur le maire et aux conseillers de passer à la sacristie.

Maggie Miller n'en croit pas ses oreilles. Ce qu'on est loin d'Antonio Quirion ! Voilà qui pourrait la réconcilier avec l'Église et, surtout, son curé.

À la communion, Maggie accompagne Mathilde, à la grande surprise de l'assemblée. *Corpus Christi ! Amen !* Pour faire plaisir à sa tante ou pour impressionner la galerie qui la méprise ? Pour redorer son image ou, à tout le moins, en adoucir les contours épineux auprès d'Athanase ? Trop tôt pour le dire. Mais elle a joué toutes les bonnes cartes. Sa tenue dans l'église a été impeccable. Son missel ouvert sur ses genoux et la communion reçue les yeux fermés, voilà autant de preuves de sa foi retrouvée. Athanase, qui l'a surveillée du coin de l'œil pendant toute la messe, essaie de se convaincre que Maggie n'est plus la femme délurée d'il y a vingt ans.

— A l'a changé pas pour rire, chuchote Jovette Pouliot à son mari. Ça paraît qu'a l'é pus pognée avec son protestant ! J'sus ben sûre que c'é lui qui l'a toujours empêchée d'faire sa religion !

« *Dominus vobiscum. Et cum spiritu tuo. Ite missa est. Deo gratias.* »

Maggie quitte l'église, Mathilde au bras. Quand elle croise le regard d'Athanase, il baisse les yeux, tenant Madeleine fermement par la main pour s'assurer qu'elle ne lui fasse pas faux bond en direction de Maggie.

— J'te dis qu'tu m'as impressionnée en sainte bibitte, lui souffle Mathilde à l'oreille en sortant de l'église.

— Penses-tu que j's'rai canonisée ? Sainte Maggie, priez pour nous !

— Arrête donc de toujours t'moquer d'la religion.

Après la messe, Josaphat Pouliot et Romain Nadeau se retrouvent sur le perron de l'église. Bénoni viendra-t-il à la réunion convoquée par le curé ? Était-il de la délégation à Québec ? Les deux hommes suivent Maggie des yeux.

— T'as vu la Grondin ? A l'a du front tout l'tour d'la tête ! Pis hypocrite à part d'ça, s'insurge Josaphat.

Quand la Studebaker de Pit Loubier s'approche du perron de l'église, les deux hommes branlent la tête de jalousie.

— J'te dis qu'y aime ça, Pit Loubier, péter plus haut que l'trou ! Pis en plus, y donne une *ride* à la Grondin. A te l'a enfirouapé lui-tou.

— On y va, à la réunion du curé ? demande Romain.

— Oui, mé tu dis pas un mot, rien pantoute. Tu l'laisses parler, on décidera après.

Dans la sacristie, le maire et les conseillers se regroupent devant le confessionnal. Vidal Demers s'approche.

— Je ne vais pas m'éterniser, messieurs. Je vous somme de prendre vos responsabilités. Vous connaissez tous les coupables des trop nombreux incidents des dernières semaines. Ça doit cesser. Rouges ou bleus, les habitants de Saint-Benjamin n'ont pas à vivre dans la crainte de se faire bousculer par plus gros et plus forts qu'eux. Vous m'avez bien entendu ? Un autre incident et je vais moi-même faire venir la police provinciale et vous dénoncer. Vous tous, les membres du conseil. Prenez vos responsabilités.

Penauds, le maire et les conseillers baissent la tête. Ce jeune curé qu'ils croyaient inoffensif, à qui on ne reconnaissait pas l'autorité d'un prêtre plus mature, les force à s'incliner.

— Et croyez-moi, je n'interviens pas de gaieté de cœur. Monseigneur Villeneuve m'a dit clairement qu'en tant que curé, je n'ai pas le droit de fermer les yeux plus longtemps. Quand les dirigeants de la paroisse ne sont pas à la hauteur de la tâche, l'Église, le prêtre en tête, a la responsabilité d'intervenir. Je le ferai si vous me forcez à le faire. Vous m'avez bien compris ?

— Oui, m'sieur l'curé, approuve Cléophas pendant que Josaphat, Romain et les deux autres conseillers restent cois.

Le curé tourne sur ses talons. Il quitte rapidement la sacristie. Josaphat accuse Cléophas d'avoir joué dans le dos du conseil, mais l'autre saisit aussitôt la balle au bond.

— Le curé pis l'bedeau ont essayé pendant trois jours de parler à ton beau maire pour l'emmener à Québec. Y a jamais voulu leu répondre.

Josaphat se tourne vers Romain qui baisse la tête, frottant le plancher du bout de son soulier.

Sur le chemin du retour, Mathilde est fatiguée. Elle s'endort sur l'épaule de sa nièce.

— En tout cas, fait remarquer Pit, c'curé-là, y é plus fringant qu'on pensait. J'te dis qu'y leu-z-a pogné la face, aux beaux marles du conseil.

Maggie se contente de sourire. Elle repense à Athanase, fuyant, embarrassé comme si elle était la pire des dévergondées.

26

Quelques lampées de soleil sautillent sur le tapis de feuilles de l'érablière d'Athanase Lachance. Accoudé à un arbre, Saint-Pierre Lamontagne a les yeux rivés sur le trou d'un érable desséché. L'an dernier, il y a aperçu une petite nyctale, une chouette naine de sept ou huit pouces de hauteur, un oiseau très rare. Comment récupérer le nid? Couper la bûche et emporter le tout? Et si elle y nichait encore? Saint-Pierre choisit d'attendre quelques jours de plus. Il reviendra.

— Tu m'parles d'une belle journée!

Maggie est ragaillardie par le sermon musclé du curé. Qui l'aurait dit?! Les frères Biron semblent neutralisés, encore abasourdis par la raclée donnée à leur père. Menaces disparues, Maggie se sent plus libre d'aller à sa guise. Désavoués publiquement, Josaphat Pouliot et Romain Nadeau sont isolés. Dans un différend entre le curé et le conseil municipal, les paroissiens opteront toujours pour le curé. N'est-il pas préférable d'être du côté du bon Dieu? Le contexte n'a jamais été aussi favorable. Athanase doit en profiter, s'afficher en public plus souvent et démontrer qu'il a la poigne d'un maire. Maggie a choisi ce prétexte pour le relancer. La veille, Alexandrine lui a dit qu'Athanase voulait lui parler. Il est conscient d'avoir réagi trop vite l'autre soir.

— Faut qu'tu l'comprennes, argue Alexandrine. Moé la première, j'en r'viens pas encore. J'aurais gardé l'bébé, mé j'te juge pas. À dix-sept ans, quand parsonne s'occupe de toé, c'é pas facile de choisir comme y faut.

Comme Athanase, Alexandrine a été abasourdie par le récit de Maggie.

— Athanase a été élevé dans la r'ligion, plus que moé pis ben d'aut'. Sa mère passe plus d'temps à l'église qu'à la maison. A l'a déteint sus lui, c'é ben sûr.

Sa mère? Maggie n'y avait pas pensé. Comment Athanase pourrait-il la convaincre d'accepter une femme comme elle? Alexandrine la rassure. Depuis qu'il a quitté Beauceville sur un profond désaccord avec sa mère au sujet de la garde des enfants, Athanase ne la voit pas très souvent et, la plupart du temps, leurs rencontres se terminent dans l'acrimonie.

— De toute façon, conclut Maggie, c'é p't-être mieux comme ça. J'partirai plus facilement d'Saint-Benjamin après la mort de Mathilde. J'ai une bonne offre à Québec. Pis, pour être ben honnête avec toé, Alexandrine, j'me vois pas femme de cultivateur.

— Si tu l'aimes pas, va-t'en, mé si tu l'aimes, penses-y ben. Moé pis mon mari, on connaît Athanase depuis qu'y é arrivé dans l'rang pis c'é l'meilleur gars qu'on peut pas trouver. Y veut t'parler, alors prends au moins l'temps d'l'écouter.

Maggie a une moue d'hésitation et retourne à la maison. Avant d'arriver, elle aperçoit Laetitia.

— Où é ton père? lance-t-elle à la fille aînée d'Athanase.

— Y é allé cabaner, répond celle-ci en poursuivant sa route avec les filles d'Alexandrine.

— Cabaner? répète Maggie.

Cabaner, lui explique Mathilde, signifie mettre fin à la saison des sucres. Il faut ramasser et nettoyer chaudières, écuelles, palettes à tire, moules à sucre et goudrelles. Athanase devra encore recouvrir la bouilleuse, écurer la jâvelle et entreposer canisses et seaux de bois dans la cabane avant de la cadenasser.

Une heure plus tard, Mathilde endormie, Maggie quitte la maison. Elle suit un sentier qui plonge dans la forêt, avant de se fondre dans un chemin qui mène à la cabane à sucre d'Athanase. Début mai, la neige disparue, les érables se refont une beauté, petites touches de vert au bout des branches. Avant d'arriver à la cabane d'Athanase, Maggie s'arrête, ahurie. Que fait Saint-Pierre Lamontagne dans l'érablière ? Elle se dissimule derrière un bouquet de sapins et le suit des yeux. Le secrétaire marche lentement, examinant les arbres secs avec attention. Que fait-il ? Que cherche-t-il ? Quand il a disparu de son champ de vision, Maggie presse le pas.

— T'es dans ton grand ménage du printemps ?

Athanase sursaute. Il ne l'a pas entendue venir. Il est étonné de sa visite, convaincu qu'elle ne lui a pas pardonné sa réaction spontanée de l'autre soir.

— Le dimanche, Dieu m'pardonne, c'é l'seul temps qu'j'ai pour cabaner.

— Pourquoi « Dieu m'pardonne » ?

— Parce que j'aurais dû d'mander la permission au curé, mé j'ai pas eu l'temps. Pis comme j'sus trois semaines en r'tard, j'ai décidé d'cabaner aujourd'hui.

— C'é ben niaiseux, grommelle Maggie. Faut une permission du curé pour ça !

— C'é dimanche, au cas où tu l'aurais oublié, pis l'dimanche, un bon catholique travaille pas.

Encore une fois, Maggie est agacée par cette rigidité, cette obéissance aveugle aux lois de l'Église.

— Tu sauras jamais qui j'viens d'vouère ?

— L'secrétaire ?

— Tu l'as vu itou ?

— Ouais, y charche des niques d'oiseaux. Ça a l'air qu'y les ramasse, pis qu'y en a plusieurs dans sa maison.

Maggie sourit.

— T'es pas sérieux ?

— Ben sérieux. Y paraîtrait qu'y a même volé un nique de poules dans l'étable de Jos Veilleux ! C'é une méchante menette, c'secrétaire-là !

— Voyons donc !

Maggie éclate de rire. Athanase enfile les chaudières les unes dans les autres. Quand il en a une bonne longueur, il les entrepose dans la cabane. Les goudrelles mises à sécher au soleil sont jetées dans un grand sceau de bois. Athanase grimpe ensuite sur la cabane. Agile comme un gamin, il ferme les battants du tire-vapeur. Il travaille rapidement, pressé d'en finir.

— Tu voulais m'parler ? demande Maggie.

Athanase sent son cœur se lancer dans une course folle. Pourquoi cette femme le dérange-t-elle autant ?

— Oui, pour te dire que j'ai mal réagi l'aut' soir. J'ai pas à t'juger, c'é ta vie, pas la mienne.

— C'ÉTAIT ma vie, reprend Maggie. Ça s'é passé y a vingt ans. Ça m'a toujours chicoté, mé on efface pas l'passé.

Athanase entrepose les dernières chaudières dans la cabane. Il renverse une grosse cuve de bois sur le ganoué, met le loquet à la porte de la jâvelle et revient vers Maggie. Il frotte une allumette contre son pantalon, l'air pensif, et allume une cigarette Sweet Caporal.

— J'comprends ça. J'ai ben d'la misère avec ça, mé j'comprends.

Maggie se rapproche de lui. Elle sent son haleine de tabac et l'odeur de la transpiration. Athanase, le souffle court, songe à reculer d'un pas, mais ne bouge pas. Il balaie les environs du regard, craignant les yeux indiscrets.

— Écoute, Athanase, c'que j'voulais t'dire l'aut' soir avant qu'ça tourne mal, c'é que j't'aime ben. C'é la première fois depuis la mort de Walter qu'un homme m'attire. C'é p't-être juste passager, je l'sais pas. Mé de c'temps-citte, j'pense plus souvent à toé qu'à Walter.

Quand Maggie lui prend la main, un frisson lui court dans le dos. Sa main est chaude. Il la serre fort dans la sienne.

— J'comprends que j'sus pas l'genre de femme qu'tu charches. J'sus c'que j'sus pis j'changerai jamais pour un homme. Mé avant de r'tourner à Québec, j'demanderais pas mieux que t'aider à dev'nir maire de Saint-Benjamin.

Retourner à Québec ? Tente-t-elle de le provoquer ? De lui arracher des aveux ? Sorte d'ultimatum pour le forcer à dévoiler ses sentiments ? À lui pardonner son passé ? Comment savoir ? Et cette façon qu'elle a de s'approcher, de le toucher. Athanase est subjugué par cette femme. Il n'en a jamais rencontré de semblable.

Maggie sent l'ambivalence d'Athanase. Il aurait pu la répudier à tout jamais après leur dernière rencontre. Il ne l'a pas fait. Son amour pour elle est-il plus fort que ses principes religieux ? Athanase essaie-t-il de se convaincre qu'elle n'est pas une femme pour lui ? Maggie applique une ultime pression à la main d'Athanase et recule. Il l'attrape par le bras et veut la retenir. Il y renonce aussitôt. Athanase cherche les bons mots, mais ne les trouve pas.

Maggie s'en va d'un pas alerte, enjambant un arbre renversé sans se retourner. Athanase ne la quitte pas des yeux, son cœur déchiré. Plein d'idées contradictoires se bousculent dans sa tête.

Dans l'érablière, un merle forage rageusement dans les feuilles mortes. Maggie l'observe du coin de l'œil. Elle s'en veut un peu d'avoir ainsi titillé Athanase. Elle aurait dû jouer les indifférentes, insister davantage sur son éventuel retour à Québec. Le forcer à dévoiler ses sentiments. Le secouer vivement comme un pommier dont les fruits sont mûrs.

Maggie s'arrête un instant dans l'érablière et s'assoit sur une souche. Est-elle vraiment amoureuse d'Athanase ? A-t-elle réfléchi à ce que serait sa vie avec cet homme ? Est-ce vraiment ce qu'elle souhaite ? Quels compromis serait-elle prête à faire pour vivre avec lui ? Adopter ses deux filles, l'idée lui sourit. Femme de cultivateur à Saint-Benjamin, elle en a un haut-le-cœur. Convaincre Athanase de déménager à Québec lui semble une mission impossible. L'aime-t-elle assez pour s'imposer d'aussi gros sacrifices ? À moins que son attirance pour Athanase ne soit que purement physique ? Que cela ne dépasse pas le goût d'être plaquée contre le sol, de se trousser? Depuis le début de la maladie de Walter, il y a trois ans, elle n'a eu aucune relation physique avec un homme. Est-ce ce seul besoin qu'elle veut satisfaire avec Athanase?

27

Mai joue les marchands de fleurs. Dentelles aux bras des pommiers. Rose violacé des lilas. Les hirondelles à front blanc étagent leur nid de glaise sous les larmiers de la bergerie de Pit Loubier. Les labours fraîchement hersés sont recouverts de cailloux de toutes les grosseurs, typiques des terres rocailleuses de ce coin de pays. Depuis quelques jours, les vaches de Pit passent la nuit dehors. Au matin, elles se rassemblent de l'autre côté de l'école, en attente de la traite, au grand déplaisir de Maggie.

— Que c'é qu'y ont à beugler comme ça, l'matin? maugrée-t-elle. Pis c'maudit bois-pourri qui chante comme un malade!

— J'imagine qu'y a pas beaucoup d'vaches autour de ton appartement à Québec! se moque Mathilde.

Mai, c'est le mois de Marie. Devant la statue de la Vierge, dans le rang-à-Philémon, une vingtaine de paroissiens sont réunis. Le curé leur a demandé de multiplier ce genre de rassemblement. «Priez pour la paix, pour sauver la vieille Europe.»

C'est le mois de Marie, c'est le mois le plus beau. À la Vierge chérie, disons un chant nouveau.

Maggie tient Mathilde par le bras. Chapelet en mains, les *Je vous salue, Marie* coulent sous les doigts de la vieille femme. En retrait, Athanase est agenouillé avec ses deux filles, les mains jointes, tout à leur prière. La mère d'Athanase a une passion sans borne pour la Vierge. En mai, un lampion brûle sans arrêt devant sa statue placée au milieu de la table de la cuisine.

Je vous salue, Marie pleine de grâces; le Seigneur est avec vous. Vous êtes bénie entre toutes les femmes

et Jésus, le fruit de vos entrailles, est béni. Sainte Marie,
Mère de Dieu, priez pour nous, pauvres pécheurs,
maintenant et à l'heure de notre mort. Amen.

Maggie observe Athanase, dépassée par sa piété. Aucun autre homme ne se recueille de la sorte. La plupart se contentent d'accompagner leur famille et de marmonner les prières.

Après la cérémonie, Athanase remet son chapelet dans la poche de son pantalon. Maggie cherche un prétexte pour s'approcher de lui.

— As-tu r'pensé à la mairie?

— Plus j'y pense, moins j'en ai envie.

Maggie n'est pas surprise. Depuis leur première rencontre, elle doute qu'Athanase soit vraiment intéressé par la politique. Ses sorties intempestives contre les dirigeants de la paroisse relèvent davantage de la bravade. Et si elle défiait l'entendement et soumettait sa candidature? L'idée, farfelue de prime abord, continue de lui trotter dans la tête. Devrait-elle demander l'avis d'Athanase? Pas avant qu'il ait officiellement renoncé à présenter sa propre candidature.

Au retour de la croix de chemin, Laetitia passe son bras autour de celui de Mathilde. Madeleine saisit la main de Maggie, surprise. Le souvenir de sa mère lui revient quand, embarrassée, elle laissait retomber la main de Maggie. Quand Madeleine dégage sa main, Maggie la retient, une fraction de seconde. Athanase ne sait pas quoi penser de cette scène de famille. Elle le dérange et lui plaît à la fois. Devrait-il expliquer aux filles qu'elles doivent éviter Maggie pour ne pas être contaminées? Il trouve l'idée ridicule. Il n'arrive pas à camper Maggie dans le rôle d'une marâtre. Depuis leur rencontre dans la sucrerie, Athanase est tourmenté. Comment interpréter le fait qu'elle «l'aime ben», mais qu'elle soit aussi prête à retourner à Québec? Quelle serait sa vie avec Maggie? Peut-il l'imaginer mère adoptive de ses enfants? Le regretterait-il pour le reste de ses jours?

Les habitants du rang-à-Philémon se dispersent. Une dernière prière et ils seront au lit tôt. Demain, il faut profiter du décours de la lune pour ensemencer les champs. En plus de l'avoine, Athanase sèmera des patates et, avec les graines qu'il a reçues par la poste du grainetier W.H. Perron de Montréal, des radis, de la salade, des concombres et, pour la première fois, des bettes et des fèves à beurre. Il rêve déjà aux cruchons de bettes dans le vinaigre qu'il pourra déguster l'hiver prochain.

28

— Tu vas au village dans l'cabarouette de Pit? demande Mathilde.

Maggie ébauche une grimace. Avec qui d'autre?

— Prépare-toé au pire, avec Pit Loubier, y faut s'attendre à toute, débite Mathilde. C't'un vré bêtiseux!

Mathilde avait raison. Quand Pit vient chercher Maggie pour aller au magasin, il la replonge, tête première, dans son passé. Avec toute la naïveté et la goguenardise qui le caractérisent.

— Tu sais qu'j't'en ai voulu longtemps après qu'ton Domina aille faite brûler ma grange pis mes ch'vaux.

«Ton Domina!» Maggie en frémit d'horreur. Quand comprendront-ils que Domina n'a jamais été sa possession?

— C'é Domina qui a mis l'feu, pas moé. Y a voulu s'venger d'ton Léonidas parce qu'y s'imaginait des choses. Y a jamais rien eu entre moé pis Léonidas. Rien. Pis rien avec personne, ni Ansel, ni ton gars, pis m'en vas t'dire un secret pour pus qu'tu m'en parles : rien avec Domina non plus.

Pit vient bien près de s'étouffer avec sa pipe. La surprise est si grande qu'une fausse manœuvre conduit l'automobile à quelques pouces d'un ravin.

— Tu t'es jamais donnée à ton homme?

— À Domina, jamais. Y a eu un seul homme dans ma vie, pis c'était Walter. Pis j'veux pus en entendre parler.

Le ton de Maggie est mordant, sans appel. Pit n'insiste pas, même si l'envie de lui faire la leçon le démange. Ne pas «se donner à son homme»! Décidément, Maggie Miller n'est pas une femme comme les autres. Après son mariage, un beau samedi de juin, Pit a emmené sa femme dans la grange et l'a prise trois fois avant le barda du soir. Même si elle pleurait.

Les deux mains sur le volant, Pit cherche la route derrière le nuage de poussière soulevé par le camion du cantonnier. Il proteste.

— On voué rien, maudit verrat.

— Prends ton temps, dit Maggie, j'sus pas pressée.

Après avoir finalement dépassé le camion, Pit se retrouve encore coincé, cette fois derrière l'attelage du vieux Lazarre Bolduc-à-Joseph. Calotte sur le coin de la tête, les guides du cheval en mains, Lazarre fait la conversation à sa fidèle Dolly, sa jument chérie. Pit sort la tête par la fenêtre de sa voiture.

— Lazarre, maudit verrat, ôte-toé du ch'min avec ton moteur-à-crottes, pis va y parler ailleurs!

Le feu dans les yeux, Lazarre se lève dans son robétaille et se tourne vers Pit.

— Tu sauras, Pit Loubier, qu'la route a toujours appartenu aux ch'vaux! T'as juste à attendre avec ta cibole de chèdèvre! Pis c'é pas parce que t'aimes pus les c'hvaux qu't'as l'droit d'nous bourrasser.

— T'es rien qu'un maudit gesteux, Lazarre à-Joseph!

La passion de Pit pour les chevaux s'est éteinte après l'incendie de sa grange, allumée par Domina Grondin. Bride relâchée. Peu de temps après, il a acheté un gros percheron, confiné aux travaux de la ferme, et un poulain, dressé rudement pour les sorties du dimanche jusqu'à l'achat de l'automobile. Deux bêtes tolérées sans plus, sa passion des chevaux enterrée.

— Maudit verrat, Lazarre, vas-tu t'ôter du ch'min!

Lazarre l'envoie paître du revers de la main. Il ralentit le pas de son cheval, planté au beau milieu du chemin. Il ne cèdera pas la voie à Pit. Il ne la cède jamais. Aucun cheval, encore moins une automobile, ne le dépassera. Jamais! «Un aut' Domina», pense Maggie. Des images lui reviennent, assorties d'un frisson de dégoût. Elle revoit

Domina, la tête penchée sur le flanc de sa jument, lui flattant la croupe.

Un gros chien brun se lance à la poursuite de la Studebaker de Pit. Il aboie, menace.

— Va t'coucher, sans-génie! lui crie Pit.

Quand Maggie entre enfin dans le magasin général du village, la conversation s'arrête net. Tous les yeux sont braqués sur elle. Doit-elle leur annoncer maintenant que son ami de la police provinciale viendra ces jours-ci enregistrer les hommes en âge de combattre? Raviver la panique et provoquer une nouvelle course au mariage? Ameuter les déserteurs? Elle choisit d'attendre un peu. Elle gardera ses munitions en réserve, les frères Biron ayant l'air de s'être assagis.

— Bonjour! lance-t-elle, frondeuse.

Mathias Giguère, le marchand, bat en retraite derrière son comptoir, embarrassé. Elle! Maggie furète un peu dans les allées du magasin. Sur la recommandation de Mathilde, elle achète une boîte de Royal Yeast Cakes. «Ça fait le meilleur pain!» Une autre de farine Magic Baking Powder pour les tartes et quelques papiers à mouches Wilson's Fly Pads. Elle dépose le tout sur le comptoir où une copie de *L'Action catholique* est ouverte à la page deux. «Les femmes pourront-elles être maire ou échevin?» Maggie cache mal son plaisir. Elle parcourt l'article qui fait référence à la requête d'un membre du Conseil législatif désireux de savoir si le gouvernement Godbout donnera aussi le droit de vote aux femmes lors d'élections municipales.

— C't'une bonne idée qu'les femmes deviennent maire, déclare-t-elle. Ça nous changerait des bons à rien qui nous *ronnent*.

Dans le magasin, seul le bourdonnement d'un insecte rompt le silence. Les hommes se regardent, éberlués, retenant leur souffle comme si un revenant venait d'entrer dans la place! Une femme, maire d'une paroisse! Quelle idée farfelue, inconcevable! Est-elle tombée sur la tête?

— C'é combien ? demande-t-elle au marchand.

— Une piastre et quart, répond Mathias.

Maggie le fixe effrontément. Il fuit son regard.

— Vous croyez pas, m'sieur Giguère, qu'y é temps qu'une femme devienne maire de Saint-Benjamin ? Pensez-vous vraiment que j'pourrais pas faire mieux qu'Romain Nadeau ?

Le marchand se contente d'un léger haussement d'épaules. Une femme, maire ? Et Maggie Miller en plus ! Il active la manivelle de sa caisse enregistreuse, y dépose les deux dollars de Maggie et se dépêche de lui remettre sa monnaie.

— En tout cas, j'espère ben qu'vous allez tous voter pour moé !

Maggie quitte le magasin en sifflotant, trop heureuse d'avoir déchiqueté l'ordinaire des habitués de l'endroit. Encore sous le choc, les hommes se demandent s'ils n'ont pas rêvé, s'ils n'ont pas été frappés par le tonnerre. Petit à petit, la conversation reprend.

— Vous voyez ben qu'a l'é tombée sus la caboche pis qu'a l'a pas toute son génie, fulmine Caiüs Labonté. Tu m'parles d'une ébavolée !

Tous les hommes, une demi-douzaine, approuvent Caiüs en marmonnant quelques jurons.

— Penses-tu vraiment qu'a va courir comme maire ? demande Herménégilde Pouliot au marchand.

Mathias se penche sur le journal, lit l'article et hoche la tête.

— A l'aurait pas l'droit même si a voulait. Les femmes ont droit de voter au provincial, mé pas au municipal.

— J'pensais qu'à Montréal, y avaient l'droit de voter ?

— À Montréal seulement, précise Mathias, mé pas dans les p'tits villages comme icitte. Y ont pas l'droit. C'é déjà ben assez qu'on les laisse voter au provincial. Tu m'parles d'une idée de fou. Godbout va le r'gretter. La prochaine fois, j'vas voter pour Duplessis juste à cause de ça !

Le marchand bourre sa pipe, l'allume et laisse tomber d'autorité :

— Maggie Miller d'viendra jamais maire de Saint-Benjamin. C'é d'la pure folie.

Les voilà rassurés. Si Mathias l'a lu dans le journal, c'est la vérité. Aucune raison de s'inquiéter, Saint-Benjamin ne tombera pas sous la férule d'une autre Jeanne d'Arc !

— Moé, j'y fais pas confiance, commente Herménégilde Pouliot. A l'é ben ratoureuse, pis tu sauras me l'dire si a prend pas l'contrôle du village.

Tous les yeux se tournent vers lui, comme s'il venait d'annoncer l'arrivée de Mackenzie King dans le magasin. Voûté, rabougri, reconnu pour sa retenue et son jugement, Herménégilde surprend ses amis.

— Ben voyons donc ! lance Caiüs. Y a pas parsonne qui va voter pour elle.

— Faites-y ben attention, rétorque Herménégilde. C'é pas une femme comme les nôtres. C'é une minoucheuse, pis vous saurez m'le dire, avant longtemps, a va aguicher un aut' homme pis l'faire mourir itou.

— Pour ça, t'as ben raison, approuve Caiüs, a l'a rien que l'vice dans tête. A l'avait quand a couraillait avec les maquereaux pis quand a s'é entichée d'son protestant. Pis si a trompait son mari, a l'a ben été capable de l'empoisonner.

— Pis a va en choisir un feluette qu'a pourra *ronner* par l'boutte du nez, ajoute le marchand.

À l'extérieur, enjouée, Maggie saute dans la voiture de Pit Loubier, étonné de voir son gros sac de provisions.

— Maggie, t'as acheté tout c'qu'y avait dans l'magasin ?

— Non, mé j'leu z'ai fait peur pas pour rire.

Quand elle lui raconte sa conversation avec le marchand et ses amis, il éclate de rire. Mais quand il réalise que Maggie est sérieuse, son rire s'éteint aussitôt.

— Toé, maire ? C'é pas pantoute la place d'une femme. On é dans province de Québec, pas dans les vieux pays. Es-tu en train d'chavirer ?

— Tu penses que j'sus pas assez intelligente pour ça ?

— Ça rien à vouère avec l'génie, maudit verrat, t'es une femme.

Voilà l'obstacle des obstacles. Être une femme et ne pas tenir son rang. Être une femme et aspirer à une fonction d'homme. Maggie n'a pas d'illusions. Elle tâte le terrain. Au cas où Athanase se désisterait. Être candidate pour provoquer les bonnes âmes l'amuserait. Être candidate pour diriger la paroisse représenterait tout un défi qui ne lui ferait pas peur. Mais qui voterait pour elle ?

— Athanase, demande Pit, y veut pas courir ?

— Y en a envie, mé y hésite à cause de ses filles.

— Ouais, y les aime ben gros. C'é pas drôle pour un homme d'élever des enfants tout seul. Athanase a besoin d'une femme pour s'en occuper. J'comprends pas, pourtant y a des bons partis dans l'village. J'connais deux ou trois femmes qui mettraient leu pantoufles en d'sous d'son litte demain matin.

Maggie est agacée par les remarques de Pit, agacée et, à sa surprise, un brin jalouse.

29

La bravade de Maggie ne laisse personne indifférent. La plupart en rient, les autres s'indignent. Qu'importe si la loi ne le permet pas, répète Herménégilde Pouliot, Maggie Miller trouvera sûrement des façons de la contourner, un moyen d'imiter les femmes de Montréal qui ont droit de vote depuis six ans.

Depuis 1934, les femmes mariées propriétaires et celles qui sont mariées sous le régime de la séparation de biens ont le droit de vote à Montréal.

— On n'é pas à Montréal icitte, s'est contenté de dire le maire, Romain Nadeau, en quittant le magasin général rapidement.

Mais cette nouvelle le dépasse. Comme s'il n'avait pas assez de problèmes, il doit maintenant se méfier d'une adversaire improbable. Même si elle n'est pas menaçante, elle met en relief sa propre faiblesse.

— Si on é rendus à avouère peur d'une femme qui peut même pas voter, ça montre comment not' beau maire é pas fort dans tête! fait remarquer Cléophas Vachon.

L'arrivée du «vrai maire de la paroisse» permettra de jeter un éclairage différent sur les agissements de Maggie. Un éclairage qui ne fait pas dans la nuance.

— Arrêtez donc d'vous bâdrer avec une folle comme ça, tranche Josaphat Pouliot. Tout c'qu'a veut, c'é d'faire étriver l'pauvre monde.

Malgré le ton cinglant, au-delà de la parade, Josaphat Pouliot est irrité. Pourquoi tant d'attention prêtée aux propos d'une femme qui, hier encore, était honnie dans tout le canton. Embarrassé, le curé, dans une de ses rares incursions au magasin, n'a pas de réponse. Une femme peut-elle devenir maire ? Cette question inimaginable hier encore le laisse perplexe.

— Je ne sais pas si la loi le permet, je peux vérifier, mais il serait plus simple de demander au secrétaire de la paroisse.

Tous les yeux se tournent vers Saint-Pierre Lamontagne, étrangement silencieux depuis le début de la discussion, plongé dans son catalogue de Dupuis Frères qu'il vient de récupérer au bureau de poste. Comme Josaphat, il ne comprend pas ce soudain intérêt pour les ambitions de Marguerite Grondin, cette quantité négligeable qui exploite la vulnérabilité de paroissiens naïfs.

— Vous perdez votre temps. Sa candidature serait irrecevable, balance-t-il. Et puis, scrutez donc son passé. Est-elle digne de tant d'attention ? N'aurait-elle pas dû être jugée comme la Cloutier ? Pensez à ce pauvre Domina, un bon catholique comme Vilmont Brochu, le martyr de Saint-Méthode. Deux hommes qui ont été victimes de femmes dévergondées !

Avant de sortir du magasin, Saint-Pierre se retourne en amorçant un grand mouvement de la main, un geste théâtral. Devant le groupe médusé, il cite Molière, comme au temps de ses années de séminaire :

— « Le seigneur Harpagon est de tous les humains l'humain le moins humain, le mortel de tous les mortels le plus dur et le plus serré. »

Les habitués ne comprennent rien au théâtre de Saint-Pierre. Ils sont sidérés, mais l'autre n'a pas terminé sa prestation. Levant le bras, il cite un autre extrait du procès de la Cloutier, l'un de ses préférés, celui où maître Noël Dorion, le procureur de la Couronne, vante la probité de Vilmont Brochu.

— « Il s'est comporté comme un chrétien convaincu de ses responsabilités. Il a reçu les derniers sacrements et a communié très souvent. »

Pathétique! La voix de Saint-Pierre se brise dans un trémolo. Sévère-à-Gorlot Veilleux rallume sa pipe, dépassé par le comportement du secrétaire.

— Y fait d'la calotte, pis pas à peu près!

Sans le dire, le curé est d'accord avec Sévère-à-Gorlot. Qu'est-ce que cet hurluberlu fait dans un village comme Saint-Benjamin? Ne serait-il pas mieux à Saint-Jean de Dieu? Et pourquoi est-il si passionné par le nouveau catalogue de Dupuis Frères? Le secrétaire n'inspire rien de bon au curé.

30

Dans le rang-à-Philémon, un couple de sturnelles des prés, bavette noire bien découpée sur l'or de la poitrine, s'ébat follement. Sarabandes amoureuses. Laetitia et ses amies, main dans la main, viennent humer le parfum du vieux lilas de Mathilde, le houppier évasé, et qui aurait bien besoin d'être taillé. Maggie leur sourit avant de se rendre chez Alexandrine.

— Y paraît qu't'es allée au magasin hier pour les faire étriver? dit Alexandrine à Maggie.

Maggie rigole. Elle décrit l'accueil, le silence funèbre et l'embarras qu'elle a causé. Le défi qu'elle leur a lancé. Alexandrine hoche vigoureusement la tête, hébétée par l'audace de son ancienne institutrice. Elle admire sa témérité.

— J'te trouve brave d'aller les picosser comme ça en plein magasin.

Maggie est fière d'elle. Rien ne lui plaît davantage que d'embarrasser ces messieurs. Ne la traitent-ils pas comme une moins que rien? Ces bonnes âmes émues au moindre petit bouleversement de leurs habitudes. Tous ces gens qui ignorent son parcours sans tache des vingt dernières années et qui rêvent encore de lui faire payer ses péchés imaginaires.

— J'sais pas pourquoi y ont encore aussi peur de moé.

Alexandrine fronce les sourcils. Il n'est pas facile d'oublier les événements d'il y a vingt ans. Dans le sillage de Maggie, deux hommes sont morts, l'un, son mari, s'est pendu, l'autre a été abattu en défendant sa maison. Des drames gravés dans la mémoire à tout jamais, des histoires qui seront transmises de génération en génération. À Saint-Benjamin, Maggie sera toujours l'indésirable. Certains ne lui pardonneront jamais. Les explications d'Alexandrine laissent Maggie perplexe. Elle a longtemps été hantée par ces deux morts, surtout celle de Catin, un être sans défense qui était prêt à tout pour elle. Deux fois, elle a écrit à ses vieux parents, mais ils n'ont jamais répondu. Un soir, en revenant du travail, sous l'impulsion du moment, elle s'est arrêtée dans une église pour faire brûler un lampion pour Catin. Un lointain remords l'avait rattrapée. Walter n'avait pas compris pourquoi elle avait eu ce geste, elle qui ne fréquentait jamais l'église. Dans le cas de Domina, la culpabilité a depuis longtemps fait place au regret. Jamais elle n'aurait dû accepter de l'épouser.

— Après toute, y a rien qui me r'tient icitte, dit Maggie. Quand j'partirai, y pourront dormir en paix, mé en attendant, rien m'empêche de leu mettre l'nez dans leu caca.

— C'é Athanase qui aura d'la peine, laisse tomber Alexandrine.

— Tu penses vrai…

Mais avant qu'elle puisse s'expliquer, une série de petits coups secs, urgents, sont frappés à la porte. Alexandrine se dépêche d'aller ouvrir. Elle retrouve Laetitia Lachance, l'aînée d'Athanase, sur le pas de la porte. Le souffle court, le visage défait.

— Claude é tombé dans l'puits, finit-elle par dire.

Maggie retient son souffle. Qui est Claude ?

— Ton cousin ?

— Non, Claude à m'sieur Osias.

— Pauvre petit, soupire Alexandrine.

Maggie et Alexandrine suivent Laetitia au pas de course. Déjà une dizaine de personnes sont attroupées autour du puits. La mère de Claude est désespérée. Les voisins la retiennent pour l'empêcher de sauter dans le puits pour aider Osias Loubier, son mari. Il se prépare à tâter le fond du puits avec une longue perche, délicatement, pour ne pas blesser l'enfant.

— Le curé s'en vient, annonce Athanase.

— Pis l'docteur ? s'informe Maggie.

— On l'a appelé, mé y vient d'Saint-Prosper, ça prend du temps.

— Y é dans l'eau d'pus longtemps ? demande Maggie à la mère de l'enfant.

— On l'sait pas. J'espère qu'l'docteur pourra l'sauver, dit-elle en pleurant.

Avant de s'en remettre au prêtre et au médecin, il faut d'abord retrouver l'enfant. Le puits, couvert d'une margelle en bois, est étroit. À peine si le père du garçon peut s'y tenir, les deux pieds sur les parois. Profond ? Quatre ou cinq pieds d'eau, soutient le vieux Parfait Loubier-à-Batèche qui l'a creusé en 1918. Depuis quelques années, le puits est abandonné. Osias s'était promis de le remplir de roches mais, débordé de travail sur la ferme, il a oublié.

Pourquoi Claude s'y est-il rendu ? Personne ne le sait. Souvent, les enfants jouent à la cachette. Claude est toujours le dernier retrouvé, celui qui a les meilleures cachettes. Petit garçon déluré, élève modèle, cheveux blonds et teint pâle, il devait terminer sa première année à la Saint-Jean-Baptiste. À moins d'un miracle, le retour à l'école sera douloureux. Le pupitre vide de Claude rappellera à tous le terrible accident.

D'autres curieux accourent. Épuisé, le père de l'enfant, déjà affaibli par une blessure à l'épaule, regarde autour de lui. On lui tend un verre d'eau qu'il refuse. Il replonge la perche dans le puits, profondément. Il sent quelque chose de mou au bout de la perche.

— Je l'ai, hurle-t-il. J'l'sens, mé j'sais pas comment l'sortir de là.

La foule de curieux s'accroît. Le curé arrive dans l'automobile de Trefflé Vachon. Il s'avance vers le puits. Osias manœuvre avec d'infinies précautions. Tous craignent le pire. Des femmes se signent, d'autres, à genoux, prient. Claude est-il encore vivant ? Il y a peu d'espoir.

— Je l'ai ! répète le père.

Il remonte le corps de l'enfant jusqu'à la surface, tend le bras et le tire de l'eau. Inerte, chiffe molle. Aucun signe de vie. Émérencienne Loubier se précipite sur son fils. Que faire en pareilles circonstances ? Personne ne bouge. Athanase tient fermement la main de ses deux filles. Maggie s'approche. Elle se souvient qu'un jour, à la plage à Québec, elle avait vu un homme réanimer une petite fille tombée dans l'eau.

— R'culez un peu, y a besoin d'air, dit-elle.

Tous la regardent avec étonnement. Elle s'approche de la mère et essaie de rassembler les lointaines notions de premiers soins observées ce jour-là.

— Laissez-moé faire.

La mère regarde le curé. Il approuve d'un petit coup de tête. Osias est trop épuisé pour réagir. Émérencienne abandonne son fils à Maggie, non sans hésiter. Qu'a-t-elle à perdre ? Maggie le retourne doucement sur le dos et se penche pour écouter son cœur. Elle croit percevoir un minuscule battement du pouls de l'enfant. Elle n'en est pas certaine, mais elle pense qu'il est vivant. Maggie ne dit rien pour ne pas créer d'attentes indues. Lentement, elle tire les deux bras au-dessus de la tête de l'enfant pour gonfler la cage thoracique. Elle ramène ensuite les avant-bras de Claude sur sa poitrine pour la comprimer. Autour d'elle, le silence n'est rompu que par la stridulation d'une cigale. Des enfants étouffent leurs pleurs, les parents essuient leurs larmes. La mère de Claude hoche la tête de désespoir, Osias à ses côtés.

Au bout de quelques instants qui semblent une éternité à Maggie, elle entend un gargouillement.

— Oh ! mon Dieu ! gémit la mère.

Maggie ouvre la bouche de Claude et continue à mettre de la pression sur la poitrine. Nouveaux gargouillements. L'enfant expulse l'eau de ses poumons. Il est sauvé. Quand ses parents se précipitent sur lui, Maggie leur fait signe de reculer.

— Pas trop proche, laissez-lé respirer. Quequ'un pourrait-y m'donner d'quoi l'abrier.

Rapidement, Osias enlève sa chemise et la tend à Maggie. Le curé s'approche. Émérencienne prend les deux mains de Maggie et les serre si fort qu'elle sent craquer ses doigts.

— Transportez-lé à la maison, pis gardez-lé au chaud jusqu'à c'que l'docteur arrive, conseille Maggie, la voix brisée par l'émotion.

Autour d'elle, les gens recommencent à parler. Émus, impressionnés par le sang froid de Maggie. Ils auraient envie de s'approcher, de la féliciter, de l'embrasser, mais ils n'osent pas. Seule Alexandrine prend Maggie dans ses bras et l'étreint, longuement. Pit Loubier cherche ses mots.

— Maudit verrat qu't'es bonne.

— Vous avez sauvé l'enfant, madame. Vous avez fait preuve de courage et de sang-froid, déclare le curé dont c'est le premier contact avec Maggie Miller, cette femme que tous semblent détester.

— Merci, m'sieur l'curé.

Athanase en retrait, Madeleine fonce vers Maggie et se jette dans ses bras, laissant sortir le trop-plein d'émotions. Laetitia s'approche et lui prend la main. Athanase a les yeux mouillés.

Ils rentrent à la maison, ébranlés. Pit Loubier les suit, les yeux fixés sur Maggie, convaincu qu'elle a des pouvoirs extraordinaires de guérisseuse, qu'elle parle directement au bon Dieu et qu'il vaut mieux être de son côté !

31

La santé de Mathilde se détériore. Depuis deux jours, elle arrive à peine à se tenir debout. Maggie s'en inquiète. Doit-elle appeler le docteur? Elle hésite. Ce docteur qui n'a même pas eu la courtoisie de s'arrêter pour prendre de ses nouvelles après sa visite au petit Claude. Et qui n'a même pas pris la peine de la féliciter pour la réanimation de l'enfant. Quand Athanase arrive avec ses provisions, Maggie, à court de sommeil, est d'humeur massacrante.

— Y paraît qu'tu veux t'présenter comme maire, laisse-t-il tomber, moqueur.

La réplique de Maggie est mordante.

— Si y a pas un homme digne de c'nom qui a l'courage de s'présenter, y faudra ben qu'ça soueille une femme.

— T'auras pas un vote.

— Même pas l'tien? demande-t-elle, la voix pleine de sarcasme.

Voilà un autre trait de caractère qui inquiète Athanase. Cette Maggie toujours prête à bondir, souvent sur la défensive et qui peut se montrer cinglante, méchante même avec les siens.

Athanase ne répond pas, incapable de déterminer si Maggie est sérieuse ou s'il s'agit d'une crânerie. La quinte de toux de Mathilde le tire de ce mauvais pas. Maggie se précipite dans la chambre et en ressort une minute plus tard.

— J'ai presque pas dormi. J'sus ben inquiète pour Mathilde.

Athanase préfère cette Maggie, celle qui se préoccupe de sa tante, qui la dorlote, qui n'a pas peur de laisser paraître ses émotions. Il jette un paquet sur la table.

— J'vous ai apporté des pétaques. J'te dis que l'monde parle de toé en creusse depuis que t'as sauvé le p'tit Claude.

Maggie fronce les sourcils comme si cet acte n'avait rien d'anormal. Plus tard, elle ira voir le petit garçon. La nouvelle a vite fait le tour du village. Héroïne pour les uns, opportuniste pour les autres. «Elle a probablement fait semblant de sauver un enfant qui était bien vivant, qui n'avait pas besoin d'être sauvé», a persiflé le secrétaire Saint-Pierre Lamontagne. Mais ils sont aussi très nombreux à la voir d'un autre œil. Personne ici ne sait comment réanimer une personne noyée. Et comme le docteur est arrivé près d'une heure plus tard, sans l'intervention de Maggie, Claude serait mort ce matin.

— J'sais pas trop comment t'dire ça, mé y a des enfants qui ont vu Edgar Biron rôder dans l'canton hier à soir. M'en vas garder les yeux grands ouverts, pis j'ai d'mandé à tout l'monde d'en faire autant, mé y é fin comme un r'nard pis y é ben dur à pogner.

— Comme si j'avais besoin d'ça aujourd'hui.

— J'sais qu't'aimes pas ça quand j'te dis quoi faire, mé fais-moé plaisir, garde ton fusil proche de toé. J'devais aller travailler dans l'bois aujourd'hui, mé m'en vas faire des p'tits travaux autour d'la maison. J's'rai pas loin.

Maggie est émue. La soudaine attention d'Athanase lui met un baume sur le cœur. Elle évite de tirer des conclusions prématurées. Le temps seulement lui dira si Athanase a évolué ou s'il ne fait que réagir à l'acte héroïque d'hier.

— Inquiète-toé pas, le rassure Maggie en posant sa main sur celle d'Athanase.

Edgar Biron? Qu'il vienne! Elle l'attend de pied ferme. Depuis l'interrogatoire de la police, les frères Biron se font discrets. Désœuvrés, ils passent leur journée à fumer et à jouer aux cartes. À plusieurs reprises, ils ont tenté de convaincre leur père de se joindre à eux, sans succès. Pourtant, plus jeune, Damase pouvait jouer au euchre pendant des heures.

La santé de l'ancien prisonnier n'en finit plus de se détériorer. Depuis qu'il a été assailli par des inconnus,

Damase a perdu beaucoup de poids. Il ne mange presque
plus. Son visage porte encore les traces des coups. Josaphat
Pouliot a interrogé plusieurs paroissiens, mais personne
n'a vu ni entendu quoi que ce soit. Qu'Edgar se soit relancé
à sa poursuite ne surprend pas Maggie. « Ça d'vait arriver,
tôt ou tard. »

Edgar Biron a la rage au cœur et une seule idée en
tête, venger son père. Une seule cible : Maggie Miller,
responsable de tous les malheurs de Damase, de son
emprisonnement, de l'agression contre lui et de sa santé
défaillante. Malgré tous les efforts d'Edgar, son père ne lui
adresse plus la parole. Il refuse même l'allumette que son
fils lui tend pour allumer sa cigarette.

Après avoir jeté un coup d'œil à sa tante, Maggie se
résigne enfin à monter au grenier pour récupérer la carabine
de son oncle. Elle y accède par une trappe qu'elle soulève
avant de s'y hisser à force de bras. L'endroit est étroit,
sinistre. Une fenêtre grande comme le couvercle d'un bidon
de lait est obstruée par un sac de farine transformé en
rideau. Une odeur de vieilleries flotte dans le petit espace
plein de vieux vêtements, d'outils d'une autre époque, un
marteau rivoir, un rabot à moulurer et une scie à débiter.
Dans les reliques de son oncle, elle trouve une carabine
enveloppée dans des poches de jute. Une Winchester 95,
le canon poli pour donner au noir plus d'éclat, la crosse
couleur de noix, le *Teddy Roosevelt's big medicine*, l'arme
de prédilection de l'ancien président des États-Unis,
Theodore Roosevelt. Au fond de l'une des poches, Maggie
trouve trois cartouches. Elle les glisse dans son tablier et
vérifie le mécanisme de l'arme. Satisfaite, elle constate que
c'est une carabine comme celle que son père lui avait
donnée quand elle avait emménagé avec Domina Grondin.
« Viens, mon beau Edgar ! »

Elle redescend à l'étage, cache la carabine sous le
matelas de son lit et prépare une soupe. Sa tante en mange

un bol avec quelques croûtons de pain après avoir réussi à se lever et à marcher un peu.

— Sainte bibitte qu'j'en mène pas large aujourd'hui! J'ai jamais été aussi emplâtre, pis j'ai l'air d'une sagan, pas peignée pis fagotée comme la chienne à Jacques!

— Mange un peu, ça va t'faire du bien, l'enjoint Maggie.

— J'ai ben cru entendre la voix d'Thanase. Y é-t-y v'nu icitte?

— Oui, queques secondes seulement pour apporter ce paquet d'pétaques.

Après avoir aidé Mathilde à manger et à faire sa toilette, Maggie sort de la maison. D'un rapide coup d'œil, elle inspecte les alentours. Volets fermés, l'école a l'air abandonnée. Toute la journée, les enfants n'en avaient que pour Claude. Ce matin, son pupitre était vide, ce qui a beaucoup inquiété les autres élèves. «Il se repose aujourd'hui, les a rassurés l'institutrice. Il sera avec nous demain. Vous connaissez Claude, y a rien à son épreuve.»

Maggie avance lentement dans le sentier qui se détache de l'école. Aucune trace d'Edgar Biron. Elle allonge le cou. Dans les champs de Pit Loubier, une vache allaite son veau. Une buse en vol plané tourne en rond. Le trille musical des goglus. Un froissement de feuilles mortes dans le buisson fait sursauter Maggie. Un lièvre se sauve. Rien d'autre que le train-train du rang-à-Philémon.

Plus tard, à la brunante, elle croit voir la silhouette d'un homme se profiler en bordure la forêt. À l'insu de Mathilde, assise dans son lit, Maggie s'empare de la carabine, y glisse une cartouche et sort discrètement de la maison. Elle longe le mur, se dissimule dans un bosquet et attend. Son cœur est emballé. Seuls les aboiements d'un chien troublent le calme de la soirée. Tressaillement dans le sous-bois. Maggie retient son souffle. Un petit lièvre! Tout près. Il avance une patte, regarde autour, puis l'autre patte. Tout son corps est sorti du sous-bois. Si petit. Il s'agit sûrement d'un nouveau-né, désemparé, ses oreilles à l'affût, cherchant l'odeur de sa maman. Il a besoin d'être rassuré. Son nez se tord d'inquiétude. Vagissement feutré. Il est magnifique dans sa robe beige-brun coupée de blanc. Magnifique et si petit, si seul.

Mais soudain, un homme sort de la forêt et s'approche. Le lièvre déguerpit. Comme il est voilé par les sapins, Maggie n'arrive pas à l'identifier. Elle épaule sa carabine, le doigt sur la gâchette. «*Shit*, c'é lui!» Doit-elle tirer en l'air pour lui faire peur ou l'affronter, carabine sous le nez? Elle le laisse approcher encore un peu. Quand il est à une dizaine de pieds d'elle, Maggie se lève brusquement, l'arme pointée sur lui. Edgar se raidit, effaré, un gourdin dans la main. Il ne reconnaît pas Maggie immédiatement.

— Que c'é qu'tu veux, Edgar Biron?

Il ne répond pas, cherchant du regard une porte de sortie.

— Donne-moé une seule bonne raison de pas t'tirer une balle dans les fesses. Une seule.

Prêt à défaillir de peur, Edgar Biron ne quitte pas Maggie des yeux, mais ne dit mot. Elle s'avance, menaçante. Il recule, s'accroche les pieds sur une pierre et tombe à la renverse.

— Que c'é qui me r'tient d'pas t'abattre comme un chien? Comme ton père l'a fait avec Catin.

Edgar ne cache plus sa frayeur. Il a la gorge sèche, voudrait implorer le pardon, mais ne s'y résigne pas. Un instant, il songe à sauter sur elle, mais l'opération est trop risquée. Maggie n'hésitera pas à tirer. Elle a prouvé dans le passé qu'elle est capable de tout.

— Admets qu'c'é toé qui a essayé de m'tuer y a queques semaines!

Edgar fait signe que non de la tête.

— Si c'é pas toé, qui t'as envoyé pour m'assommer?

Edgar baisse les yeux, tourne la tête, mais ne répond pas.

— Tu veux jouer au plus fin, on va jouer à deux. Lâche ton bâton, pis donne-moé ta montre.

Il oscille, veut se relever.

— Bouge pas, pis donne-moé ta montre, tout d'suite.

Maggie fait mine d'épauler la carabine, un œil dans la mire. Rapidement, Edgar enlève sa montre.

— Lance-moé-la pis r'lève toé, pis pas d'faux mouvements parce que tu vas mourir icitte.

Edgar se relève sans la quitter des yeux. Il lui lance sa montre et sautille jusqu'au rang-à-Philémon, Maggie sur les talons.

— Edgar Biron, écoute-moé ben comme y faut. Si tu r'viens, t'es pas mieux qu'mort! Et prends-en ma parole, la prochaine fois, j'te mets une balle dans tête. En attendant, j'pense que ta montre va intéresser la police.

D'un bon coup de pied, Maggie fait voler le gravier en direction d'Edgar. Il décampe comme un lièvre. Devrait-elle tirer en l'air pour s'assurer qu'il a bien compris son message? Elle y renonce, pour ne pas ameuter les voisins. Carabine pointée sur la route, Maggie est tourmentée. Aurait-elle dû l'éliminer? Sauver sa peau avant qu'il n'obtienne la sienne? Plaider ensuite la légitime défense?

Le bruit des bottes d'Edgar s'éteint rapidement sur la route gravelée. Maggie rentre à la maison. Ébranlée, elle se laisse tomber sur la plus haute marche de la galerie, la carabine entre les jambes. Le bruissement de la nuit est à peine perceptible. Elle passe de longs moments à se demander ce qu'elle fait dans ce rang perdu. En est-elle arrivée à vouloir tuer des gens? Ce n'est quand même pas rien. Un meurtre, même justifié, au nom de la légitime défense, comme disent les avocats, reste un meurtre.

Maggie est déchirée. Doit-elle confier sa tante à une personne fiable et partir? Rester et se battre? Partir serait trop facile. Rester? Espérer qu'Edgar a finalement compris le message? Qu'il a réalisé que Maggie est une adversaire redoutable? Que dorénavant, elle sera sur ses gardes et repoussera chacune de ses incursions? Que sa seule option sera de la tuer de sang-froid ? Qu'il ne pourra plus jouer les finfinauds avec elle ?

Elle jette un coup d'œil au-delà de l'école. Aucune lumière aux fenêtres, Athanase et ses deux filles sont sûrement endormis. Elle aimerait aller le retrouver, tout lui raconter, se couler dans ses bras, mais elle risquerait de réveiller les petites et de les effrayer. Et même si Athanase est plus conciliant depuis quelques jours, rien n'indique qu'il est prêt à lui ouvrir les bras.

Le tintement de la clochette du bélier de Pit Loubier dans le champ voisin tire Maggie de sa réflexion. Elle jette un dernier coup d'œil à la route, noyée dans l'obscurité. Edgar est sûrement rendu au village. Reviendra-t-il la hanter ? Pourquoi s'acharne-t-il ainsi sous peine de se retrouver en prison comme son père ?

— Est-ce que quequ'un a déjà essayé de l'raisonner ? a-t-elle demandé à Pit Loubier après l'incendie de la remise.

— Y a pas son génie, y é comme un chien qu'tu chasses à coups d'bâton pis qui r'vient toujours. T'es mieux d'avouère des yeux tout l'tour d'la tête.

32

Le lendemain, après la messe, Claude s'arrête à la maison de Mathilde pour remercier Maggie de lui avoir sauvé la vie. Intimidé, il ne trouve pas ses mots. Il la dévisage, esquisse un sourire et lui remet un sac de biscuits à la mélasse.

— M'en vas faire une prière pour vous tous les soirs!

Claude tourne aussitôt sur ses talons. Maggie en est remuée. Elle l'accompagne sur la galerie et se retrouve en face d'Alexandrine, son mari Lucien et Athanase, œufs frais et crème en mains.

— Merci, Claude, lance-t-elle au garçonnet.

— Comment va Mathilde? demande Alexandrine.

Mathilde est clouée au lit depuis la veille. Elle n'en sort plus. Maggie l'alimente à la cuiller comme un bébé.

— Vous saurez jamais c'qui m'é arrivé avant-hier?

Quand Maggie leur raconte son tête-à-tête avec Edgar, ils en frémissent, incrédules. Quand elle leur balance la montre sous le nez, ils la regardent avec un mélange d'admiration et de reproche.

— Y aurait pu t'assassiner, fait remarquer Alexandrine.

Maggie hausse les épaules. À défaut de l'avoir tué, elle peut maintenant le faire chanter. S'il revient, elle fera appel à la police, la montre en preuve.

— J'te trouve ben brave, admet Athanase, mé y pourra toujours dire que c'é pas sa montre. Y a rien d'écrit d'sus. Tu pourrais l'avouère trouvée. Mé en même temps, j'sus sûr qu'ça va l'faire réfléchir en creusse, pis qu'y va t'laisser la paix. Pourquoi t'es pas v'nue m'charcher?

Maggie s'étonne encore une fois de l'empathie d'Athanase. L'éclair dans ses yeux ne trompe pas. Elle songe à lui dire qu'elle craignait de ne pas se sentir la bienvenue.

— Y avait pus d'lumière aux vitres, j'ai pensé qu'tu dormais, pis j'voulais pas faire peur aux filles.

— Creusse, réveille-moé la prochaine fois.

La sincérité d'Athanase lui réchauffe le cœur. Lucien lui fait la même recommandation. Au même moment, des coups sont frappés à la porte. Pit Loubier, le visage défait, entre dans la maison. Maggie s'inquiète. Un malheur est sûrement arrivé.

— Ç'a t'y pas d'allure d'vouloir fermer l'cim'tière, pis d'déménager les morts...

Maggie ne cache pas son étonnement. De quoi parle-t-il au juste? Elle interroge Alexandrine, Lucien et Athanase des yeux. Ils avaient décidé de taire la nouvelle pour ne pas inquiéter Mathilde. À tour de rôle, Alexandrine et Athanase racontent à Maggie comment le curé a expliqué la situation. Il a été très clair.

— Mes bien chers frères, vous avez tous constaté que notre cimetière est plein. L'inspecteur de la voirie nous a dit hier qu'il est impossible de l'agrandir à cause du cap qui l'entoure.

L'assistance retient son souffle. Plus de place au cimetière! Comme si on n'avait plus le droit de mourir!

— Nous devons trouver une solution rapidement.

Plus personne ne remue même le petit doigt. Trop-plein de morts au cimetière! Aussi bien fermer Saint-Benjamin! Une paroisse sans cimetière n'a plus sa raison d'être.

— Je propose, poursuit le curé, de mettre sur pied un comité formé du maire, des conseillers et des marguilliers. Je demanderai au marguillier en charge de diriger le comité, assisté du marguillier du banc d'œuvre. Je propose aussi que le comité s'adjoigne les services d'anciens dirigeants de la paroisse.

Tous les yeux tombent sur Bénoni qui ne lève même pas la tête. À défaut de le convaincre de vive voix, le prêtre a choisi de le provoquer du haut de la chaire. Aucune réaction. Léda le pousse du pied, mais il l'ignore.

— Je voudrais que le comité se penche sur deux options. La première : qu'on ferme le cimetière complètement, qu'on n'y touche plus et qu'on en ouvre un autre derrière l'église. Sinon, l'autre option, c'est d'ouvrir un nouveau cimetière et de permettre à ceux qui le souhaitent d'y déménager leurs morts. C'est une tâche colossale. Il faudra obtenir les permissions du gouvernement et de l'évêché. Le travail doit être fait selon des règles précises.

Avec cette litanie de mises en garde, Vidal Demers souhaite décourager les paroissiens de transporter les restes de leurs proches dans le nouveau cimetière.

— Déménager les morts ! répète Rosario-à-Alexandrine, d'une voix qui se veut voilée, mais que tous entendent.

Un grand brouhaha tombe sur l'assemblée des fidèles. Déménager des morts ! Creuser, déterrer les tombes ! Plusieurs dépouilles sont sûrement décomposées après tant d'années. Et si les ossements ont disparu ? « Pis si en creusant, on rouve la porte à tous ces rev'nants, pense Wilfrid Rodrigue-à-Petit. C'curé-là é pas ben dans tête ! »

Vidal Demers laisse aux paroissiens le temps d'absorber le choc. Il comprend leur étonnement, leur inquiétude.

— Je sais que c'est une nouvelle dérangeante, mais on n'a pas le choix. Je demande aux membres du conseil et aux anciens de me rejoindre avec les marguilliers après la messe. Je veux commencer le travail maintenant.

La messe se termine dans la confusion. Discussions sous le couvert de la main, visages tendus, quelques larmes, les paroissiens n'arrivent pas à absorber l'information. Le cimetière est un endroit sacré, secret. À l'exception du bedeau, on s'y rend rarement, sauf pour des funérailles. Parfois, un brave s'y aventure, bouquet de fleurs en main, mais c'est l'exception. Un cimetière, c'est plein de mystères, tailladé d'ombres furtives la nuit, de bruits bizarres, de revenants en attente du ciel. Un cimetière, c'est la vie qui s'est arrêtée sans espoir de résurrection. Après la communion, presque tous les hommes se retrouvent sur le perron de l'église, le temps d'une cigarette avant de retrouver le curé.

La sacristie n'est pas assez grande pour accueillir tous les intéressés. Clovis Rodrigue-à-Bi, le marguillier en charge, cherche un moyen de les satisfaire. Romain Nadeau, le maire, est caché derrière un groupe de paroissiens. Bénoni est absent, encore une fois. Le curé le cherche des yeux, déçu.

— Êtes-vous tous d'accord, interroge Clovis, pour que l'comité comprenne les trois marguilliers, les membres du conseil, pis... (il hésite un moment) l'ancien maire d'la paroisse ?

— Torvice de viac, y a pas d'affaire là ! lance une voix.

Les deux mains dans les poches, le ventre qui déborde de son pantalon, Josaphat Pouliot se fait menaçant. Vidal Demers et les marguilliers sont outrés. Comment peut-il faire de la petite politique dans une situation semblable ? Le curé hausse le ton.

— Je ne veux pas que ce comité devienne l'occasion de régler vos histoires politiques. La tâche est trop sérieuse. On parle de morts. Le respect s'impose. On ne peut pas prendre cela à la légère. J'espère que vous me comprenez bien. Que ça vous plaise ou pas, j'entends participer aux délibérations du comité. Si certains choisissent de déménager les morts, ils devront d'abord obtenir ma permission. Et j'entends bien surveiller les travaux.

— M'sieur l'curé, ç'a pas d'maudit bon sens de déterrer des morts, laisse tomber Rosario-à-Alexandrine. Y avez-vous ben pensé ? Y en a encore qui sont pas rendus au ciel pis qui ravaudent dans l'village toutes les nuittes. Ouvrez-leu pas la porte du cim'tière, saint cibole, on va les avouère sus l'dos à journée longue.

Le prêtre est abasourdi, mais n'ose pas ramener Rosario à l'ordre. Ils sont encore nombreux à croire aux revenants. Inconcevable, pense le curé, mais le moment serait mal choisi de les ridiculiser.

— Écoutez, enchaîne Vidal Demers, rentrez tous chez vous, parlez-en entre vous et je propose, monsieur le marguillier en chef, qu'on fasse une première réunion mercredi devant l'église.

— Pis si y mouille? demande Clovis.

— S'il mouille, répond le curé, je sortirai le bon Dieu de l'église, je le transporterai au presbytère et on fera la réunion dans l'église. Si le bon Dieu n'est pas là, tous pourront parler librement.

Proposition acceptée, la sacristie se vide rapidement dans un concert d'opinions divergentes. Le curé se tourne vers les marguilliers.

— Ce sera pas facile de s'entendre, mais on n'a pas le choix, il faut trouver une solution. J'ai demandé à l'évêché et on m'a dit qu'il faut limiter le déménagement des morts au strict minimum. L'opération doit être faite dans le plus grand respect.

Une fois les marguilliers partis, Vidal Demers s'agenouille sur le prie-Dieu en face du confessionnal. Il essaie de prier mais n'y arrive pas. Ce nouveau rôle lui pèse. Peut-il exercer ce leadership? C'est son devoir. Il a mal à la tête, il ne dort plus et il a perdu l'appétit. Il en a même oublié des tâches afférentes à sa cure. Comme ce texte de *L'Action catholique* qui impute la guerre à la dégradation des mœurs. Un texte que le cardinal a demandé à tous les prêtres de la province de lire en chaire. Il l'a oublié au presbytère. Le regrette-t-il? Non. «Les paroissiens en avaient bien assez du cimetière», pense-t-il. Et ce texte lui déplaît.

À moins que les Alliés perdent la guerre, le conflit sera long, très long... sauf si le monde change de vie et mérite la clémence du ciel. Mais entre nous, qu'y a-t-il de changé dans la vie des Canadiens depuis un an? Qu'y a-t-il de changé ailleurs? Pour nous en tenir au pays, voire à la province, avons-nous vraiment mérité que le bon Dieu abrège le fléau dont il se sert pour châtier le monde coupable? Bref, sommes-nous moins païens que nous l'étions? Demandez la réponse à ceux qui vont sur les plages. De partout, on entend dire: «C'est dégoûtant!» Et le commerce du vice? Et les maisons de prostitution? Et les salles de danse? Et les abus alcooliques? Ne dites pas: c'est l'affaire des curés. C'est l'affaire des curés sans doute; c'est surtout la nôtre, laïcs, c'est aussi la vôtre, autorités municipales de paroisses et de villes, gouvernements provinciaux et fédéraux.

Tant et aussi longtemps que nous n'entreprendrons pas une campagne contre le paganisme de nos mœurs, les curés parleront dans le désert. Nous leur donnons raison quand ils pestent contre le vice; mais nous ne faisons rien pour l'enrayer.

Nous, laïcs, et vous, gouvernements, tous nous manquons à notre devoir. Le vice continue à s'exhiber et à s'exploiter à cause de notre lâcheté. Les autorités bougeront si les organisations laïques les font bouger. Souvent, les conseils municipaux ne font rien parce qu'ils ont peur de faire rire d'eux... par la population soi-disant saine.

Pour nous remuer, attendrons-nous que des bombes nous tombent sur la tête? Amplifions donc les quelques initiatives prises isolément jusqu'ici.

Louis-Philippe Roy

33

— Sainte bibitte, y peuvent pas m'faire ça ! Moé pis Gaudias, on doit rester dans l'même cim'tière. Y é ben timbré, c'curé-là ! Vouère si j's'rai pas enterrée avec mon Gaudias ?

Mathilde se signe aussitôt, façon de demander pardon pour ce péché qui lui a échappé. Pour la première fois de sa vie, elle a dit du mal du curé. Quand elle sort de sa chambre, elle tient à peine debout. Alexandrine et Maggie se précipitent à son aide. « Pit Loubier pis sa grande gueule ! » murmure Maggie à Alexandrine.

— Arrête de t'inquiéter, ma tante. Y vont permettre à ceux qui ont des lots d'être enterrés dans l'vieux cim'tière.

— Ç'a l'air qu'y pourraient déménager toute l'vieux cim'tière, grommelle Pit.

Il retient un juron pour ne pas avoir à s'en confesser. Il ne peut s'empêcher de penser à son père, à sa mère, enterrés depuis plus de trente-cinq ans. Sa femme, depuis vingt-cinq ans. Qu'est-ce qu'il en reste ? Doit-il les déterrer ou s'en aller, fin seul, dans le nouveau cimetière ?

— Moé en tout cas, m'en vas attendre à la dernière minute pour les sortir d'là. Ça fait longtemps qui ravaudent pus dans l'canton, m'en vas sûrement pas les réveiller. Pis ma femme, tête de cochon comme a l'était, a voudra pas sortir d'sa tombe pis déménager dans l'aut' cim'tière. C'tait pas une sorteuse ! Toé, Mathilde, ton Gaudias y é probablement pas endormi ben dur, pis tu pourras le r'vouère. Moé, j'sus pas certain qu'j'ai l'goût de r'vouère ma Exélia.

Mathilde branle furieusement la tête. Non, non ! Elle ne peut imaginer pareille scène. Réveiller Gaudias au beau milieu de son sommeil éternel ! Et si Dieu le renvoyait au purgatoire ? Maggie lui répète de ne pas s'inquiéter. Il ne sera pas nécessaire de déménager Gaudias. Et pourquoi ouvrir le cercueil ? Quelle pulsion morbide inciterait un proche à ouvrir le cercueil d'un parent décédé depuis longtemps ? Maggie n'arrive toujours pas à comprendre cette relation si compliquée des catholiques avec la mort.

— Tu vas aller à la réunion, pis tu vas leu dire que j'sus pas d'accord ?

— Oui, oui, ma tante. Arrête de pleurer pis d't'inquiéter comme ça.

Mathilde est inconsolable. Un flot de larmes coulent dans ses rides, cascadent sur son châle. Pit Loubier continue de pester contre le curé. Maggie brûle d'envie de le sommer de se taire ou de le foutre à la porte.

— Pis si j'meurs demain, se lamente Mathilde d'une voix chevrotante, y vont m'enterrer où ? Sus l'tas de fumier avec les animaux ?

— Ma tante, assez. Tu t'fais du mal pour rien. Compte sus moé, tu m'connais. J'te promets d'pas r'partir d'Saint-Benjamin avant qu'tu dormes au cim'tière à côté d'mon oncle.

— Pis tu vas t'occuper d'déménager Gaudias ? redemande la vieille femme de plus en plus confuse.

— Ma tante, on aura pas besoin de l'déménager, j'te l'ai dit. T'as un lot avec lui, pis vous s'rez enterrés ensemble.

— Tu m'parles d'un plan d'fou, ronchonne Pit Loubier.

Il n'en fallait pas plus pour déclencher un nouveau torrent de larmes.

— Ma tante, implore Maggie, en lançant un regard de feu à Pit Loubier.

Mais l'autre n'a que faire des menaces de Maggie. Sa tête est pleine d'images d'Exélia dans sa tombe. Il lui avait mis sa plus belle robe, rouge vif. Il lui avait promis de ne jamais se remarier et de lui rester fidèle jusqu'à la mort. De ne plus jamais la déranger, lui qui l'avait si souvent embarrassée avec ses propos et comportements farfelus.

— J'peux-t-y laisser ma Exélia toute seule dans l'vieux cim'tière ? A va-t-y s'fâcher ben noir si j'la dérange ?

— Y a-t-y une aut' solution ? demande Athanase. Si c'é faite proprement, y a pas d'problème.

Mais Pit n'en démord pas. Peu importe les précautions, toute l'opération est un sacrilège, une profanation injustifiée. Exhumer tous ces morts, déterrer les os, un à la fois, une véritable folie.

— Pis si des morts sortent de leu tombe pis qu'y s'échappent ? On va avouère d'l'air fin ! On va leu courir après pour les r'mettre dans tombe ! Comment est-ce que vous allez les pogner ? Vous imaginez un peu l'barda !

Athanase jette un rapide coup d'œil à Maggie. Discret hochement de tête, elle est dépassée par tant de bêtise. À n'en pas douter, Pit Loubier est mûr pour l'asile de Saint-Michel-Archange ! Elle voit déjà le drame se dessiner. Les revenants qui hantaient sa mère. Tout un village en émoi.

— Faut pas exagérer, ose timidement Athanase, pour ne pas blesser son voisin.

— Pas exagérer ? J'sais ben qu'ma femme a pas ben hâte de m'vouère arriver, mé a va s'poser des questions en maudit verrat si a l'apprend que j'sus allé coucher ailleurs après ma mort.

Maggie entraîne Mathilde dans sa chambre. Elle en a assez entendu. Que fait-elle dans ce village perdu ? Avec ces hurluberlus sortis d'une autre époque ! Vivement son retour à Québec !

34

Le lendemain, Maggie se fait conduire au cimetière par Pit Loubier. Elle lui fait d'abord promettre de ne plus parler de déménagement de morts devant Mathilde. Dans sa confusion, elle mêle tout, s'invente des drames qui n'existent pas et se rend malheureuse inutilement. Pit grimace. Il n'a pas digéré la décision de la Fabrique.

— Y ont pas fini avec moé. M'en vas y pogner la face à c'te p'tit curé-là ! Y va trouver qu'j'ai pas trop une belle façon !

Maggie n'a pas mis les pieds au cimetière depuis la mort de sa mère.

— J'veux être ben sûre qu'Mathilde a sa place à côté d'Gaudias. Dans ses papiers, c'é écrit clairement qu'y avait un lot pour les deux.

En arrivant au cimetière, elle retrouve Éleucippe Boily, le bedeau. Il lui confirme qu'après son décès Mathilde sera enterrée à côté de son mari. Elle n'a aucune raison de s'inquiéter.

— En tout cas, ajoute le bedeau, ça fait jaser l'monde pas pour rire. Allez-vous déménager vos parents pis vot' mari ?

Maggie sursaute. Son mari ? Pourquoi cette expression la frustre-t-elle autant ?

— Sûrement pas, dit-elle au bedeau, occupé à redresser la vieille croix de bois au-dessus de la tombe de Valencienne Raté.

Maggie lui fait faux bond et se dirige vers les pierres tombales de ses parents, deux pièces de bois grossièrement équarries. Un vague sentiment de culpabilité l'envahit. Sa mère est morte au bord de la folie, et son père, malade, deux ans plus tard. Elle n'a pas assisté aux funérailles de son père, pour ne pas attiser la rancœur des paroissiens. Ils étaient si nombreux à la tenir responsable de la mort de Catin-à-Quitou, même si le tribunal avait condamné Euzèbe Poulin et Damase Biron.

Sur l'épitaphe en bois de sa mère, le *e* de Miller a disparu, rongé par le temps. L'épitaphe de son père est penchée, branlante, à l'image de sa triste fin, les poumons brûlés par le tabac. Ironie du sort, vingt ans plus tard, Walter allait mourir de la même façon, une mort atroce, le souffle toujours trop court, jusqu'à la suffocation. Les funérailles de Jimmy Miller avaient été organisées à la va-vite par Mathilde et Gaudias. Doit-elle transférer ses parents dans le nouveau cimetière? Maggie n'en voit pas la nécessité. Marie-Anne et Jimmy Miller resteront là où ils sont. Pour une fois, ils pourront cohabiter sans se tancer pour un rien. Pour montrer qu'elle ne néglige pas ses parents, Maggie commandera une nouvelle épitaphe aux Monuments Gosselin de Beauceville, les noms de ses parents inscrits en lettres noires gravées dans l'épitaphe.

— Ça va t'coûter des bidous en hospice, l'informe le bedeau.

Maggie n'en a que faire. Elle veut ce qu'il y a de mieux. Des monuments taillés par le meilleur artisan, le grand Arsène Gosselin de Beauceville, dans de belles pierres qu'il importe de Saint-Samuel, de Stanstead, et même d'Ottawa et du Nouveau-Brunswick.

Devant la tombe de Domina, Maggie sent un frisson lui courir dans le dos. De lointains regrets qu'elle n'arrive jamais à effacer complètement. Un an après le départ de Maggie de Saint-Benjamin, Bénoni a convaincu le nouveau curé d'enterrer Domina au cimetière. Le prêtre a d'abord refusé, mais pressé par Bénoni, il a accepté d'accorder au suicidé une sépulture en terre consacrée, mais dans le coin profane, celui des maudits, à l'écart des «bons catholiques». Pourquoi le priver de son linceul? Le corps de Domina a été exhumé puis réinhumé loin de ses parents. Avant l'enterrement, Mathilde avait envoyé une lettre à Maggie. «On va aller prier sus la tombe de Domina, jeudi prochain. Bénoni l'a fait enterrer au cimetière. Y s'é occupé de tout, pis y a tout payé.» Il n'y avait rien de plus dans la note de Mathilde, pas d'invitation, juste une information. Mathilde avait fait son devoir, sans illusions. Maggie a lu la lettre, n'y a pas répondu, l'a montrée à Walter avant de la brûler.

Dans ce cimetière, érigé en 1900 au mauvais endroit et déménagé dans les semaines suivantes avec ses deux premiers morts, Maggie peut lire l'histoire de Saint-Benjamin. Aujourd'hui, il compte une centaine de sépultures, les épitaphes et les croix se touchant, tant les lopins de terre sont petits. Certaines ont une épitaphe enfoncée dans la terre, parfois recouverte d'herbe, souvent à peine visible. D'autres sont penchées à l'ombre de croix de bois, de fer ou de fonte de formes disparates comme des enfilades de vieux soldats fatigués. Autant de témoins de vies bien remplies, de petits et grands malheurs. Comme les cinq membres d'une même famille décimée par la grippe espagnole, «la grande grippe» qui emporta cinquante mille Canadiens, et enterrés dans une tombe commune. Comme les deux filles de Parfait Loubier-à-Batèche, mortes de la tuberculose, à quelques jours d'intervalle, et inhumées dans le même cercueil. «Ensemble, a l'auront moins peur!» avait affirmé Parfait. Comme ces enfants morts avant d'avoir été baptisés et condamnés aux limbes pour l'éternité.

Tous ces jeunes partis trop vite reposent à côté des aïeux qui ont frôlé la centaine. Tous les pionniers de la paroisse dorment du sommeil éternel dans ce vieux cimetière. Les deux Théodule, à Charlie et à la Taupe, Herménégilde Bolduc de la Tank, Ti-Jos Poulin, Polycarpe Labonté et d'autres. Tous ces ancêtres qui ont été témoins des débuts modestes de la paroisse. Tous ces pionniers venus de Beauceville ou d'ailleurs. Le curé a raison, ils ont droit au respect.

Maggie constate qu'un seul parmi tous ces morts a un nom anglais. Son père, Jimmy Miller, l'Irlandais, «l'étranger» que les paroissiens n'ont jamais accepté. En relevant la tête, elle aperçoit Pit devant la tombe de Chéri Grondin, le revenant le plus célèbre de Saint-Benjamin, qu'on n'a pas revu depuis longtemps. Elle le rejoint.

— On peut r'tourner, j'en ai assez vu.

— En tout cas, expose Pit, Chéri doit être rendu au ciel. Y avait un pied d'neige sus sa tombe.

Maggie n'est pas certaine de bien comprendre.

Pit lui explique que dans le passé, la tombe de Chéri Grondin n'était jamais recouverte de neige en hiver. Le vent la dégageait après chaque tempête pour permettre à Chéri de sortir la nuit et de musarder dans le village. Maggie branle la tête, excédée par tant de sottise.

35

Dans la soirée, Romain Nadeau frappe à la porte de Josaphat Pouliot. Remué par l'affaire du cimetière, Romain se demande ce qu'on attend de lui. Josaphat sort de la maison, tire deux chaises sur la galerie et invite Romain à s'asseoir. Un gros chien roux accourt aussitôt, en mal d'attention et de caresses.

— Tu penses qu'c'é une bonne idée d'farmer l'vieux cim'tière ? demande Romain à Josaphat.

Le gros conseiller hausse les épaules, allume une cigarette, le regard au loin. Il savoure longuement la première bouffée.

— Torvice de viac, y faudra ben mettre les morts à queque part, se contente-t-il de dire.

Pour l'instant, Josaphat attend la conclusion de l'assemblée publique. Mais son objectif est clair. Il entend se substituer au curé et aux marguilliers par tous les moyens et prendre le contrôle des travaux.

— Oui, mé c'é l'affaire d'la Fabrique, pas d'la paroisse, ose Romain.

— C'é rien qu'des morts !

Romain Nadeau est de plus en plus embarrassé par l'approche vulgaire et indélicate de Josaphat. Son absence de respect pour les défunts le déconcerte. Ce que Romain ne sait pas, c'est qu'en fin d'après-midi, Josaphat en a discuté longuement avec le secrétaire Saint-Pierre Lamontagne.

— Quel projet insensé ! déplore celui-ci. Qu'on ferme le vieux cimetière et qu'on en ouvre un nouveau, c'est tout. Pourquoi permettre à des gens de déménager leur mort ? Un mort, c'est un mort ! Quelle différence cela fera-t-il que mari et femme soient enterrés à distance ? Voulez-vous bien me le dire ?

Josaphat a haussé les épaules. Ses parents, enterrés ensemble, resteront dans le vieux cimetière. Pour Saint-Pierre Lamontagne, le problème ne se pose pas. Vieux garçon, il le restera jusqu'à la fin de ses jours. Quant à ses parents, ils ne sont pas enterrés à Saint-Benjamin. Plus encore, il exige dans son testament d'être inhumé à Beauceville avec les siens !

— Il sera intéressant de voir si Marguerite Grondin voudra être enterrée avec ses parents à Saint-Benjamin ou avec son protestant à Québec. Je mettrais ma main au feu qu'elle choisira les protestants.

Josaphat l'approuve de petits coups de tête.

— Et si je peux vous donner un conseil, gardez un œil sur l'ancien maire. Le curé lui tourne autour un peu trop à mon goût. Bénoni Bolduc est un être ratoureux, hypocrite, qui doit travailler en sous-main pour reprendre les rênes. Vous pouvez être certain que Cléophas lui rapporte tout ce qui se dit au conseil.

Saint-Pierre Lamontagne, perplexe, se gratte le menton.

— Il ne serait peut-être pas mauvais d'envoyer un message très clair à notre cher ancien maire. Un message qui ferait comprendre à tous que nous ne reculerons devant rien pour rester au pouvoir.

Un mauvais sourire enlaidit le visage de Josaphat Pouliot.

36

La foule est agglutinée devant l'église. Les cultivateurs ont expédié leurs travaux et mangé sur le bout de la table avant de se rendre au village. Les chevaux attachés à la rambarde du magasin de Mathias Giguère, ils se joignent aux villageois déjà arrivés. Certains ont planté une chaise dans les premières rangées, prêts pour un long siège. La tension est palpable. Devant l'imposante porte de l'église, des enfants se chamaillent. Maggie se tient debout, un peu en retrait, les yeux fixés sur la foule.

Athanase s'approche d'elle. Maggie s'en étonne. En public, il a l'habitude de l'éviter, de prétendre qu'il la connaît à peine. Son changement d'attitude la surprend encore une fois.

— T'es v'nue avec Pit?

— Pit pis son frère. J'ai jamais vu deux pies comme ça!

À la demande du curé, le bedeau a installé une grande table et huit chaises sur le perron de l'église. Le comité dominera l'assemblée. C'est une belle soirée d'été. La grande épinette à l'entrée du cimetière se dresse au-dessus des épitaphes comme un rempart contre l'envahisseur, contre ces impies qui menacent de troubler le sommeil éternel des morts, la paix des âmes.

Le curé et les marguilliers font d'abord leur apparition, suivis quelques minutes plus tard des membres du conseil. Vidal Demers préfère rester un peu à l'écart.

— À l'ordre! lance le marguillier en chef.

Clovis Rodrigue-à-Bi doit répéter plusieurs fois son appel au calme. Grand, maigre, cheveux grisonnants, Clovis est synonyme de gros bon sens. Une épaisse moustache aux extrémités retroussées lui coiffe la lèvre supérieure. Il en est très fier et ne la couperait pas pour tout l'or du roi d'Angleterre, faisant sienne la phrase écrite par Guy de Maupassant en 1883 : *Vraiment, un homme sans moustache n'est plus un homme.* Une moustache qui lui donne beaucoup de dignité contrairement à celle du secrétaire, mince ligne de poil, qui accentue son air efféminé. Avec Clovis, pas de fantaisie, pas de mots inutiles, juste le désir de bien remplir les tâches qu'on lui confie. Quand un semblant de silence tombe sur l'assemblée, il rappelle l'objectif de la réunion. La Fabrique propose de fermer le cimetière actuel et d'en ouvrir un autre sur un terrain qui lui appartient déjà. Elle permettra à ceux qui le jugent indispensable de déménager les leurs dans le nouveau cimetière. Bien sûr, ceux qui ont des lots dans le vieux cimetière pourront y enterrer leurs parents.

Voilà qui rassurera Mathilde, mais une pluie de grognements accueille l'intervention de Clovis. Pit Loubier est le premier à prendre la parole, même si personne ne l'a invité à le faire.

— Dans mon livre à moé, maudit verrat, on réveille pas les morts ! J'y ai ben r'pensé, pis qu'moé pis ma défunte, on soueille dans des cim'tières dépareillés, ça changera rien pantoute !

Quelques paroissiens manifestent leur appui à Pit. D'autres haussent les épaules, sourire aux lèvres. Pit avait la réputation de battre sa femme. Elle sera sûrement soulagée de ne pas le retrouver dans l'éternité !

— Y ravaudent déjà assez comme ça, sans leu z'ouvrir la porte du cim'tière, renchérit Trefflé Vachon.

Le curé se prend la tête à deux mains. Eux et leurs damnés revenants ! Le marguillier en chef cherche désespérément dans la foule un intervenant qui saura donner un peu plus de perspective au débat. Médusée, Maggie n'arrive pas à croire qu'en 1940, des gens pourtant normaux croient encore aux revenants. Près d'elle, Athanase se demande si le moment est bien choisi pour s'en mêler.

— Moé, dit-il de sa grosse voix, j'serais ben d'accord pour qu'on construise un nouveau cim'tière, mé avant d'déménager des morts, pensez-y par deux fois. L'bon Dieu les aimera pas plus si y changent de cim'tière !

Il est aussitôt rabroué par une vieille femme, tellement en colère que les siens doivent la retenir.

— Facile à dire pour toé, l'étranger. Ça paraît qu'tes parents sont pas enterrés par icitte ! Le premier qui m'empêche de dormir avec mon défunt, j'y soince les ouïes !

Athanase songe à la relancer mais y renonce, certain qu'aucun argument ne saurait lui faire entendre raison. À l'évidence, il n'est pas encore le bienvenu dans ce village. Le sera-t-il un jour ? Clovis Rodrigue-à-Bi vient à sa rescousse.

— J'pense pas qu'y soueille nécessaire de s'insulter, on avancera à rien. Juste pour vouère, l'vez vos mains les ceuses qui voudraient déménager des morts dans l'nouveau cim'tière.

La moitié de l'assemblée lève la main. Estomaqué, le curé se frotte les yeux. Il ne comprend pas. Est-ce vraiment essentiel ? Comment leur faire entendre raison ? Il faut s'en tenir aux seules exhumations incontournables. Romain Nadeau étouffe à la pensée qu'il devra intervenir.

— M'sieur l'curé vous l'a ben dit, rappelle Clovis. Si vous pensez que c'é absolument nécessaire, la Fabrique va vous aider à les déterrer pis à les déménager dans l'plus grand respect.

Les obstacles sont toujours plus nombreux.

— Pis vous allez faire quoi, si la tombe é toute pourrite pis vous r'trouvez pas l'mort ? Pis les enfants dans les boîtes de bois, vous pensez qui en reste queque chose ? lance Appolinaire Turcotte-à-Pauline. J'ai quatre-vingts ans, pis j'ai creusé des tombes au début d'la colonisation, pis j'peux vous assurer qu'à ben des places, y doit rester rien pantoute.

Exaspéré, Clovis se tourne vers le curé. Le malaise est profond, assorti de la plus grande confusion. Lentement, Vidal Demers se lève et se plante debout devant la table des dirigeants de la paroisse. Il attend que le silence se fasse dans l'assemblée.

— Mes frères, évitons de trop dramatiser. Si on ne trouve rien, on fera quand même une fosse et on y transportera un peu de terre de l'ancien cimetière. Ce sera un geste symbolique qui témoignera de notre respect des morts. Et ce geste symbolique pourrait être renforcé par chaque famille en installant une nouvelle épitaphe sur la tombe de ses défunts. Mais je vous le répète, ne déménageons que les morts qui doivent absolument l'être. Abstenons-nous de déménager ceux qui sont en terre depuis très longtemps.

Le silence est vite morcelé de balbutiements. Visiblement, le curé a désamorcé quelques craintes. Romain Nadeau en profite pour se lever. Sa voix est faible.

— L'conseil é prêt…

— Plus fort, feluette, crie une femme, on n'entend rien.

Voilà qui n'a rien pour rassurer Romain. Petit sourire narquois, Cléophas lui lance :

— Vas-y, mon Romain, papa Josaphat é juste derrière toé.

Romain l'ignore. Sa main gauche tremble. Il l'enfouit dans la poche de son pantalon.

— Le conseil é prêt à s'occuper des travaux. Nous prêterons nos hommes pis not' machinerie pour construire l'nouveau cim'tière.

La proposition est accueillie froidement. Nos hommes ? Les Biron ? Maggie flaire le coup fourré. Avant que Romain ne reprenne la parole, elle s'avance un peu.

— J'aurais une proposition à vous faire.

Tous les yeux se tournent vers elle, plus intéressés au personnage qu'à sa proposition. Dans l'intensité du débat, personne n'avait vraiment remarqué sa présence. Tous sont curieux de l'entendre. Après tout, n'a-t-elle pas ressuscité le petit Claude ? Plusieurs l'observent avec des yeux nouveaux, certains se préparent déjà à lui rabattre le caquet.

— Pour éviter qu'on manque de respect aux morts, j'propose que, plutôt que l'conseil, chaque famille qui l'veut déterre elle-même ses morts pis les transporte dans l'nouveau cim'tière. Ça évitera ben des problèmes. Pis la Fabrique pourrait s'charger d'aider les autres qui sont pas capables de l'faire. Pis quant aux travaux du nouveau cimetière, pourquoi pas une corvée ou deux? C'é le cimetière de tout l'monde, pourquoi tout l'monde s'en occuperait pas?

La proposition est intéressante. Les marguilliers l'approuvent de petits coups de tête. Le curé s'en veut de ne pas y avoir pensé. Romain trouve l'idée pleine de bon sens. Josaphat, lui, fulmine. « La maudite Grondin, a perd rien pour attendre ! »

— Pis tu pourrais enfin t'occuper d'Domina que t'as faite mourir à p'tit feu !

Maggie cherche des yeux le poltron, prête à l'étriper. De gros rires accompagnent la déclaration de Séverin Biron, le frère de Damase. Athanase veut prendre la défense de Maggie, mais le marguillier en chef est plus rapide que lui.

— J'pense qu'la proposition é intéressante. Le comité va l'étudier sérieusement. Nous allons réfléchir à tout ça dans les prochains jours, pis m'sieur l'curé vous en donnera des nouvelles, dimanche.

Rien n'est réglé, cependant la proposition de Maggie rassure les paroissiens. Plusieurs d'entre eux n'osaient pas le dire, mais souhaitaient vivement écarter le conseil du processus. La corvée est une idée de génie. Elle réunira les paroissiens autour d'une cause commune et laissera pour compte Josaphat et son entourage de gros bras.

La foule tarde à se disperser. Charivari de grognements, de hennissements de chevaux et de pleurs d'enfants fatigués. Une brise légère court entre les épitaphes du cimetière. Josaphat se faufile derrière les maisons et rejoint le secrétaire.

— Que c'é qu't'en penses?

— J'en pense que Marguerite Grondin est en train de tout saboter. Si on la laisse faire, elle va prendre de plus en plus de place. Cette idée de la corvée a rallié tout le monde. Et en plus, elle a sauvé un enfant, comme si elle avait sauvé Moïse des eaux! Il ne reste plus qu'à la canoniser!

— Que c'é qu'on fait? demande Josaphat. On prend les grands moyens?

— Non, il faut être plus subtil. Nous devons la discréditer davantage. Trop de gens ont oublié ce qu'elle a fait il y a vingt ans.

Josaphat ne voit pas où le secrétaire veut en venir.

— J'ai préparé une résolution que le conseil pourrait adopter à sa prochaine réunion. Une résolution qui fera mal tant à la Grondin qu'à l'ancien maire et juge de paix.

Saint-Pierre tire un bout de papier de sa poche, le déplie et commence sa lecture:

«Attendu que la mort de Domina Grondin en 1918 n'a jamais été tirée au clair,

«Attendu que de sérieux doutes ont toujours plané sur les raisons de sa mort,

«Attendu que le procès récent de Marie-Louise Cloutier et d'Achille Grondin de Saint-Méthode d'Adstock a démontré qu'il n'est jamais trop tard pour agir,

«Le conseil municipal de Saint-Benjamin de Dorchester demande au procureur général de la province de Québec de rouvrir le dossier et de procéder à une nouvelle enquête.»

Naïvement, Josaphat se frotte les mains de plaisir. Saint-Pierre Lamontagne sait très bien que sa résolution n'est pas sérieuse, qu'elle sera déboutée, que beaucoup trop de temps s'est écoulé depuis la mort de Domina. Au diable la rigueur, la résolution ne vise qu'un seul objectif: discréditer Marguerite Grondin et celui qui a bousillé l'enquête sur la mort de Domina Grondin, l'ancien maire, Bénoni Bolduc.

37

La nuit est tombée. Quelques paroissiens, restés sur leur appétit, tardent à se disperser. Maggie grimpe dans le robétaille d'Athanase sans qu'il l'invite. Elle ne veut pas retourner avec Pit Loubier, ses lubies et ses interminables palabres avec son frère Eugène.

— Content d'vouère qu'tu m'aimes autant qu'Pit, blague Athanase.

— J'en ai assez d'ses niaiseries! Pis j'avais envie d'être avec toé.

Athanase est surpris par l'aveu aussi candide de Maggie. Il se demande comment interpréter ses paroles. Dans la cour de l'église, les paroissiens ne font pas attention à l'attelage. En petits groupes, ils spéculent sur l'avenir de ce projet incongru. Les débats de la soirée n'ont pas été concluants. Illusoire unanimité. Le curé et les siens devront multiplier les compromis pour satisfaire tout le monde.

— J'pense que j'sus pas encore l'bienvenu dans c'village-là, laisse tomber Athanase. C'é pas la première fois qu'on m'traite d'étranger. Même mort, y m'accepteront pas. Pis y t'ont pas manquée, toé non plus !

Maggie hoche la tête, enragée d'avoir été interpellée de la sorte par Séverin Biron ! Ce héros fatigué, peureux, qui s'était planqué dans une jâvelle pendant la Première Guerre mondiale. Qu'il lui remette sous le nez la mort de Domina après tant d'années, elle ne l'accepte pas.

— Domina a creusé sa prop' tombe, quand c'é qu'y vont l'comprendre ?

En sortant du village, le rang Watford, désert, se dissout dans l'obscurité. Gonflée par les fortes pluies des derniers jours, la rivière Cumberland roule de petites vagues au-dessus du pont de bois. La jument va au pas. En passant devant la maison de Bénoni, Athanase songe à s'y arrêter, mais il n'y a aucune lampe à la fenêtre. Souvent, Bénoni aime se retrouver seul le soir sur la galerie, pour fumer et réfléchir. Pas ce soir. «Probablement déjà couché», pense Athanase. Et c'est mieux ainsi. En compagnie de Maggie Miller, il n'aurait pas été le bienvenu.

— T'as r'parlé à Bénoni pour les élections?

— Non.

— T'as toujours envie de t'présenter?

— Avec c'qui é arrivé à soir, penses-tu encore que c'é une si bonne idée?

L'intervention d'Athanase a-t-elle été mal perçue par l'assemblée? Un peu vide et provocatrice, songe Maggie. Athanase voulait surtout se faire voir, se distinguer. Elle aurait souhaité plus de pertinence, mais rien de catastrophique. Les insultes étaient le seul fait d'une femme courroucée, pas le reflet de l'opinion générale. Le maire a été pathétique, les conseillers, taciturnes. Seul le marguillier en chef et le curé sont restés maîtres de la situation.

— J'pense que t'as autant, sinon ben plus d'chances que Romain Nadeau. Y avait l'air tellement peureux à soir!

— Pas sûr.

Athanase hésite. Ses petites? Sa notoriété? Il s'est fait de nombreux amis à Saint-Benjamin, mais voteraient-ils pour lui? Voteraient-ils pour un veuf qui élève seul ses deux filles? Un homme à contre-courant! Plus encore, s'il se lance dans l'aventure électorale, subira-t-il les foudres de ses adversaires? Et si les Biron s'en prenaient à Madeleine ou à Laetitia?

— Si tu t'présentes pas, la gang à Josaphat va être réélue par acclamation.

Athanase ne répond pas. Il n'a pas pris de décision.

— À moins qu'toé, tu t'présentes? suggère-t-il, misérieux.

— Si j'pouvais, tu peux être sûr que j'essayerais. Pis si tu décides de pas courir, m'en vas p't-être trouver un moyen pour l'faire.

Athanase est sceptique. Maggie est-elle sérieuse ? Doit-il en rire ou l'encourager ?

Une grande chape d'étoiles s'est déployée dans le ciel. Un vent agréable souffle des parfums de fenaison. Rosée, la jument d'Athanase, suit la route sans avoir besoin d'être guidée.

— Si t'es prête à courir comme maire, ça veut-y dire que tu veux pus r'partir quand Mathilde s'ra morte ?

La question surprend Maggie. Pourquoi Athanase la pose-t-il ce soir ? Que veut-il savoir exactement ? A-t-il choisi ce moyen détourné pour lui faire sentir qu'il aimerait bien qu'elle reste auprès de lui ? Elle décide de le provoquer.

— Si j'cours pas, je r'pars, c'é ben sûr, que c'é qu'tu veux que j'fasse par icitte ?

Athanase a une moue contrainte. Aurait-il préféré une autre réponse ? Oui, plus nuancée en tout cas. Il aurait peut-être dû suivre de plus près la recommandation d'Alexandrine : « Avant d'penser à la changer, commence par y faire comprendre que tu l'aimes, pis que tu veux la garder avec toé. »

Pourrait-il la changer ? La convaincre de l'épouser ? Le mariage, n'est-ce pas la condition naturelle de l'homme et de la femme ? Voudrait-elle l'accompagner à l'église ? Bref, pourrait-il la ramener dans le droit chemin de la morale et de la vertu ?

— T'aimerais que j'reste ? demande Maggie à brûle-pourpoint.

Décontenancé, Athanase se tortille sur le banc du robétaille. Il tire les cordeaux de Rosée pour se donner une contenance. La question de Maggie l'embête. Le ton laisse filtrer une sorte d'invitation. Devrait-il lui parler de ses hésitations ?

— Mes filles pis moé, on t'aime ben gros.

Maggie sourit. Voilà la réponse qu'elle soupçonnait! Entre oui et non. «Mes filles pis moé!» Comme si tout ce qu'il recherchait, c'était une mère pour ses enfants. Athanase ne lui dira pas que son cœur est déglingué. Qu'il tente d'enfouir au plus profond de son être des sentiments qui lui font terriblement peur. Ne pas dégager la source. Étouffer son jaillissement. La tarir.

— C'é ben sûr que si j'avais une bonne raison d'rester, j'y penserais, même si ben des choses m'font peur, mé pour tout d'suite, j'en ai pas.

Athanase n'ajoute rien. Il glisse les cordeaux de la jument derrière son dos et roule une cigarette. Maggie l'observe à la dérobée, intriguée. Que pense-t-il vraiment? Visiblement, Athanase est torturé. Est-il prêt à gommer le passé de Maggie? Rien n'est moins certain. Mais pour l'instant, elle a très envie de lui.

Au bout du rang Watford, l'attelage s'engage dans le rang-à-Philémon. La lune roule à la lisière de la forêt. Athanase jette son mégot de cigarette dans le fossé. Maggie lui prend le bras. Il se crispe. Tout son corps dur comme une bûche d'érable. Que veut-elle? Sans prévenir, Maggie laisse tomber sa tête sur son épaule. Athanase en est remué.

— Woa, Rosée!

La jument s'arrête. Athanase ne sait que faire de ses deux mains. Maggie l'embrasse dans le cou, laisse glisser sa main à travers les boutons de sa chemise, lui caresse la poitrine. Athanase en frémit déjà de plaisir. Il n'a pas besoin de décortiquer le message plus longtemps. Il saute en bas du robétaille, attire Maggie vers lui, la transporte en bordure de la route et l'étend sur un tapis de mousse.

Maggie tente de ralentir l'élan d'Athanase, visiblement pressé. Pressé de la posséder, de trouver son plaisir, d'en finir. Elle s'abandonne. Il l'aime brutalement, le souffle bruyant. Maggie voudrait faire durer le plaisir, parler un peu, recommencer. Athanase est pressé de refermer sa braguette et de rentrer. Ne pas prolonger le péché indûment!

Pas un mot n'est échangé pendant le reste du trajet. Maggie est frustrée qu'Athanase n'ait pensé qu'à son seul plaisir sans égard pour elle, déçue qu'il n'ait pas teinté le moment d'une plus grande tendresse. Mais Athanase est déchiré. L'amour en dehors du mariage. Mille images se superposent dans sa tête. Ses filles, le curé, la confession, la contrition, la pénitence. Devant chez Mathilde, Maggie saute du robétaille.

— Merci pour la belle *ride*, dit-elle, une pointe d'ironie dans la voix.

Athanase ne lui répond pas.

— Marche, Rosée!

Dans l'étable, après avoir dételé sa jument, Athanase se lave à l'eau froide avec une guenille. Avant de rentrer, il arrache une poignée de trèfle et en frotte ses vêtements pour masquer l'odeur de Maggie. Comme s'il ne voulait pas contaminer la maison ou que les filles flairent son secret. En entrant, Athanase se laisse tomber dans sa chaise. Un puissant sentiment de culpabilité l'envahit. A-t-il trompé Rosa, sa première femme à qui il doit fidélité jusqu'à un prochain mariage? Tout se bouscule dans sa tête. Le péché mortel, ces mots terrifiants! Athanase, le dégénéré! Que dira le curé? Qu'en penserait sa mère? Et sa femme? Quelles mortifications devra-t-il s'imposer pour effacer cette tache sur son âme? Il fume une dernière cigarette en essayant de rationaliser l'affaire. Peut-il aimer une femme plus vieille que lui et dont la réputation ferait fuir le plus brave des hommes?

La lune se faufile entre les étoiles en batifolant sur le toit de la maison de Mathilde. Maggie met du temps à s'endormir, la tête bourrée de doutes. Pourquoi a-t-elle fait les premiers pas? Que pensera Athanase? Qu'elle lui court après? Qu'elle est la femme facile décrite par les voisins? Qu'elle se donne au premier venu? L'amour avec Athanase, même si peu satisfaisant, signale-t-il la fin de son deuil? Elle a l'impression d'avoir trompé Walter. Elle songe à lui, à la douceur de ses gestes, à l'affleurement enivrant de ses mains, à ses grognements sensuels quand il la prenait. À la puissance de son corps sur le sien. À leur long plaisir. Non, Athanase ne l'a pas encore remplacé.

38

Premières lueurs. Efforts répétés de l'aurore à dessiner un matin. Le tintamarre du coq de Charlie Grondin tire les villageois du lit. Un grand-duc passe en vol plané au-dessus du ruisseau de la Fabrique, une souris au bec. Au lever du jour, Josaphat Pouliot, Séverin Biron et les deux frères Edgar et Wilfrid Biron prennent d'assaut le nouveau cimetière et commencent les travaux, sans en avoir le mandat. Une brassée de petits sapins arrachés à mains nues. Deux érables de bonne taille sont déracinés. Le plan prévoit aussi la construction d'une clôture. Une grande croix blanche, l'œuvre d'Armand Perras, le menuisier, veillera sur les morts. La Fabrique achètera un Jésus en plâtre à Québec. Armand le crucifiera, une fois sa croix terminée.

« La décision est prise », a lancé la veille le curé du haut de la chaire. Un nouveau cimetière sera construit. Ceux qui le jugent absolument nécessaire pourront y transporter les restes de leurs parents. Avec l'aide de la Fabrique s'ils ne peuvent le faire eux-mêmes.

— Ce n'est pas une décision facile, répète le curé, mais on n'a pas le choix. Il n'y a plus un seul espace de disponible dans le vieux cimetière. Je vous demande de collaborer avec la Fabrique.

Pour mieux faire accepter la décision, le prêtre a une importante nouvelle à annoncer à ses fidèles. De la grande visite est attendue à Saint-Benjamin. Le cardinal Villeneuve viendra confirmer les enfants et bénir le nouveau cimetière. La nouvelle est accueillie avec joie. Voir son enfant confirmé par le cardinal, ce n'est pas une mince affaire !

— Je voudrais que le nouveau cimetière soit prêt pour sa visite.

Sans perdre de temps, Josaphat Pouliot s'est nommé directeur des travaux, négligeant d'en avertir le curé et les marguilliers qui seront mis devant un fait accompli. Des travaux qu'il a confiés à ses proches. Romain Nadeau s'y est opposé. Il s'est même rangé du côté du prêtre, ce qui lui a valu d'être vertement rabroué par Josaphat quand il a dénoncé l'embauche des frères Biron.

— Quand Bénoni était maire, y engageait yenque des bleus. On fait pareil. On engage des rouges pis parsonne d'aut', a violemment rétorqué Josaphat.

Pourtant, une majorité de paroissiens a refusé que les travaux soient effectués par le conseil, préférant la solution de la corvée proposée par Maggie. Confier ces travaux aux frères Biron est un appel à la profanation des lieux. Comment faire confiance à des individus qui manquent la messe un dimanche sur deux et qui sacrent comme des revenants fraîchement sortis de l'enfer ? Et qu'en plus, on soupçonne de crimes.

— Une tâche aussi délicate ne devrait pas être effectuée par les fils d'un criminel, laisse tomber Florentine Boulet, l'ancienne institutrice du village, c'est irresponsable.

Une heure après le début des travaux, Amédée Breton et une poignée de paroissiens cognent à la porte du maire. Ils lui demandent de cesser toute activité immédiatement. Mais Romain Caron n'en a pas le pouvoir. Il les renvoie à Josaphat qui refuse de les écouter. Offusqué, Amédée hausse le ton. Josaphat n'en démord pas. L'exaspération est palpable. Furieux, Amédée Breton lui montre ses poings. Témoin de la scène, le curé accourt aussitôt.

— Mettez fin aux travaux tout de suite, vous n'avez pas le mandat pour les effectuer. Retournez chez vous et demandez au maire de venir me voir au presbytère.

Josaphat hésite. Les yeux plantés dans ceux du curé qui ne cillent pas. Doit-il le défier ? Oser la témérité ? Bataille perdue d'avance, il n'a aucune chance contre le bon Dieu ! Les paroissiens se rangeront derrière le prêtre. Josaphat et les siens ramassent pics et pelles. Séverin guide ses chevaux hors du nouveau cimetière. Josaphat bat la terre de ses bottes, les yeux rageurs, le poing tendu vers Amédée Breton. Frustrés, Josaphat, Séverin et les frères Biron capituleront-ils aussi facilement ?

Le curé doit se rendre à l'évidence encore une fois. Le conseil est dirigé par des hommes sans envergure, revanchards, mesquins. La Fabrique seule doit avoir la responsabilité des travaux et organiser une corvée, comme Maggie l'a suggéré.

D'un pas rapide, Vidal Demers rentre au presbytère. Que vienne le maire. Il l'attendra en vain, toute la journée. Romain Caron a disparu. Les travaux sont suspendus. Clovis Rodrigue-à-Bi, le marguillier en chef, en prendra la direction. Dès samedi, une première corvée sera organisée par la Fabrique.

Le lendemain, une rumeur folle rattrape le marguillier en chef et les deux hommes, dont Athanase Lachance, venus l'aider à délimiter le terrain en prévision de la corvée.

— Hospice, y paraît qu'Josaphat pis les Biron ont battu Romain Nadeau parce qu'y a pas voulu que l'conseil s'occupe des travaux ! s'écrie le bedeau.

— Y l'ont estropié ? demande Athanase.

Le bedeau n'a pas de détails. Une simple rumeur. La maison de Romain est vide. Loquet sur la porte. Les hommes se regardent, incrédules. Avant d'aller plus loin, Clovis va en informer le curé. L'ecclésiastique a la mine tirée. «Y a mal dormi», pense Clovis.

— Ça va pas, m'sieur l'curé ?

Vidal Demers se frictionne les reins en grimaçant. Sa soutane est froissée, patinée aux genoux et aux coudes, d'avoir trop prié. Le marguillier boudine le revers de son chapeau. Comment annoncer la nouvelle au curé ?

— Y paraît qu'Romain Nadeau s'é faite donner toute une volée hier parce qu'y a pas voulu que Josaphat pis les Biron s'occupent des travaux.

— Ça me surprendrait beaucoup, objecte le curé.

Il sort du presbytère, Clovis sur les talons.

— D'où vient cette rumeur? lance le prêtre à la ronde.

— Du magasin, avance Athanase.

— Je pense que vous avez mal compris. Le secrétaire de la paroisse vient de quitter le presbytère. Le maire lui a remis sa lettre de démission hier soir et il est parti avec sa femme pour passer du temps avec son fils qui vit à Québec.

— Parti?

— Oui, confirme le curé. Le secrétaire m'a affirmé que Romain n'était plus capable de faire face à la pression. Il tremblait comme une feuille quand il a signé sa lettre de démission.

Clovis n'est pas vraiment étonné. Romain pouvait-il endurer encore longtemps la domination de Josaphat? Les humiliations répétées, le mépris et les menaces.

— Vous allez tout préparer pour samedi? demande le prêtre.

— Oui, oui m'sieur l'curé, dit Clovis.

Vidal Demers tourne en rond, inquiet. Le maire parti, le temps est-il venu de relancer le gouvernement Godbout? Pourquoi ne bouge-t-il pas? Est-ce si compliqué de nommer un juge de paix? Sa dernière lettre est restée sans réponse. Se moque-t-on de lui à Québec? Josaphat a-t-il convaincu les libéraux de ne rien faire et de le laisser, seul, aux commandes de la paroisse?

La démission de Romain titille Athanase. Plein de questions se bousculent dans sa tête. Qui le remplacera? Attendra-t-on les élections pour choisir un nouveau maire? Si tel est le cas, qui dirigera la paroisse en attendant?

— Que c'é qu'la loi prévoit? demande Athanase au curé.

La seule réponse du curé provient du secrétaire. Dans pareilles circonstances, le conseil a le pouvoir de désigner un maire temporaire jusqu'à l'élection. Un maire qui sera choisi parmi le groupe de conseillers.

— C'é ben sûr qu'ça va être Josaphat, ronchonne Clovis.

— Selon le secrétaire, reprend le prêtre, Josaphat ne sait pas lire et ne peut pas être maire. Il aurait répété très souvent qu'il ne veut pas le devenir. À moins qu'il change d'idée ?

La situation est complexe. Doit-on laisser au conseil le soin de régler seul la succession de Romain ou exiger que le gouvernement intervienne ? Vidal Demers se demande s'il doit s'en mêler. L'idéal serait de renouveler tout le conseil. Comment ? Si, au moins, il pouvait compter sur le secrétaire, mais c'est un être vil en qui le curé n'a aucune confiance. Intervenir directement comme Antonio Quirion le faisait ? Inciter des hommes en vue de la paroisse à se manifester ? Peut-il jouer ce rôle ? Quelle serait sa crédibilité ? Que dirait l'évêché ?

— C'est à vous autres de vous en occuper, tranche le curé.

— J'comprends, m'sieur l'curé, admet Athanase, mé y reste juste quatre personnes au conseil, trois du côté d'Josaphat, pis Clophas Turcotte, tout fin seul dans son coin.

Le curé hausse discrètement les épaules. Ces jeux politiques lui déplaisent profondément.

— Pour l'instant, c'est le cimetière qui me préoccupe et la visite du cardinal. Il faut que la première corvée soit un succès.

Le lendemain, une trentaine de personnes se retrouvent au nouveau cimetière. Clovis-à-Bi répartit les tâches. Le curé va d'un groupe à l'autre, prodiguant encouragements et remerciements. Les paroissiens sont ravis, heureux de découvrir un curé attentif, consciencieux, qui leur fait oublier les bêtises de leurs dirigeants municipaux.

Jougs de bois sur les épaules, les deux gros bœufs noirs de Fortunat Raté avancent lentement dans le nouveau cimetière. Épierrement, essouchage, nivelage, la journée y passera.

— T'aimes pas mieux travailler avec des ch'vaux ? lui demande Athanase.

— Pantoute, rétorque Fortunat, des bœufs, ça marche drette. Des ch'vaux, ça s'en va à hue pis à diable. Pis ça écoute jamais.

39

La première page de *L'Action catholique* donne froid dans le dos. Le premier ministre anglais Winston Churchill croit que la guerre durera jusqu'en 1942. Sa plus grande crainte? Que l'Angleterre tombe, ville après ville, village après village. À Ottawa, le gouvernement de Mackenzie King se prépare à annoncer l'enregistrement obligatoire de tous les hommes et femmes de seize à soixante ans. Le Canada n'a plus le choix. À l'assemblée législative, René Chaloult, le député indépendant de Lotbinière, dépose une motion, appuyée par Camillien Houde, pour marquer l'opposition de la province à toute forme de conscription.

«Reflétant l'opinion de la très grande majorité de la province de Québec, cette chambre laisse savoir au gouvernement du Canada qu'elle est opposée à toute contrainte, à toute coercition dans la conduite de la guerre, et elle réclame, dans l'intérêt même de l'unité canadienne, que notre participation reste libre et modérée.»

Le premier ministre Adélard Godbout rejette la motion qui sera défaite par la majorité libérale. Sans le dire ouvertement, le chef du gouvernement pense qu'il faut mettre fin à la brutalité nazie. La survie de la démocratie en dépend.

Quand Athanase frappe à la porte, Maggie lève la tête du journal, le referme et le dépose sur la table, sans un mot, comme si elle était irritée d'avoir été dérangée. Mal à l'aise, encore ébranlé par sa dernière soirée avec elle, Athanase évite de la regarder dans les yeux.

— Tu lis les gazettes? demande-t-il, intrigué. Moé, j'sus abonné à *La Terre de chez nous*, mé j'ai jamais l'temps d'la lire.

Maggie lève vers lui des yeux incrédules. Une femme ne peut pas lire le journal?

— Ben oui, Athanase, imagine-toé donc que j'sus assez intelligente pour lire les gazettes, comme tu dis, pis tout comprendre c'qui é écrit d'dans.

Le ton de Maggie est mordant. À Québec, elle feuilletait régulièrement les journaux quand ses patrons en avaient fini. *L'Action catholique* mais surtout *Le Soleil*, son préféré, moins influencé par l'Église. Athanase ignore la raillerie. Pourquoi Maggie est-elle aussi sarcastique? L'a-t-il déçue à ce point l'autre soir?

— Comment va Mathilde?

— Mal, ben mal.

Mathilde ne quitte plus son lit. Ses jambes sont en charpie. Tous ses os lui font mal. Comme si son corps se désarticulait lentement avant l'affaissement final. Maggie se rapproche d'Athanase.

— Que c'é qui t'amène à la brunante comme ça?

Athanase piétine comme s'il ne savait pas sur quel pied danser. Maggie agit comme si rien n'était arrivé, comme si elle avait déjà oublié, comme si cette aventure ne méritait pas qu'on s'y attarde plus longtemps. À moins que ce soit à cause de Mathilde.

— J'ai passé la journée au village hier pour l'nouveau cim'tière. Tu devineras pas c'qu'y vient d'arriver?

— Parle!

— Romain a démissionné.

— Tant mieux!

Véritable cri du cœur! Maggie se réjouit, mais elle saisit rapidement toute la dimension du problème. Qui va le remplacer? Comment sera choisi le remplaçant?

— Creusse, y paraît qu'c'é aux membres du conseil de décider, désapprouve Athanase.

— Pis y vont nommer Josaphat? demande Maggie.

Athanase la rassure. Analphabète, Josaphat n'a pas la compétence pour occuper le poste et il n'en veut pas. Officiellement. Officieusement, il sera maire sans en avoir le titre comme il l'a fait avec Romain.

— Faut absolument trouver un moyen de s'débarrasser d'lui, dit Maggie.

Elle marche nerveusement de long en large dans la cuisine. Le contexte vient drôlement de changer. Si Josaphat ne veut pas du poste de maire, il l'offrira à l'un des deux conseillers qui lui sont loyaux. Comment l'en empêcher ? Comment lui mettre des bâtons dans les roues, le ralentir davantage ? Déjà, l'épisode du cimetière a ébréché sa crédibilité, érodé sa belle assurance.

— Comment c'é qu'on pourrait ben s'y prendre ? poursuit-elle sans vraiment attendre une réponse d'Athanase.

Maggie réfléchit. Athanase ne la quitte pas des yeux, imprégné de désir. Tous ses sens perturbés, il est incapable de l'ignorer. Ses pensées sont saturées, occupées par Maggie, jamais assouvies, même s'il fait d'énormes efforts pour ne pas songer à elle, pour se convaincre qu'une relation avec Maggie tournerait vite à la catastrophe. Mais rien à faire, il n'y arrive pas. La veille, il a eu une longue discussion avec Alexandrine. Elle lui a fait comprendre clairement que s'il est si amoureux de Maggie, il ne devra pas la laisser partir, sinon elle ne reviendra jamais. « Si tu l'aimes, tu vas d'vouère lui dire, pis vite à part de ça, parce que Maggie a tournera pas en rond à t'attendre. Y ont offert une ben grosse *job* à Québec, pis a va la prendre si tu t'déniaises pas ! » Est-ce que Maggie est éprise de lui ? Elle en est certaine. Est-ce que Maggie lui ferait une bonne épouse ? Alexandrine n'a aucun doute. Tout ce que Maggie a fait dans le passé, elle l'a fait avec passion en se donnant entièrement. Jamais de demi-mesure avec elle. « Si a dit oui, ça t'fera une ben bonne femme, mé y faudra pas qu'tu t'entêtes à la mettre à ta main. Ça, tu y arriveras jamais ! Tu vas d'vouère la prendre comme a l'é. »

— Dans l'journal, on prétend que l'Angleterre é à la veuille de tomber, reprend Maggie. Mackenzie King laissera pas faire ça. La conscription s'en vient, j'en sus sûre.

— Mé Godbout a dit qu'y en aurait pas, interjette Athanase.

— C'é pas Godbout qui *ronne* la province de Québec, c'é Ernest Lapointe, réplique Maggie avec sa belle assurance.

Athanase ne poursuit pas la discussion. Ce débat ne l'intéresse pas vraiment. Il est étonné que Maggie se passionne autant pour des événements qui se déroulent si loin de Saint-Benjamin.

— Dans queques jours, m'en vas aller au village, pis m'en vas dire à Honoré-à-la-Pie, le maître de poste, qu'mon ami d'la police provinciale s'en vient pour enregistrer toutes les ceuses qui sont en âge de faire la guerre. J'te garantis qu'les deux Biron vont déguerpir aussitôt.

— As-tu vraiment un ami dans police ?

— Oui, une connaissance de Walter, mé c'é surtout pour leu faire peur, pour inquiéter Josaphat. Sans les Biron, y va être pas mal moins fanfaron.

— Avec c'qui arrive à leu père, argue Athanase, j'sus pas si certain qu'y vont partir. Depus qu'y s'é fait battre, y a capoté. Y paraît qu'des matins quand y s'lève, y s'pense en prison pis y pleure comme un enfant. L'bedeau est sûr qu'y en a pus pour ben longtemps.

Maggie se tourne vers Athanase, le regard inquiet. Est-elle allée trop loin ? Était-ce vraiment nécessaire de le tabasser de la sorte ? Et si elle ne réussit pas à faire fuir les frères Biron ?

— Quant à moé, y a c'qui méritait, maugrée Maggie, pour se convaincre qu'elle a eu raison d'agir comme elle l'a fait.

Dans la chambre, Mathilde tousse faiblement, une sorte de dernier râle. Maggie s'approche de la porte, jette un coup d'œil et branle la tête.

— Tu connais les deux conseillers qui suivent Josaphat comme des moutons ?

— J'connais un peu Oram Veilleux, mé l'aut', pas pantoute.

— Oram, y é parlable ? demande Maggie.

Athanase hausse les épaules. Oram Veilleux est un cultivateur sans histoire. Grosse famille, pas riche, teint basané et large sourire qui s'ouvre sur une bouche pleine de dents grosses comme celles d'une vache. Oram suit le vent. Recruté par Bénoni, vire-capot, il a été attiré par les belles promesses et les petits contrats de Josaphat. C'est un faible, le mouton qui bêle d'inquiétude quand le troupeau s'éloigne.

— Y pourrait-y s'laisser convaincre ? demande Maggie. Parce que s'tu l'amènes de ton bord, ça les désorganiserait pas à peu près.

La partie mérite d'être jouée. Oram pourrait encore une fois virer capot avec de belles promesses si on lui faisait miroiter une défaite s'il reste collé à Josaphat. Maggie fait le pari qu'en débarrassant le village des frères Biron et en attirant Oram pour déstabiliser Josaphat, la dynamique changerait drôlement.

Athanase met son chapeau et se dirige vers la porte. Maggie le suit. Dehors, l'air est humide. Un vent de mauvais temps geint dans le sous-bois. Elle referme la porte derrière elle.

— Tu vas aller l'vouère ?

— Oui, dès qu'j'ai une chance.

Athanase attrape Maggie par le bras et l'attire vers lui pour l'embrasser. Surprise, elle se raidit et se dégage rapidement, brusquement. Athanase ne comprend pas, les yeux exorbités comme ceux du renard qui a perdu sa proie.

— Pas maintenant, précise-t-elle. Mathilde é en train d'mourir pis j'ai pas la tête à ça.

— J'voulais juste te dire que si tu restes après, m'en vas être ben content.

Maggie le regarde droit dans les yeux, mais Athanase n'ajoute rien. Qu'entend-il par là exactement? Elle a beaucoup réfléchi depuis leur aventure décevante. Et elle a beaucoup repensé à Walter, à Québec. Elle n'est plus certaine de rien.

— C'é trop compliqué, Athanase. J'ai peur qu'on s'fasse mal pour rien.

— Tu m'en veux pour l'aut' soir?

— Non, non, c'é pas ça. J'sus ben attachée à toé, mé j'sus loin d'être sûre que j'veux rester par icitte.

— C'é à cause de mes filles.

— Non, non. Ben au contraire. Si c'était seulement les filles, j'resterais sans hésiter. C'é la terre. C'é Saint-Benjamin. C'é loin d'toute. J'aurais peur d'étouffer.

La voix de Maggie se casse. Elle se lève, prend la main d'Athanase dans la sienne un moment avant de retourner dans la maison.

40

Mathilde est morte. Maggie vient de la trouver, un bras pendant hors du lit, le visage refermé, la sérénité de celle qui a eu une longue et bonne vie. Elle retient ses larmes, touche la main de Mathilde, froide. Elle est morte depuis quelques heures. Quand Maggie est rentrée la veille, sa tante dormait, la respiration bruyante, souvent interrompue pendant de longues secondes. Au cours de la nuit, Maggie a cru entendre du bruit. Elle a songé à se lever pour s'assurer que sa tante dormait toujours. Elle aurait dû, elle s'en veut de ne pas avoir été là pour accompagner Mathilde jusqu'à son dernier souffle.

Assise à côté de la morte, ses mains froides dans les siennes, Maggie laisse couler ses larmes. Elle presse ces vieilles mains aux veines saillantes, à la peau fripée comme une étoffe décatie. Elle essaie de se convaincre que c'était la meilleure solution. La vie n'avait plus rien à offrir à Mathilde. Son cerveau atrophié l'avait ramenée en enfance.

Mais elle était son dernier lien avec sa famille, avec son passé. Maintenant, Maggie se sent seule, comme si tout venait de s'éteindre. La bougie qu'on souffle avant de quitter la maison pour la dernière fois. Elle pleure cette femme exceptionnelle, toute dévouée à son mari adoré et qui a tant souffert de ne pas avoir eu d'enfants. La nature et son cher bon Dieu l'avaient voulu ainsi. Quand sa mère a commencé à dépérir, Maggie s'est tournée vers Mathilde. Sans se faire prier, elle l'a adoptée comme sa propre fille. C'est elle qui l'a soutenue pendant ses deux années d'enseignement. C'est encore elle qui a mis en veilleuse sa religion et ses principes quand Maggie, enceinte de Walter, a décidé de faire mourir son enfant. Quand Maggie est allée vivre à

Québec avec Walter, Mathilde n'a jamais cessé de s'inquiéter pour elle. Elle lui a pardonné ses longues absences, ses longs silences, toujours heureuse de recevoir une carte à Noël et, parfois, à sa fête. Maggie regrette de ne pas avoir maintenu des liens plus soutenus avec sa tante qui ne méritait pas tant d'ingratitude.

Maggie se lève et fait quelques pas dans la cuisine. Dans un instant, elle ira prévenir Alexandrine et Athanase. Elle demandera à Pit d'aller chercher le curé pour les prières d'usage. Mais pas maintenant, elle a besoin de quelques minutes pour apprivoiser sa peine. Elle a l'impression que Mathilde va se lever pour déjeuner et, profitant des rares moments de lucidité de celle-ci, elles parleront, riront, referont le monde. Dehors, la vie s'ébroue, belle et pétillante comme elle l'est en mai, le plus beau mois de l'année. Maggie observe les environs. Elle essaie de comprendre comment Mathilde a pu y vivre pendant si longtemps, heureuse et sans jamais en demander davantage. Véritable bousculade dans la tête de Maggie, sa vie vient de changer. Elle devra prendre une décision dans les prochains jours, rester ou partir. Elle ne peut plus tergiverser. Sa tante morte, elle n'a plus d'excuses.

En apprenant la nouvelle, Alexandrine éclate en sanglots dans les bras de Maggie. Mathilde était sa deuxième mère, celle à qui elle rendait visite tous les jours avant l'arrivée de Maggie. Lucien s'approche, embarrassé. Homme de peu de paroles, il ne trouve pas les mots. Il touche la main de Maggie et sort de la maison.

— M'en vas d'mander à moman de v'nir nous aider à la met' sus les planches. C'é pas ben compliqué, mé avec elle, ça s'ra plus facile.

Maggie est soulagée. Elle se souvient de la mort de sa mère, elle et Lina avaient été incapables de réagir. Mathilde s'était occupée de tout.

Elle retrouve Athanase dans la grange en train de préparer ses outils pour la saison des foins.

— Mathilde é morte.

Athanase sent les larmes lui monter aux yeux. Il s'approche de Maggie, lui ouvre les bras et la serre fort contre lui.

— Pleure comme y faut, y a pas d'honte pis ça va t'faire du bien.

Ils restent enlacés un long moment, Maggie toute à sa peine, Athanase cherchant les bons mots pour consoler cette Maggie habituellement si forte, qui est secouée par d'incontrôlables sanglots. Athanase se prend à rêver qu'il sera toujours là pour la protéger, la réconforter. Mais l'inquiétude n'est jamais loin. La mort de Mathilde entraînera-t-elle le départ de Maggie dans les prochains jours ? Doit-il lui dire bien fort qu'il l'aime et ne veut pas la voir partir ? Qu'il l'acceptera telle qu'elle est ? Mais le moment est probablement mal choisi.

— As-tu faite v'nir l'curé ?

— Oui, la fille d'Alexandrine a d'mandé à Pit d'aller l'charcher. Veux-tu v'nir avec Alexandrine quand y s'ra là ? Je l'connais pas beaucoup, pis ça m'inquiète un peu.

— Ben oui, pis bâdre-toé pas pour le cim'tière, m'en vas aller creuser la fosse.

Quand elle entend les clochettes annonçant l'arrivée du curé, Maggie a un geste de recul. Malgré la bonne impression qu'elle en a eu à la messe, malgré le contact chaleureux mais bref lors du sauvetage du petit Claude, elle ne peut s'empêcher de penser à Antonio Quirion qui l'avait traitée avec mépris lors de la mort de sa mère. Athanase va lui ouvrir.

— Bonjour, madame Miller. Je vous offre mes condoléances.

Maggie lui serre la main et le conduit dans la chambre de Mathilde. Le prêtre se recueille, bénit la dépouille et récite quelques prières. Alexandrine et Athanase se sont agenouillés, Maggie est restée debout, immobile, incapable de prier ou de se signer à la fin de la prière. Athanase n'arrive pas à comprendre sa froideur quand il s'agit de religion. Maggie offre un thé au prêtre. La discussion tourne en rond comme toutes les discussions autour d'un mort.

— Vous passerez me voir au presbytère après les funérailles. Il y aura quelques papiers à signer. Et entre les préparatifs à la venue de monseigneur Villeneuve et le train-train du presbytère, on trouvera le temps de parler un peu.

Maggie est touchée par l'attention du curé. De quoi veut-il lui parler? Pourquoi s'intéresse-t-il à elle? Avec tout ce qu'on raconte à son sujet, ne devrait-il pas se méfier, garder ses distances?

Dans les deux jours suivants, une vingtaine de personnes défilent devant le cercueil de Mathilde. Tous les habitants du rang-à-Philémon et quelques autres viennent rendre un dernier hommage à la morte. Les deux filles d'Athanase sont inconsolables. Leur père ne trouve pas les mots pour les calmer. Maggie les prend par la main et s'assoit au milieu d'elles. Lentement, avec émotion, elle leur parle de Mathilde, de la vie exceptionnelle qui a été la sienne et du plaisir qu'elle aura à retrouver son mari dans une autre vie.

— A l'é au ciel? demande Laetitia, pas certaine de ce que l'expression «une autre vie» veut dire.

— Oui, ben sûr, dit Maggie, a l'a vécu comme une sainte.

Le jour des funérailles, l'église est presque pleine. Le patron de la Quebec Stitchdown Shoe et trois employés sont venus de Québec. Même Ansel Laweryson, le protestant, est là, mais le curé ne s'en offusque pas. Son sermon est bien senti.

— Mathilde Rodrigue est une pionnière, une femme modèle qui a beaucoup souffert de ne pas avoir d'enfants, mais qui s'en est remise à la volonté de Dieu sans rechigner. Elle a été un exemple pour toutes les femmes de sa génération, pieuse, fidèle et attentive aux besoins de son mari et des siens.

Une vie sans enfants, voilà une réalité qui est aussi celle de Maggie. N'eût été de cette fausse couche, elle aurait un fils ou une fille aujourd'hui et, qui sait, une famille. Elle y a souvent pensé. Elle s'est souvent demandé comment sa vie aurait été changée par la présence d'enfants à ses côtés. Elle a cru après le retour de Walter qu'elle ne pourrait jamais avoir d'enfants à cause de l'avortement brutal qu'elle s'était infligé mais, après les demandes d'adoption refusées, le médecin a effectué de nouveaux tests sur Maggie et Walter. Il a été catégorique. Les maladies contractées par Walter pendant la guerre avaient causé sa stérilité. Maggie était toujours fertile. Serait-il trop tard maintenant ? Elle a cessé d'y songer.

Après la cérémonie, son patron lui présente ses condoléances.

— J'sais que le moment est mal choisi, mais j'te rappelle que mon offre tient toujours, pis j'peux même l'améliorer si ça peut aider à te convaincre. Vis ton deuil, règle les affaires de ta tante, pis donne-moi des nouvelles.

Athanase, tout près, entend la conversation. Son cœur lui fait mal. Alexandrine n'exagérait pas, Maggie est très sollicitée. Elle pourrait occuper un poste important, comme un homme. En comparaison, la vie qu'il lui propose est plutôt terne. Comment la retenir ?

Quand elle arrive au presbytère, le curé l'invite dans son bureau et lui tend un verre d'eau. Il est maladroit, nerveux et vient bien près de renverser l'eau sur Maggie. Il est impressionné par la beauté de cette femme, mais sa situation l'oblige à se dominer, à éconduire les diablotins qui chatouillent son cœur. Il lui fait signer les documents usuels.

— J'espère que personne d'autre ne s'en est pris à vous. L'incident du printemps était vraiment déplorable.

Quand Maggie lui raconte qu'elle a surpris Edgar Biron derrière la maison de Mathilde et qu'elle s'est emparée de sa montre, le curé la regarde comme si elle était Al Capone. Il lui suggère d'appeler la police, mais Maggie veut attendre un peu, le temps d'un deuil. Son récit ébranle le curé et lui renvoie au visage le chaos qui règne dans la paroisse en l'absence de dirigeants responsables, d'un vrai maire et d'un juge de paix. Cette nouvelle agression qu'il ignorait le conforte dans sa décision de prendre la situation en main.

— On verra ben, avance Maggie, si j'décide de r'tourner à Québec, l'problème sera réglé pis on n'en parlera pus.

Le curé ne sait pas trop quoi penser de cette femme qu'on dit hors normes, indépendante, sans morale. Vidal Demers connaît maintenant le passé de Maggie, ses démêlés avec le curé Quirion, sa cohabitation hors mariage avec un protestant, la pendaison de son mari. Méfiance et prudence sont les mots d'ordre, mais la sincérité et la vigueur intellectuelle de Maggie lui font bonne impression. Son intervention très pertinente lors de l'assemblée publique sur le nouveau cimetière et son sang-froid pour sauver le petit Claude l'ont surpris. Au-delà de sa réputation, le curé découvre une femme forte, intimidante, qui le regarde droit dans les yeux, contrairement aux autres femmes. En partant, Maggie serre la main du prêtre.

— Merci pour tout, m'sieur l'curé.

— Bon retour à Québec si vous décidez de nous quitter.

Alexandrine et Pit Loubier l'attendent devant le presbytère.

— J't'emmène à la maison, dit Alexandrine, pis tu coucheras chez nous à soir.

— Penses-tu que j'dois porter le deuil? demande Maggie.

Alexandrine hausse les épaules.

— Pour un oncle ou une tante, c'é six mois de demi-deuil, mé t'es pas obligée si tu restes pas par icitte.

La perche tendue par Alexandrine fait sourire Maggie. Elle n'a pas envie d'avoir cette discussion maintenant.

41

Saint-Benjamin s'est fait une beauté pour accueillir le cardinal Villeneuve. L'église a été nettoyée, les statues dépoussiérées, des pots de géranium plantés aux extrémités du perron. Depuis la venue du cardinal Louis-Nazaire Bégin, il y a vingt ans, aucun prélat n'a visité Saint-Benjamin. Que de changements depuis ! La place de l'église étincelle. La vieille étable de la Fabrique a été démolie. Un nouveau presbytère trône à la droite de l'église, flanqué un peu plus loin du couvent où logent les sœurs de Saint-François d'Assise, maintenant chargées de l'enseignement au village.

Les travaux du cimetière ne sont pas terminés, mais la bénédiction aura lieu quand même. Peut-on laisser passer pareille occasion ? Un cimetière béni par un cardinal n'est-il pas la garantie d'une place auprès de Dieu pour tous ceux qui y seront enterrés ?

La veille de l'arrivée du prélat, Laetitia a répété ses prières avec Maggie et Athanase. La jeune fille est très nerveuse, désireuse de bien faire. Elle sera confirmée par le cardinal Villeneuve, quel honneur ! Athanase en est encore plus heureux que sa fille. Maggie n'arrive toujours pas à comprendre pareil engouement pour tout ce qui est religion.

— Y paraît qu'y a passé proche de dev'nir pape, dit Athanase.

Maggie retient un geste d'impatience, dépassée par l'admiration que voue Athanase au cardinal Villeneuve. Après tout, ce cardinal rétrograde ne s'est-il pas opposé farouchement au vote des femmes ?

— J'pense que c'était juste une rumeur pis qu'y avait rien de vrai là-d'dans.

— Ben voyons, Maggie, s'indigne Athanase, y aurait fait un ben bon pape !

Jean-Marie-Rodrigue Villeneuve a été le premier cardinal canadien à participer à un conclave. Certains le voyaient même comme successeur de Pie XI. D'ascendance française, d'allégeance anglaise et né en Amérique, il avait tous les bons gènes, mais à la fin, les Italiens ont continué de ne faire confiance qu'à eux-mêmes, choisissant Pie XII malgré le déluge de prières des fidèles canadiens-français.

— En tout cas, rappelle Athanase à Laetitia, t'as marché au catéchiste assez longtemps pour pas avouère à t'inquiéter.

Maggie prend la main de la jeune fille et l'attire dans sa chambre pour faire les derniers ajustements à sa robe. Une robe bleue, piquée d'anges roses, que son père a achetée au magasin. Mais les manches étaient trop longues, au grand désespoir de Laetitia. Quand elle ressort de la chambre, elle se pavane dans la cuisine, fière comme si elle avait été couronnée reine d'Angleterre. Ébahie, Madeleine l'applaudit. Athanase et Maggie échangent un regard complice, comme s'il s'agissait de leur fille.

— T'es belle comme un cœur, la complimente Maggie.

Le lendemain, des paroissiens grognent en voyant Maggie sur le perron de l'église. Les irréductibles qui ne lui pardonneront jamais ses actes passés se scandalisent de la retrouver là en une occasion aussi spéciale. Elle ! Que dira le cardinal ? C'est une véritable profanation ! Mais Maggie n'a que faire des regards accusateurs. Une semaine après la mort de Mathilde, elle porte le crêpe noir pour bien souligner son deuil. Elle retrouve le banc de sa tante dans la nef quelques instants avant que le prélat ne fasse son entrée par la porte de la sacristie. Les paroissiens auraient souhaité une arrivée plus spectaculaire par la grande porte de l'église, mais le cardinal a choisi la discrétion. Derrière lui, Vidal Demers se tord de nervosité.

Mince, cheveux blancs courts, petit lorgnon, le cardinal est intimidant. Son sermon est long et ponctué d'avertissements à peine voilés aux dirigeants de la paroisse. Romain et Josaphat sont engoncés dans leur banc, les yeux rivés sur le bout de leurs souliers.

— Les événements des dernières semaines sont inacceptables. La politique est l'affaire du gouvernement quand le gouvernement est à la hauteur, laisse entendre le cardinal.

Bénoni l'écoute avec intérêt. Inacceptable, oui, mais il dispose de peu de moyens d'intervenir. Trop près de Duplessis, vivement opposé au projet de loi chéri du premier ministre Godbout sur le vote des femmes, le cardinal n'a pas assez d'influence politique pour régler des problèmes qui ne relèvent pas de l'Église.

— La guerre en Europe est notre affaire à tous, continue le cardinal.

À l'étonnement de certains, monseigneur Villeneuve se fait le défenseur de la vieille Europe, de la civilisation. Il donne l'impression d'être du côté du gouvernement de Mackenzie King, l'impression qu'il l'appuiera quelles que soient les mesures adoptées, y compris la conscription. La missive envoyée aux curés de son diocèse, la semaine dernière, ne laisse aucun doute :

« Son Éminence le cardinal invite messieurs les curés à bien vouloir faciliter, dans la mesure du possible, l'enregistrement national. »

Faut-il s'étonner de pareille invitation ? Dans les journaux de Montréal, certains lui reprochent de ne pas bien connaître la mentalité des gens de la province de Québec. Ancien évêque de Gravelbourg, en Saskatchewan, monseigneur Villeneuve a une approche résolument canadienne des dossiers, surtout celui de la guerre.

Le cardinal assortit son sermon de pauses nombreuses. Ses yeux balaient l'assemblée, pleins d'interrogations. Qu'est-ce qui l'agace de la sorte ?

La confirmation est chaotique. Des enfants bredouillent leur prière, d'autres, tellement nerveux, oublient tout.

Laetitia surmonte ses craintes et exécute un parcours sans faute. Une larme coule sur la joue de Madeleine. Athanase a les yeux mouillés. Maggie cache bien sa fierté. Laetitia lui rappelle ses plus brillantes élèves, qu'elle encourageait à devenir institutrices ou gardes-malades.

Après la messe et avant de se rendre dans le nouveau cimetière, le cardinal semonce son jeune curé.

— Comment pouvez-vous permettre à des femmes de venir à la messe aussi légèrement vêtues ?

Le curé ne comprend pas bien où son évêque veut en venir. Des femmes écourtichées ? Depuis la fin du printemps, il a bien remarqué que certaines femmes bien en chair avaient laissé tomber les manches, mais rien qui ne l'avait vraiment choqué.

— On ne vient pas à l'église les bras nus. C'est carrément indécent.

Penaud, Vidal Demers baisse la tête. Pour bien faire comprendre son message, le cardinal sert une menace à peine voilée au jeune curé.

— La province de Québec compte maintenant cinq mille prêtres et plus de cent vingt communautés religieuses. Les ressources sont nombreuses et compétentes.

Après la messe, Maggie et Alexandrine retournent à la maison avec Pit Loubier. Pendant qu'Athanase et ses filles seront au cimetière pour la cérémonie de bénédiction, elles prépareront le dîner en l'honneur de Laetitia et de Charlotte, la fille d'Alexandrine, les deux nouvelles confirmées.

— En tout cas, l'cardinal, y avait pas l'air ben d'adon aujourd'hui.

Maggie se mord la langue pour ne rien dire qui déplairait à Pit et à Alexandrine.

— C'é ben loin d'Québec, y doit être fatigué, le défend Alexandrine.

Maggie se dépêche de changer un sujet de conversation qui l'ennuie.

— Penses-tu, Pit, que tu pourrais m'conduire à Saint-Georges dans ton char ? J'aimerais ben aller aux p'tites vues, la semaine prochaine avec Alexandrine. Ça m'changerait les idées.

Surprise, Alexandrine ne sait pas comment réagir à l'invitation de Maggie. Pourquoi ne pas y aller avec Athanase ?

— À Saint-Georges ? M'en vas t'toter là dans un siffle. Les yeux farmés comme quand j'sus r'venu après qu'j'ai acheté mon char.

À la vérité, Pit Loubier avait mis près d'une heure à sortir de Saint-Georges, tentant d'apprivoiser la boîte de transmission de sa Studebaker, puis de retrouver la route qui le conduisait de Saint-Georges à Cumberland Mills et à Saint-Benjamin.

— Aux p'tites vues ! s'étonne Alexandrine.

Maggie se contente de sourire. Elle tient pour acquis qu'Alexandrine refusera son invitation et qu'elle pourra alors se tourner vers Athanase.

Quand il arrive avec les filles, la table est mise. En passant près de Maggie, discrètement, il met sa main sur la sienne. Elle sourit. Mais son sourire s'éteint rapidement quand Athanase raconte ce qu'il a entendu au cimetière.

— Maintenant qu'les filles sont sorties, laissez-moi vous dire que l'cardinal a donné toute une dombale au curé parce que des femmes étaient trop écourtichées.

— Quoi ? fait Maggie éberluée.

— Comment tu sais ça ? demande Alexandrine.

Au cimetière, le marguillier en chef a raconté qu'avant de rentrer dans la sacristie après la messe, il avait entendu l'admonestation de monseigneur au curé. Clovis s'est dépêché de le répéter au marguillier du banc et, à la vitesse du vent, la nouvelle a fait le tour du village.

— J'en r'viens pas, s'exclame Maggie, comment c'cardinal-là haït les femmes !

— Maggie, faut l'comprendre, dit Alexandrine, y fait ça pour l'bon Dieu. C'é sûr qu'y é un peu sévère, mé y a raison. La femme à Dollard Boily, a n'en montrait un peu trop. Tous les hommes la r'luquaient!

Maggie se contente de hausser les épaules, cachant mal son mépris pour le prélat. Athanase est contrarié. Elle n'a donc aucun respect pour la religion. Même un cardinal n'est pas assez bon pour elle.

— En tout cas, le curé était nerveux pas pour rire. Y en m'nait pas large à côté d'monseigneur!

Maggie met fin à la conversation et, l'air taquin, s'adresse à Athanase.

— J'ai d'mandé à Alexandrine, mé a m'a pas répondu. Tu viendrais-tu aux p'tites vues avec moé dimanche prochain?

Athanase la regarde, étonné. Alexandrine se tourne vers l'un et l'autre, intéressée. Les p'tites vues? Sa mère ne l'a-t-elle pas déjà averti que les théâtres sont des endroits de perdition, des nids de vice et de débauche?

— Aux p'tites vues, à Saint-Georges?

— Oui, y a une bonne vue qui vient d'arriver. *Gone with the Wind* avec Clark Gable pis Vivien Leigh. Y paraît que c'é la meilleure vue jamais faite.

— Si c'é en anglais, fait remarquer Athanase, j'comprendrai rien.

— J't'expliquerai, le rassure Maggie.

— Pis comment on va aller là?

— Pit m'a dit qu'y peut nous conduire au Cinéma Saint-Georges sus la deuxième avenue sans problème.

— Sans problème? Avec Pit? T'es brave en creuse.

— Ça t'tente ou ça t'tente pas?

À la vérité, Athanase n'est pas très intéressé par le cinéma, surtout en anglais. Mais l'occasion est belle de démontrer à Maggie qu'il peut faire des compromis pour l'avoir auprès de lui.

— Oui, oui, si Alexandrine veut garder les filles, pis si on r'vient à temps pour les vaches.

L'invitation de Maggie présage-t-elle d'autres sorties ? Depuis la mort de Mathilde, Athanase n'a pas osé lui demander si elle partait ou restait. Chose certaine, Maggie n'a rien changé dans la maison de Mathilde. Elle a même engagé un menuisier pour renforcer les portes et les fenêtres, protection additionnelle contre d'éventuelles incursions d'Edgar Biron.

42

La démission de Romain Nadeau n'a surpris personne. Elle était attendue comme une couvée de merles en mai. En ce petit matin laiteux, Bénoni Bolduc marche lentement dans le sentier des vaches, le visage éclairé d'un grand sourire, ineffaçable. Tout à son plaisir, vengé. Il revoit Cléophas, à bout de souffle, sur le pas de la porte de grange. Romain a démissionné, y avait trop d'pression.

— Espèce de feluette, a craché Bénoni.

Quand il arrive au bout du pâturage, de l'autre côté de la rivière Cumberland, la scène le saisit, lui coupe le souffle. Trois moutons, dont le bélier, gisent morts, la gorge tranchée, éviscérés, de grandes lanières de peau arrachées, le sol taché de sang. Les moutons ont-ils été attaqués par une bête sauvage? Le reste du troupeau est nerveux. Les agnelets sont collés au flanc de leur mère. Bénoni compte ses bêtes. Aucune autre n'a disparu. Il se penche de nouveau sur les trois moutons morts. Les mouches bourdonnent autour des cadavres. L'œuvre d'un prédateur ou d'un humain? Un prédateur aurait mangé une bonne partie des animaux. Il jette un long coup d'œil sur les environs. Il n'y a ni traces de pas ni pistes d'animal. Rien. Les vaches sont agitées, les unes contre les autres. Bénoni les ramène à l'étable. Après le barda, il effectuera une vérification complète des environs. Mille questions trottent dans sa tête. Des loups? Il n'en a pas vu depuis au moins trois ans. Des chiens errants? Il pense immédiatement aux deux chiens d'Ovila-au-bedeau, deux gros bâtards peu rassurants. Parfois, Ovila les laisse en liberté la nuit.

Après le déjeuner, Bénoni attelle son cheval. Première étape de son enquête: les chiens d'Ovila-au-bedeau. Gros homme aux cheveux noirs frisés, des taches blanches aux commissures des lèvres, il a la démarche lourde d'un vieux cheval. Il est surpris de retrouver Bénoni si tôt le matin. La tuerie des moutons le déconcerte. Ses chiens auraient-ils égorgé les trois animaux?

— J'comprends pas comment y ont pu s'détacher. J'te jure, Bénoni, que c'é pas moé. J'les ai trouvés d'vant la porte d'la maison à matin, pis j'les ai rattachés tout d'suite. Depus qu'y ont fait peur aux enfants, j'les lâche jamais lousses si j'sus pas là pour les *watcher*. Pis quand y sont lousses, y vont jamais ben loin, sûrement pas aussi loin qu'ton clos d'pacage.

Ovila se démène comme un rat pris au piège. Ses explications sont peu crédibles. Qui a détaché les chiens, si ce n'est pas lui?

— Y auraient-y pu s'détacher tout seuls? demande Bénoni.

— Non, non, y sont attachés avec des chaînes. Viens vouère.

À l'approche de Bénoni et d'Ovila, les deux bêtes grondent, tous crocs dehors. Bénoni recule d'un pas. Retenus par des chaînes de métal reliées à des anneaux de fer, vissées profondément dans une grosse poutre de la grange, les deux bêtes ne peuvent pas s'échapper sans complicité.

— Si c'é pas toé pis si y s'sont pas détachés tout seuls, c'é quequ'un d'aut' qui l'a fait? demande Bénoni.

Ovila branle la tête, embarrassé.

— Ça prend quequ'un qui a pas peur des chiens. Y obéissent rien qu'à moé, pis un peu à Edgar Biron qu'j'engage pendant les gros travaux. Y a ben la main avec les chiens. Mé j'y ai défendu d'les détacher quand j'sus pas autour.

Bénoni relève vivement la tête. Edgar Biron? Serait-il assez cruel pour détacher des chiens, les entraîner sur une distance de deux milles et les lâcher dans le troupeau de moutons? Le scénario lui semble invraisemblable, mais il ne le rejette pas. À la lumière de tous les mauvais coups attribués aux frères Biron depuis le début du printemps, rien n'est impossible. En admettant qu'Edgar n'ait pas agi seul et qu'il ait été pistonné par Josaphat Pouliot, pourquoi voudrait-on se venger de lui? Que craignent ses adversaires? Il n'a pas voulu faire partie de la délégation qui s'est rendue à Québec. Et ne vient-il pas de refuser de s'impliquer dans le dossier du cimetière? Quel message lui envoie-t-on? Deux jours après la démission du maire, veut-on le décourager de remplacer Romain?

Bénoni se prépare à prendre congé d'Ovila quand Ephrem Bolduc s'arrête devant la maison. Le vieil homme, longue barbe hirsute, chapeau de paille calé sur les yeux, se lève dans son robétaille, retenant fermement son cheval.

— C'était-y toé qui ravaudait dans l'coin avec tes deux chiens, hier à soir en pleine noirceur?

— Non, fait Ovila, visiblement de plus en plus inquiet.

— Tu l'as pas r'connu? demande Bénoni.

— Un gros gars comme Vila, c'é pour ça qu'j'voulais y dire que si tu séquisses tes christ de chiens sus un seul d'mes animaux, y sont pas mieux qu'morts. Pis toé-tou, Vila-au-bedeau!

Ephrem repart aussitôt. Les pires soupçons de Bénoni se confirment. Quelqu'un a lâché les chiens dans son troupeau de moutons. Il rage. Le revoilà confronté à ses adversaires. Ne leur a-t-il pas laissé le champ libre? Monnaie courante quand il était maire, les coups vicieux de ses adversaires recommencent-ils?

— J'ai juste un conseil à t'donner, Ovila, débarrasse-toé d'ces chiens-là avant qu'quequ'un l'fasse à ta place ou qu'tu te r'trouves en prison parce qu'y auront tué un enfant. Pis si la police découvre qu'Edgar les a lâchés sus mes moutons, tu vas t'les faire confisquer, pis tu risques d'te r'trouver en prison toé aussi.

Ovila baisse les yeux. Non, il ne se débarrassera pas de ses chiens, son bien le plus précieux, plus encore que sa femme et ses enfants. Quand il bat la campagne avec eux, il se sent invincible, le plus fort. Dorénavant, il les enfermera dans la bergerie pendant la nuit, à triple tour. Tantôt, il aura une bonne discussion avec Edgar Biron. Qui d'autre que lui? Il les a probablement soudoyés avec de la viande pour les décourager de japper. Pourquoi ne les a-t-il pas rattachés au retour? Ovila ne comprend pas.

Plutôt que de se rendre au village comme prévu, Bénoni retourne à la maison. Dans le pâturage, il récupère les trois carcasses et les entasse à l'arrière d'une voiture plate. Le reste du troupeau se déplace en un groupe compact. Apeuré, sans bélier pour les protéger. Ce bélier de race dont Bénoni était si fier. Il l'avait obtenu à bon prix, grâce à l'intervention du député. Il rage en imaginant la scène. L'arrivée des chiens, féroces. Le bélier se plante devant le troupeau pour le protéger. Toutes cornes baissées, il repousse les chiens. Il lutte bravement mais le combat est inégal. Il tombera le premier.

Bénoni se dirige vers le village. Sur son passage, Edna Rodrigue l'intercepte, effarouchée par le spectacle. Elle n'en croit pas ses yeux.

— Sainte mère, Bénoni, veux-tu ben m'dire que c'é qu'y é arrivé?

— Des chiens.

— Vila a séquissé ses chiens sus tes moutons? demande-t-elle.

Bénoni ne répond pas. Tout au long du trajet, des paroissiens incrédules suivent l'attelage des yeux. Où va-t-il avec ses moutons morts, ensanglantés, la tête à demi arrachée, l'une d'elles pendante derrière la voiture?

Au village, Bénoni immobilise son attelage devant la maison de Damase Biron. Il en descend lentement. Des enfants se regroupent autour de sa voiture en poussant des cris d'horreur. La veuve Exélia St-Hilaire se signe. Les guides du cheval enroulés à un poteau d'électricité, Bénoni entre dans la maison sans frapper.

— J'charche Edgar, indique-t-il d'une voix blanche.

Étonnée, bouche bée, Lucia Biron hausse les épaules. Il est parti en début de journée avec son frère. Elle ne sait pas quand il reviendra.

— Dis-y que d'main, j'm'en vas à Sainte-Germaine, pis m'en vas aller vouère la police provinciale pour l'faire arrêter. Ç'a assez duré.

Lucia s'essuie furieusement les mains sur sa robe. Qu'a-t-il encore fait? Pourquoi n'est-elle jamais au courant de ses allées et venues? Quand elle a eu l'impression que quelqu'un refermait la porte pendant la nuit, pourquoi n'est-elle pas allée vérifier?

— Que c'é qu'y a faite? demande-t-elle, la voix chevrotante.

— Allonge-toé la tête par la vitre, pis r'garde en arrière de ma voiture.

Lucia s'avance vers la fenêtre. Elle grimace d'horreur à la vue des moutons. En retrait, engoncé dans sa chaise, Damase ne réagit pas. Au village, ceux qui l'ont vu récemment sont convaincus qu'il a chaviré. Il ne parle presque plus et, quand il le fait, son propos est incohérent. À quelques reprises, sa femme et ses fils l'ont retrouvé assis dans un coin de la remise, les mains pendantes, la tête sur les genoux. La descente aux enfers de Damase bouleverse ses deux fils. Edgar passe des heures dans sa chaise à observer son père, espérant une réaction, un retour à la normale. Jamais son désir de vengeance n'a été aussi grand contre tous ceux qui sont responsables de la déchéance de son père.

Bénoni jette un rapide coup d'œil à Damase. À n'en pas douter, l'homme est mal en point. Il a sûrement perdu la carte. Il quitte Lucia qui pleure à chaudes larmes et remonte dans sa voiture. Prochaine étape: la maison de Josaphat. Devant des voisins sidérés, Bénoni saisit deux

moutons par les pattes et dépose les carcasses sur la galerie.
Quand il a fini, il remonte dans sa voiture et repart, comme
si de rien n'était, de grosses taches de sang sur son pantalon. La troisième carcasse est réservée à Saint-Pierre
Lamontagne. Bénoni la dépose sur la petite table que le
secrétaire avait sortie sur la galerie pour lire et profiter
du soleil.

43

Les travaux du nouveau cimetière sont terminés. Les paroissiens qui le désirent peuvent y transporter les restes de leurs proches. La Fabrique a pris soin de délimiter les emplacements de chacun pour éviter la course aux meilleures places, autour de la croix, en attente de son Jésus. Clovis Rodrigue, le marguillier en chef, a prévenu tout le monde que les nouvelles fosses seront difficiles à creuser. Le sol est dur, bourré de racines et de pierres. À la messe, le curé explique de nouveau la façon de procéder. «Vous devez exhumer les défunts avec soin et respect.» Les restes, ossements, débris de cercueils, tissus, boutons de métal, montres, tout doit être placé dans un nouveau cercueil et enterré aussitôt dans le nouveau cimetière en présence du curé qui récitera les prières d'usage.

— Si vous déménagez des morts récents, conseille ce dernier, gardez-vous d'ouvrir la tombe.

Profanation, laisse-t-il entendre, sans utiliser le mot. Les paroissiens l'écoutent religieusement. Vidal Demers songe à aller plus loin et à se faire menaçant, pour chasser toute velléité de mention de revenants. Pour ne pas avoir à rassurer, à expliquer, à répéter que les revenants ont quitté Saint-Benjamin à tout jamais!

La tension entourant la création du nouveau cimetière a baissé d'un cran. Toute l'attention est tournée vers Bénoni. Le sermon du curé lui échappe, trop absorbé dans ses pensées. Après avoir déposé les carcasses de moutons morts sur les perrons de Josaphat et Saint-Pierre, que fera-t-il? Quelle sera l'étendue de sa vengeance? Personne n'a oublié ses colères fulgurantes au lendemain de l'incendie de sa grange. Plein de questions trottent dans la tête des gens. A-t-on réveillé le géant endormi ? Bénoni va-t-il remplacer Romain ? Reprendre le contrôle du conseil ? Ils sont très nombreux à le souhaiter. Cléophas répète partout que la riposte de Bénoni sera terrible. La police viendra-t-elle arrêter Edgar Biron dans les prochaines heures ? Bénoni l'a-t-il appelée ? Deux jours après le drame, on n'en voit aucun signe. Edgar est introuvable. Josaphat Pouliot n'a toujours pas enlevé les deux cadavres de moutons que Bénoni a déposées sur le pas de sa porte. L'odeur est infecte, putride. Saint-Pierre a payé deux enfants pour qu'ils fassent disparaître la sienne et l'enterrent dans la forêt. Tout le village retient son souffle comme si une violente explosion était sur le point de le secouer, en emportant tout le mal qui l'afflige depuis quelque temps.

En apprenant ce qui est advenu des moutons de Bénoni, Maggie s'est cabrée instinctivement, comme on se protège de la bourrasque. Elle ne peut qu'imaginer la riposte de Bénoni. À l'instar de tous les autres, elle est persuadée qu'Edgar Biron a fait le coup. Encore une fois, il faudra le prouver. Si seulement on y arrivait et que le malfrat était arrêté ! Si Bénoni décidait de ravir le pouvoir aux incapables qui dirigent la paroisse ? Elle pourrait respirer un peu mieux. La solution simple serait de partir et de se réfugier à Québec, loin de tous ces drames. Mais elle ne parvient pas à s'y décider, tourmentée, déchirée, refoulant les frissons qui courent sur sa peau quand Athanase est près d'elle. Pour l'instant, elle reste pour l'aider à gagner les élections. Ou être candidate, si, comme elle en est convaincue, Athanase se désiste. Après seulement, elle décidera.

Quand elle entre dans le bureau de poste, Honoré-à-la-Pie lève les yeux au-dessus du petit lorgnon pincé sur le bout de son long nez. Grand, les yeux vifs, le crâne dégarni, verrue au menton, courbé prématurément par l'arthrite, Honoré, maître de poste depuis dix ans, prend son travail très au sérieux. Ignorant Maggie, il examine attentivement la série de timbres que le Département des bureaux de poste du gouvernement du Canada vient de lui faire parvenir. «Toujours les mêmes!» pense-t-il, déçu. Des timbres émis trois ans plus tôt, à l'occasion de la visite du roi George VI et de la reine Elizabeth, et qui n'ajoutent rien à sa collection, dont il a collé chaque spécimen sur un grand carton fiché au mur de la cuisine.

— Bonjour, m'sieur Honoré. Y a-t-y une lettre pour moé?

Le maître de poste reconnaît Maggie, la dévisage froidement et replonge aussitôt dans la contemplation de ses timbres. Pas elle!

— Non, rien, madame.

Maggie cherche un moyen de détourner son attention de ses timbres et d'engager une véritable conversation.

— C'é pas drôle c'qu'y ont fait aux moutons d'Bénoni, hasarde Maggie.

Honoré, pourtant si volubile, ignore la remarque. Il ne relève même pas la tête. Maggie ne se décourage pas.

— Les travaux du nouveau cim'tière sont-y finis? fait-elle mine de s'informer.

— Ouais, grogne Honoré, impatient.

— Va falloir s'dépêcher à déménager les morts, parce que betôt, y rest'ra pus grand monde pour faire l'travail.

Honoré écarquille les yeux. La déclaration de Maggie l'intrigue. Il n'est pas certain de bien comprendre.

— Pis pourquoi donc?

— La conscription, laisse tomber Maggie.

— Y aura pas d'conscription, riposte Honoré d'un ton qui se veut sans réplique. Mackenzie King l'a répété ben des fois, pis Ernest Lapointe itou.

— C'é pas c'qu'on raconte dans les journaux. Y a tellement de pression sus l'premier ministre Mackenzie King qui pourra pas résister.

Maggie fait semblant de s'en aller. La main sur la poignée de la porte, elle se retourne vers Honoré.

— M'en vas r'venir demain. Mon ami Philippe d'la police provinciale doit arriver ces jours-citte pour faire la liste de tous les hommes en âge de faire la guerre dans les vieux pays. Y doit m'envoyer une lettre pour me dire quand y arrivera.

Bouche bée, Honoré enlève ses lunettes et remise ses timbres. Il se lève et veut la retenir. Soudainement, les propos de Maggie l'intéressent. Avant qu'Honoré ne reprenne la parole, Maggie s'arrête sur le pas de la porte.

— Vous d'vez savouère ça, vous, m'sieur Honoré, Philippe se demandait combien d'hommes de Saint-Benjamin sont en âge d'faire la guerre ? On parle de célibataires de seize ans pis plus vieux...

Honoré cherche une réponse mais n'en trouve pas. Tout va trop vite. La conscription, la police, la liste de célibataires, il ne sait plus où donner de la tête.

Maggie est fière d'elle. Quelle actrice ! Elle joue le rôle à la perfection, avec juste assez d'inflexion dans la voix. Elle pique la curiosité de l'autre, encore estomaqué par la nouvelle. Honoré-à-la-Pie s'approche du guichet.

— T'es ben sûre de ça ? demande-t-il à Maggie.

— Vous lisez les journaux comme moé, m'sieur Honoré, vous savez qu'l'Angleterre é en train d'tomber, pis qu'Mackenzie King va aider son ami Churchill. Pis la France va passer aux Allemands avant longtemps. A l'a aussi ben besoin d'soldats. Tout l'monde sait maintenant que l'Canada va envoyer plus d'hommes d'l'aut' bord.

Honoré est ébranlé par la belle assurance de Maggie. Doit-il la croire ? A-t-elle bien compris ? Et son ami Philippe, c'est sérieux ? Les nouvelles des journaux ont intrigué Honoré mais, en bon libéral, il fait confiance à son député, aveuglément. Pourquoi mentirait-il ? Les libéraux véhiculent le même message partout. Tous les libéraux, y compris le très influent Ernest Lapointe. Maggie n'est sûrement pas libérale. Les protestants votent toujours pour les bleus ! Inquiet mais surtout pressé de prévenir les siens, Honoré n'attend que le départ de Maggie pour répandre la mauvaise nouvelle. Son fils sera conscrit comme ceux de ses proches.

— Vot' ami, enchaîne-t-il, y vient quand?

— C'é c'qu'y doit m'dire dans sa lettre. Ça pourrait être demain comme dans un jour ou deux. Mé bon, des fois, y oublie d'écrire. Y pourrait ben arriver en coup d'vent c't'après-midi.

Le visage décomposé, Honoré-à-la-Pie se laisse tomber sur sa chaise. Maggie s'en va, sourire narquois aux lèvres. Dès que la nouvelle les atteindra, les frères Biron déguerpiront dans la forêt. Elle en est convaincue. Bon débarras! Le maître de poste fouille une autre fois dans le paquet de lettres arrivées la veille, histoire de s'assurer qu'aucune d'elles n'est adressée à Maggie Miller.

44

22 juin 1940 : la France capitule. Les premières pages des journaux secouent la province. La France aux mains des Allemands, l'impensable! La direction du pays est confiée à Philippe Pétain, un vieux maréchal de quatre-vingt-quatre ans dont l'empressement à collaborer avec les Allemands en inquiète plus d'un. Les rumeurs de conscription précipitée sont relancées de plus belle. La pression est insoutenable et Mackenzie King confirme que le service militaire sera obligatoire ainsi que l'inscription nationale de tous les hommes et femmes de seize à soixante ans. Les veufs et célibataires en date du 15 juillet seront les premiers appelés.

Partout au Québec, la panique s'empare des célibataires en âge de combattre. Certains d'entre eux, considérés comme des «patriotes», iront se cacher dans les bois. D'autres, la majorité, opteront pour le mariage, certaines paroisses allant même jusqu'à organiser des mariages de groupe. Saint-Benjamin subit une deuxième vague de mariages précipités. Pour la troisième fois ce matin, des fidèles frappent à la porte du presbytère. Le curé Vidal Demers ne comprend pas. Qu'est-ce qui se passe?

— Bonjour, m'sieur le curé.

Émile Bolduc est planté là avec son fils et une fille que le curé ne reconnaît pas. Pas encore un mariage?

— Mon gars pis Rosaline voudraient s'marier au plus vite, si vous pouvez.

D'où vient cette course folle à nouer le pacte conjugal?

— Qu'est-ce que vous avez tous à vouloir vous marier si vite?

Les yeux rivés sur le vieux cimetière où Trefflé Vachon se prépare à exhumer les restes de ses parents, Vidal

Demers cache mal son exaspération. Émile Bolduc est étonné. Le curé n'a-t-il pas entendu la nouvelle ? La police provinciale va descendre sur Saint-Benjamin et réquisitionner tous les hommes célibataires en âge d'aller à la guerre.

— Mais la conscription n'a pas été adoptée, objecte le curé.

— Ç'a l'air que oui, réplique Émile. Honoré l'a dit.

Après le départ de Maggie, Honoré-à-la-Pie a couru au magasin général, à la boutique de forge et même à la beurrerie, à la sortie du village, pour répandre la mauvaise nouvelle. Comme le roulement lointain du tonnerre qui annonce l'orage. Avant que la foudre ne les terrasse, deux jeunes hommes du rang 12 ont fui, empruntant un sentier qui se perd dans la végétation de la forêt, quelques lieues plus loin.

Le curé branle la tête, désespéré. Rien dans *L'Action catholique* des derniers jours ne laisse croire que la conscription a été décrétée. Les discussions portent sur l'enregistrement obligatoire, rien de plus. Aucune décision n'a encore été prise par le gouvernement. D'où vient ce vent de panique ? De la capitulation de la France ? D'une fausse nouvelle répandue par un plaisantin ?

— Bon, on va publier les bans et je vous ferai savoir quand le mariage aura lieu.

Le curé n'est pas au bout de ses peines. Trois autres couples viendront le voir avant la fin de la journée. Il hoche la tête, éberlué. Vidal Demers ne peut s'empêcher de penser à Annette Busque, toujours si triste depuis ce mariage qu'il n'aurait jamais dû bénir. Poupée brisée, elle marche comme un chien battu derrière son mari rayonnant. Pourquoi n'a-t-il pas écouté Annette ? Les remords le triturent. Trop tard maintenant, mais il posera de sérieuses questions aux futurs couples.

En entendant la nouvelle, les frères Biron n'ont pas réagi immédiatement, trop bouleversés par la déchéance de leur père. Depuis deux jours, Damase refuse de manger. Ses fils doivent le tirer du lit le matin. Si Lucia ne l'habille pas, il reste assis sur son lit, en caleçons. Se laisse-t-il mourir? Lucia le craint. Quand elle a suggéré de faire venir le docteur, ses fils s'y sont opposés, convaincus qu'il recommanderait l'internement du père. S'il doit mourir, aussi bien ici que dans l'asile de Québec. Et le curé? Les derniers sacrements?

— Y mourra pas, laisse tomber Edgar, péremptoire.

Lucia se cache le visage dans les mains. Elle voile ses larmes, brisée par la mort lente de son mari. Elle ne sait plus comment le tirer de sa torpeur, résignée, inquiète de l'après. La réaction de ses fils, d'Edgar en particulier, capable de tout, la taraude. Il nie avoir lâché les chiens d'Ovila sur les moutons de Bénoni. La police ne pourra rien contre lui. Il n'y a pas de preuves, aucun témoin ne pourra certifier qu'il s'agissait bien d'Edgar. Encore une fois, il s'est assuré de ne pas laisser de traces. Lucia se tourne vers l'aîné.

— Pis la police provinciale qui s'en vient vous charcher pour la guerre?

Edgar demeure impassible. La police peut bien se pointer, il ne collaborera pas. Son frère Wilfrid, les yeux dans le vide, allume une cigarette.

— Qu'a vienne, la police! Si l'père meurt, j'm'en vas à la guerre, pis Edgar va v'nir avec moé.

— Ben voyons donc, s'exclame Lucia, ç'a pas d'bon sens! Allez vous cacher dans la cabane à sucre du vieux Atchez avec les autres.

Wilfrid Biron n'ira pas dans une cabane à sucre au plus profond de la forêt. Celle où Domina Grondin s'est pendu. Une cabane trop longtemps abandonnée, probablement effondrée, où il souffrirait du froid et de la faim. Non, il trouvera un meilleur endroit, sinon il s'enrégimentera. Pour l'instant, il ne bouge pas. Il veille sur son père et le protège. Il s'assure que son frère ne fait pas d'autres bêtises. Wilfrid le surveille jour et nuit.

— Moé en tout cas, j'pourrai pus vous défendre, leur a annoncé Josaphat Pouliot la veille.

Les moutons égorgés, sanguinolents, ont effrayé les villageois. Trop affreux. Preuves ou pas, tous les doigts sont pointés vers Edgar Biron. Tous les soupçons pèsent sur Josaphat, cet être vipérin qui l'a probablement pistonné. L'abomination a trop duré. Elle a dépassé les bornes. Pour l'instant, Josaphat n'ose pas riposter à Bénoni. Il a finalement enterré les carcasses des moutons dans le tas de fumier derrière la grange de son voisin, en réfléchissant au prochain épisode, inquiet.

— M'en vas charcher l'curé, décide Lucia.

Vidal Demers n'est pas au presbytère. Elle le trouve dans le vieux cimetière, en grande discussion avec Trefflé Vachon. Le vieil homme exhume le cercueil de ses parents, enterrés côte à côte, en 1929.

— Pourquoi ne pas les laisser ici? demande le curé.

Trefflé grimace. Il essuie la sueur accumulée sous son chapeau.

— J'ai passé ma vie avec mes parents quand y étaient vivants, pis quand m'en vas me r'trouver d'laut' bord, j'veux être avec eux aut'. J'ai pas envie de m'promener d'un cimetière à l'aut' pendant toute l'éternité.

Bouche bée, le curé ne réplique pas. Décidément, ces gens-là ont une drôle de relation avec la mort et avec l'après. Trefflé manœuvre avec précaution. Les cercueils de bois sont fragiles. Après les avoir sortis de la fosse, il en renforce la base avec de nouvelles planches. Même si la tentation est forte, Trefflé n'ose pas soulever les deux couvercles, pas devant le curé.

— J'aime mieux pas lé réveiller, dit-il à ce dernier.

Trefflé et son frère transporteront les restes de leurs parents dans le nouveau cimetière et les enterreront en présence de Vidal Demers. En se retournant, le curé se trouve face à face avec Lucia Biron. Il a un mouvement de recul, bien involontaire. À cause de ses deux fauteurs de trouble de fils.

— Que puis-je faire pour vous, madame Biron?

Elle refoule ses larmes, la gorge serrée.

— C'é par rapport à mon mari. Y r'fuse de manger pis d's'habiller. J'pense qu'y va s'laisser rajuer à p'tit feu. Y pourrait-y avoir les derniers sacrements?

Trefflé interrompt ses travaux, le menton appuyé sur le manche de sa pelle, curieux de connaître la réponse du prêtre. Damase le mérite-t-il? Vidal Demers ne songe même pas à refuser l'extrême-onction à Damase Biron. N'a-t-il pas purgé sa peine? Pourquoi lui faire payer les incartades de ses fils?

— Je vais dîner et je passe le voir.

Après avoir fait promettre à Trefflé qu'il ne soulèverait pas le couvercle des deux cercueils, le curé retourne au presbytère. Frugal, il réchauffe une soupe vieille de trois jours, au goût douteux. Après avoir lu quelques pages de son bréviaire, il se rend au chevet de Damase. Son devoir avant tout, sauver les âmes avant de régler les différends.

Damase ne lève même pas la tête quand Vidal Demers s'approche de lui. Ses deux fils ont quitté la maison avant l'arrivée du prêtre. Debout dans l'encadrement de la porte, Lucia, sceptique, implore la Vierge. Un curé si jeune peut-il faire un miracle et redonner vie à son mari? Devrait-elle faire chanter des messes pour sauver Damase? Si seulement elle avait assez d'argent pour les payer!

— Tu veux communier, Damase?

Damase ne réagit pas, masse inerte. Le curé se montre très patient. Il lui met la main sur le bras avec douceur et lui parle du beau temps, de son ami Généré dont le gros camion peine dans la côte du village. Rien à faire. Damase n'entend pas. Lucia se signe à la dérobée, essuyant quelques larmes avec le revers des manches de sa robe.

— Faudrait appeler le docteur, lui conseille le prêtre.

Lucia Biron approuve de petits gestes saccadés de la tête. Elle n'ose pas lui dire que ses fils s'y opposent. Le curé bénit Damase, lui pardonne ses péchés et s'en va.

— Venez me chercher si ça rempire. Je reviendrai pour l'extrême-onction.

45

Une longue file de gens font le pied de grue devant le Cinéma Saint-Georges pour voir *Gone with the Wind*, le fameux film américain qui vient d'arriver en Beauce, cinq mois après sa sortie aux États-Unis. Les attentes sont grandes, les bandes-annonces prometteuses : Scarlett O'Hara dans les bras de Rhett Butler sur fond d'incendie et de Guerre de Sécession.

Quand Pit Loubier parvient enfin au cinéma, il arrête son automobile devant l'entrée et laisse descendre Maggie et Athanase. Le voyage a été pénible. À l'entrée de Saint-Georges, Pit s'est retrouvé du mauvais côté de la rue, venant bien près d'embrasser le devant d'un camion, l'évitant à la dernière seconde au prix d'une longue réprimande de klaxons. Maggie et Athanase, les yeux fermés, n'ont jamais autant regretté leur décision de faire confiance à Pit. Non seulement il conduit très mal, mais il se retourne sans arrêt pour parler, forcé ensuite de donner de vifs coups de volant pour parer une embardée ou un véhicule venant en sens inverse. Sur le siège arrière, Athanase aurait souhaité discuter avec Maggie, mais même les conversations anodines étaient impossibles. Chaque fois, Pit s'en mêlait. Il parlait de tout et de rien, commentait tout ce qu'il voyait, un déluge de paroles ! À trois reprises, Maggie et Athanase lui ont fait promettre d'être discret, de ne pas répéter partout qu'il les avait conduits à Saint-Georges.

— J'dirai pas un mot, j'vous l'jure sus la tête de tous mes défunts.

— Tu veux vouère la vue ? propose Maggie à Pit. M'en vas payer pour toé.

— Jamais d'la vie. J'mets pas les pieds dans c'*schak-là*! M'en vas ravauder un peu en ville, pis m'en vas r'venir vous attendre icitte.

À l'intérieur du cinéma, Maggie et Athanase doivent s'asseoir dans les dernières rangées, cernés d'inconnus. Mal à l'aise, Athanase souhaite ressortir avant même que le film ne commence. Il étouffe dans cette salle sombre et rêve déjà de retrouver ses filles, sa maison, son étable et les grands espaces de ses champs. Sans compter qu'il craint de voir des scènes dont la morale sera absente et dont il devra se confesser au plus vite. C'est bien uniquement pour être avec Maggie qu'il a accepté de l'accompagner.

Quand la lumière s'éteint et que s'ouvre le rideau, Athanase est sur le qui-vive. Bien engoncée dans son banc, Maggie savoure à l'avance les premières images du film. Athanase est ébahi mais, dès les premiers échanges en anglais, il déchante. Il n'y comprend rien. Sentant son inquiétude, Maggie lui prend la main et lui murmure à l'oreille.

— Y faut pas parler pendant les vues parce que l'monde aime pas ça, mé j'te dirai l'important pour qu'tu suives.

Pendant que Maggie n'a d'yeux que pour Ashley Wilkes et Rhett Butler, Athanase commence à s'ennuyer sérieusement. Si Maggie a le sentiment de replonger dans son ancienne vie avec Walter, une vie meublée de petits bonheurs qu'ils trouvaient au cinéma, au restaurant et dans les magasins, Athanase, dépaysé, a l'impression de renier ses origines, de pénétrer dans un monde qui n'est pas le sien, entouré de gens qui n'ont aucune affinité avec lui et dont la morale est douteuse.

Maggie le rassure et lui raconte des bribes de l'histoire mais, trop absorbée, elle oublie souvent Athanase. Le film est long, très long. Athanase meurt d'envie de sortir du théâtre et d'attendre Maggie à l'extérieur, même au prix de se retrouver avec Pit Loubier. Mais au-delà de la durée du film, Athanase est perplexe. Combien de fois devra-t-il aller au cinéma avec Maggie si un jour elle devient sa femme ? Et ces restaurants dont elle parle parfois ? Quelle idée de fou que de gaspiller de l'argent ainsi ! Et quoi encore ? Voudra-t-elle déménager la ville à la campagne, vivre à Saint-Benjamin comme elle vivait à Québec ?

Alors que le dénouement approche, que l'ineffable Rhett Butler s'en va, Maggie prend la main d'Athanase et la serre fort dans la sienne. Mince consolation, tout n'est pas perdu, se dit Athanase. Visiblement, elle est heureuse qu'il soit là. «*Frankly my dear... I don't give a damn.*» Enfin, le film est fini !

— J'ai jamais vu une aussi bonne vue qu'ça. J'sus sûre que Walter aurait ben aimé c'ta vue-là.

Encore trop imprégnée par le sort de la fougueuse Scarlett O'Hara à qui elle croit ressembler, Maggie n'a pas réfléchi avant de faire cette remarque qui blesse Athanase. Elle le réalise et corrige rapidement le tir.

— J'voulais pas dire ça pour t'faire d'la peine. C'é sorti tout seul.

Athanase se contente de froncer les sourcils comme si la remarque ne l'avait pas dérangé. Des yeux, il cherche Pit, appuyé contre son automobile.

— C'é donc ben long, ces maudites verrases de vue !

Maggie hausse les épaules, désespérée par Pit, et s'engouffre dans l'automobile. Au retour, Athanase et Maggie sont silencieux, attentifs aux manœuvres de Pit qui réussit à sortir de Saint-Georges sans trop de difficulté. Une fois la ville derrière eux, il redevient volubile.

— Pis, mon Thanase, t'aimes ça, les p'tites vues ?

L'autre, mal à l'aise, hésite avant de répondre. Maggie l'observe du coin de l'œil, bien consciente qu'Athanase a trouvé le temps long. À l'évidence, une bonne partie de cartes le rend plus heureux que *Gone with the Wind*, Maggie est forcée d'admettre qu'ils ont peu d'affinités et que, le jour où elle voudra emmener de nouveau Athanase au cinéma ou alors magasiner à Québec, elle devra en retour s'adonner à plein d'activités qui l'intéressent peu elle-même.

— C'é sûr qu'c'é dur à suivre en anglais comme ça, mé Maggie m'a aidé.

La Studebaker de Pit soulève un nuage de poussière. Souvent, des chiens se lancent à sa poursuite. Parfois, des enfants interrompent leur jeu et saluent les occupants de la voiture. Maggie est perdue dans ses pensées, encore imprégnée de l'ambiance du film.

— Finalement, mon Thanase, demande Pit, vas-tu courir comme maire?

Athanase branle la tête. Avant de prendre sa décision, il consultera des gens en qui il a confiance et d'autres qui pourraient faire la différence.

— M'en vas vouère Oram Veilleux demain pour trouver c'qu'y s'passe au conseil pis y d'mander si y m'appuierait. M'en vas m'décider après.

— Oram? répète Pit. C'é un suivant-cul. Y va rester collé à Josaphat, tu peux en être certain. Josaphat a été obligé d'y donner une vache pour qu'y lâche Bénoni.

— Une vache! s'écrie Maggie indignée.

— Oui, madame, une vache. Si tu veux l'avouère avec toé, prépare-toé à payer, mon Thanase.

À l'unisson, Maggie et Athanase hochent la tête de dépit.

46

Trefflé Vachon est le premier à inhumer ses parents dans le nouveau cimetière. À l'ombre d'une grande épinette, la famille se réunit et récite quelques prières avec le curé. Tout n'est pas aussi facile. En creusant pour exhumer les restes de son père, Martial Veilleux doit couper de grosses racines d'érable, enroulées autour du cercueil. Le travail affaiblit la tombe de bois. Elle se brise. Le couvercle se désagrège. À l'intérieur, il ne reste que squelette et vêtements rongés par le temps. Stoïque, Martial observe le tout sans émotion, sans se signer. Comme s'il exhumait un étranger.

— Va charcher l'curé, commande-t-il à son fils.

Vidal Demers est découragé par le manque de respect de certains de ses fidèles. Il gronde Martial qui transvide les restes dans un nouveau cercueil. Sans cérémonie, il arrache l'épitaphe, met le tout dans sa voiture et va l'enfouir dans le nouveau cimetière. Le curé le force à s'agenouiller devant la tombe de son père.

Son cousin, Oram Veilleux, le conseiller proche de Josaphat, a choisi de ne pas déménager ses parents. Aujourd'hui, il est aussi confronté à la mort, pas celle des siens, mais celle de sa vieille jument. Elle a vingt-six ans. Depuis deux ans, il ne l'utilise plus. Le cheval tient à peine debout. S'en départir lui brise le cœur. La pensée le torture depuis deux ans. Sa femme lui a suggéré de la vendre à un maquignon pour une poignée de dollars, mais il a refusé net. Pourquoi l'exposer aux mauvais traitements ? Elle ne mérite pas pareille fin. « Quand le temps sera venu », dit-il. Cette belle bête l'accompagne depuis si longtemps. À la messe, chez la parenté, au magasin, elle était la reine du faucheux et de la charrue, sans jamais se faire prier. Elle venait à sa rencontre dans les champs et ralentissait le pas quand les enfants étaient dans la voiture.

Depuis trois jours, la jument refuse de manger. Ses yeux s'ouvrent à peine sous ses paupières enflées. Le moment est venu. En amoureux endeuillé, Oram lui passe la bride et la guide hors de l'étable. Claudiquant, menaçant de s'écraser à tout moment, la vieille jument suit fidèlement son maître. Oram s'arrête souvent pour la laisser se reposer, attentif à ses moindres vacillements, espérant qu'elle pourra se rendre jusqu'au bord de la forêt. Une fois arrivée, comme si elle avait compris qu'il s'agissait de sa destination finale, elle se laisse choir, d'abord sur ses deux pattes avant puis, en voulant plier ses pattes arrière, elle tombe, le flanc contre le sol, l'œil mi-clos. Oram pose la main sur sa bête, mordant ses lèvres et sa peine. Il lui caresse le flanc, passe les doigts dans la crinière jaunie, redresse l'oreille avachie. Plein de tendresses. Quand la respiration de l'animal s'arrête, Oram attend quelques minutes, lui enlève la bride, sort un couteau de sa poche et lui coupe la veine du cou. Pour s'assurer que tout est fini, qu'il chasse de son corps les dernières souffrances. Les animaux sauvages se chargeront de la carcasse.

À mi-chemin du retour, Oram aperçoit Athanase Lachance. Il se doute bien du but de sa visite et s'en indigne, le moment est mal choisi. Mais la conversation lui fera peut-être oublier sa peine.

— Ta jument é arrivée au boutte du ch'min ?

— Ouais.

Les deux hommes gardent le silence quelques instants, en guise de dernier hommage à la disparue.

— Y a pas d'cassure, mé j'aimerais ben t'parler une minute ou deux.

Oram s'appuie contre un gros tremble, roule une cigarette et en offre une à Athanase.

— C'é par rapport au maire, poursuit Athanase. Allez-vous l'remplacer à la prochaine assemblée ?

Oram fixe le bout de ses bottes.

— L'secrétaire a annulé l'assemblée, dit-il. Josaphat veut pas d'réunion.

— Comment ça, y veut pas ?

Oram hausse les épaules. Personne n'a parlé à Josaphat depuis l'incident des moutons. Prépare-t-il sa vengeance ? La rumeur annonce un combat à finir contre Bénoni. Il a chargé le secrétaire de s'occuper des affaires de la paroisse jusqu'à nouvel ordre. Il ne convoquera pas de réunion dans un avenir prévisible.

— Un jour, y faudra ben vous réunir. Ça t'tente pas d'courir comme maire ? demande Athanase.

Oram éclate de rire.

— Moé ? Pas pantoute !

Athanase tourne en rond, n'ose pas poser la question directement comme Maggie le lui a suggéré. « Va droit au but. » Est-il heureux de tout ce qui se passe à Saint-Benjamin en ce moment ? Est-ce que Romain et Josaphat ont été à la hauteur de la situation ? Est-ce que ça peut continuer ainsi encore longtemps ? Quand, finalement, Athanase se décide à poser toutes ses questions, Oram pousse un grand soupir.

— C'é ben sûr qu'c'é inquiétant, mé l'monde peuvent ben chialer, y a parsonne qui veut dev'nir maire. Romain l'a été malgré lui, Josaphat a pas assez d'instruction, pis moé non plus. Clovis-à-Bi f'rait un bon maire, mé ç'a l'air qu'y aime mieux être marguillier. Y a parsonne.

— Pourquoi vous laissez l'gros Biron faire tant d'mal dans paroisse ?

Oram secoue la tête.

— On se dit tous la même chose. Calixte pis moé, on l'a averti ben des fois. Y écoute pas. Pis y a jamais parsonne qui peut l'pogner à faire ses mauvais coups. Y a jamais parsonne qui l'voué. Pis quand on y demande pourquoi y a fait ça, y répond toujours que c'é pas lui. Y a toujours une excuse. Sa mère pis son frère jurent qu'y é pas sorti d'la maison la nuitte qu'les moutons de Bénoni ont été tués.

Athanase branle la tête à son tour.

— À moins qu'Bénoni r'vienne ?

Oram hausse brusquement les sourcils. Bénoni ? Celui qu'il a trahi ? Veut-il vraiment revenir ? Personne ne lui a parlé depuis l'incident des moutons. Pas même Cléophas. Emmuré chez lui, Bénoni laisse planer le suspense. Mettra-t-il l'affaire des moutons dans les mains de la police ? Que mijote-t-il ? Rien pour l'instant, sinon pousser Josaphat et les siens à s'enfoncer encore davantage dans leur bêtise. Il ne hasardera aucun geste prématuré. Quand le fruit sera mûr, il prendra une décision, qu'elle plaise ou non à Léda.

— C'é sûr qu'Bénoni pourrait r'venir, mé ça s'rait pas mieux. Y nous demandait jamais not' avis. On était des pions. Au moins, Josaphat m'écoute, pis y m'arrive des fois de l'empêcher d'faire des folies.

— En tout cas, raisonne Athanase, si Bénoni court pas, pis toé, t'es pas intéressé, y va ben falloir trouver quequ'un.

— Calixte aimerait ça, j'pense, déclare Oram, mé j'sus pas sûr que Josaphat y fait assez confiance. Calixte é trop grande gueule. Y é pas capable de s'la fermer.

Athanase fait une longue pause. Oram fume en regardant droit devant lui. Il sait qu'Athanase songe à la mairie, qu'il lui demandera de l'appuyer. Peut-il trahir Josaphat comme il l'a fait pour Bénoni ? Au risque de subir la fureur de Josaphat et des frères Biron ?

— Moé, ça pourrait m'intéresser. J'pourrais-t-y compter sus toé, Oram ? finit par cracher Athanase.

L'autre hausse les épaules. Il ne veut pas répondre à la question, pas avant d'avoir parlé à Josaphat. Mais il est clair que la candidature d'Athanase ne l'inspire pas.

— M'en vas y penser, se contente-t-il de dire.

Oram n'a pas envie de poursuivre la discussion. Il examine la bride de sa jument, jette son mégot de cigarette et retourne à la maison avec Athanase, en silence. Les deux hommes n'ont plus rien à se dire. À quelques reprises,

Oram se retourne comme s'il voulait s'assurer que sa jument ne les suit pas.

Athanase se demande s'il a bien joué ses cartes. Oram ira-t-il tout raconter à Josaphat? Et si ce dernier envoyait les frères Biron à ses trousses?

En rentrant chez lui, il croise Adelbert Giguère, gros homme colérique qui dit tout sans nuance. Athanase décide de le sonder. Devrait-il tenter de se faire élire maire de Saint-Benjamin? La réaction d'Adelbert est vive.

— Tu veux qu'y t'arrive la même chose qu'à Bénoni, qu'les fous du village viennent tuer tes animaux? As-tu pensé une seconde à tes enfants? Tu veux qu'y s'fassent battre par tous ceux qui s'ront pas d'accord avec toé?

Adelbert est rouge de colère. Furieux, la lèvre tremblante. Les événements des derniers jours l'ont tellement bouleversé que la nuit, il ne laisse plus sortir ses animaux de l'étable.

— Pis fais ben attention à la Maggie, continue Adelbert. Laisse-la pas t'enfirouâper parce qu'a veut s'venger des Biron pis d'la gang à Josaphat. A l'a rien à perdre, elle, a va r'tourner à Québec avant l'Action d'grâces.

— Ç'a rien à vouère, dit mollement Athanase.

— J'sus pas sûr d'ça. J'trouve que vous jeunessez souvent ensemble. Tu peux ben essayer de m'faire croire c'que tu voudras, mé prends-moé pas pour un niaiseux.

— Tu t'fais des accraires, soupire Athanase.

— J'espère que tu dis vrai, parce que si tu veux être maire pis l'monde s'aperçoué que tu t'accouples avec la Maggie, t'auras pas un vote.

Athanase secoue doucement la tête, assommé par cette mise en garde brutale. L'indifférence d'Oram Veilleux et la rebuffade d'Adelbert Giguère ébrèchent sérieusement ses ambitions.

47

Athanase ne sera pas candidat à la mairie. Les propos d'Adelbert résonnent encore à ses oreilles comme autant d'avertissements. Il laissera quelqu'un d'autre se sacrifier contre Josaphat et ses acolytes. Lui restera bien tranquille à la maison, les yeux sur ses deux filles. Comment Maggie réagira-t-elle? En fera-t-elle un prétexte pour l'abandonner et rentrer à Québec? Si elle ne s'intéresse à lui qu'en raison de ses ambitions politiques, vaut mieux la laisser partir. Il continue de corder son bois en attendant qu'elle vienne prendre des nouvelles.

— À cause des enfants surtout, explique-t-il à Maggie. C'é la principale raison. Quand t'es père pis mère en même temps, tu peux pas penser à faire d'aut' chose.

Maggie n'est pas surprise. Elle a toujours senti qu'Athanase n'avait pas beaucoup réfléchi aux conséquences et que ses ambitions politiques relevaient surtout de la fanfaronnade. Et deux jeunes enfants à élever tout seul constituent un poids considérable, un argument irréfutable. Maggie fait quelques pas, tourne autour de la corde de bois, hésite. Est-elle déçue de la décision d'Athanase? Non, au contraire, elle s'en réjouit. Elle a la voie libre. Si personne ne se manifeste, elle sera candidate. Maggie revient vers Athanase, les deux mains sur les hanches.

— J'te comprends, Athanase.

— Pis de toute façon, creusse, ben du monde pense que Bénoni va r'venir. Après c'qu'y ont faite à ses moutons, j's'rais pas surpris pantoute.

— C'é ben la meilleure affaire qui peut nous arriver, mé j'ai mes doutes, commente Maggie.

Elle fait une longue pause. Elle saisit quelques bûches et les empile avec les autres.

— M'en vas t'parler sérieusement c'ta fois-citte. Comme tu cours pas, m'en vas m'présenter. Pis pas juste pour m'parader, mé pour gagner. J'sus certaine qu'on va avouère des élections à la fin d'l'été pour trouver un nouveau maire.

Athanase s'immobilise, une bûche au bout du bras. Comme s'il avait été frappé par la foudre. Les premières fois qu'elle en a parlé, il a cru à une blague, mais là, aucun doute, elle ne joue pas la comédie.

— T'es ben sérieuse?

— Tu penses que ç'a pas d'bon sens?

— Pas ben ben, non. Pis la loi l'permet pas. J'connais assez l'monde de Saint-Benjamin pour savouère qu'y voteront pas pour toé. Même à Montréal pis dans les vieux pays, y votent pas pour les femmes.

— Tu m'soutiendras pas?

Athanase est coincé. La soutenir? Être le seul qui voterait pour elle? Devenir l'objet de toutes les risées? Comment la détourner de ce projet complètement ridicule? Il est convaincu que Maggie n'obtiendra pas un seul autre vote que le sien. Mais pendant qu'elle fera campagne, elle sera à Saint-Benjamin. Il aura donc plus de temps pour la convaincre de rester auprès de lui et, qui sait, la persuader de renoncer à se lancer dans une aventure aussi incongrue.

— Ça s'ra pas facile, mé si tu t'essayes, moé pis les filles on va être derrière toé.

Maggie sent que l'appui d'Athanase est fragile. Elle aurait souhaité plus d'enthousiasme. Mais elle s'en contentera. Athanase s'avance vers elle. Il lui prend le bras et l'attire vers lui.

— Icitte, t'es brave? dit Maggie.

— Cachons-nous derrière la corde de bois.

Elle n'en a pas très envie, mais le moment serait mal choisi de dire non à Athanase. Elle s'abandonne. Émoustillé, Athanase la serre fort dans ses bras. Elle sent son sexe dur comme la pierre. Ses mains qui cherchent ses seins sous sa chemise légère. Il les empoigne fermement, lui fait mal, le souffle court, brûlant d'envie pour elle.

— Doucement, l'enjoint Maggie. On a tout not' temps.

Athanase ralentit le rythme. Mais il jouit en quelques secondes. Plaisir animal, le temps d'un chant d'oiseau.

— Déjà ! fait-elle moqueuse.

Athanase s'indigne et referme son pantalon.

— Ça m'énerve trop. Y faudra qu'tu restes plus long-temps pour que j'aille l'temps de m'habituer à toé.

Maggie se contente de sourire. Elle défroisse sa jupe.

— Faut qu'j'me sauve.

Maggie retourne par le sentier de la forêt qui la conduira à la maison de Mathilde. Elle ralentit le pas, profite du beau temps, du calme des bois. La course folle de deux écureuils roux l'amuse. Fébrile, la tête pleine de défis, elle soupèse ses chances de devenir maire. Si elle se lance dans cette aventure, cela signifie-t-il qu'elle renonce à l'emploi de la Quebec Stitchdown Shoe ? Inconsciemment, cherche-t-elle des raisons de prolonger son séjour pour se donner plus de temps auprès d'Athanase ? Elle est déchirée, incapable de prendre une décision. Elle dira à son patron qu'elle passe le reste de l'été à Saint-Benjamin.

À mi-chemin, Maggie sent soudain une main s'abattre sur son épaule. Avant d'avoir le temps de se retourner, elle est projetée au sol. Comme un animal enragé, Edgar Biron se précipite sur elle, la tient fermement. Il ouvre sa braguette. Maggie tente de le frapper avec son genou, mais n'y arrive pas. Elle le mord furieusement à l'avant-bras. Edgar hurle, fou de douleur. Elle se débat rageusement, cherchant des yeux un rondin, une roche qui pourraient lui servir d'arme. Edgar arrache la jupe de Maggie d'une main en la retenant de l'autre. L'haleine fétide, les pattes sales, bave à la bouche, il est répugnant. Dans un effort suprême, elle réussit à les faire rouler tous les deux. De sa main libre, elle attrape un chicot. Elle se détend tout à coup, relâche tous ses muscles.

Comme elle le faisait avec Domina. Elle veut donner à Edgar l'impression qu'elle renonce à lutter, qu'elle s'abandonne. Aussitôt qu'il desserre un peu son emprise, elle lui assène un puissant coup de chicot d'érable au-dessus de l'oreille gauche et un solide coup de genou dans les testicules. Étourdi, Edgar se prend la tête à deux mains, en croisant les jambes pour étouffer le mal qui lui tord le bas du ventre. Maggie le cogne de nouveau violemment. Il grimace de douleur. Le sang lui pisse du nez. Maggie se dégage et se sauve. Il la rattrape bientôt et lui assène un coup de pied dans le ventre. Maggie plie les genoux de douleur, un goût de sang dans la bouche. Quand Edgar veut la saisir par le cou et l'étouffer, elle balance son rondin de toutes ses forces. Atteint au genou, Edgar s'écrase. Maggie court, les poumons en feu, Edgar à cloche-pied sur les talons. Quand la maison de Mathilde se dessine dans la courbe du sentier, Edgar s'arrête et disparaît dans la forêt. Encore une fois, elle lui a glissé entre les doigts. Si seulement il avait eu l'intelligence de la tuer d'abord et de profiter d'elle ensuite. La prochaine fois.

Maggie se retourne, soulagée de ne plus l'avoir à ses trousses. La puanteur d'Edgar collée à la peau. Tout son corps lui fait mal. Une douleur lancinante au ventre. Sa jupe disparue. Devrait-elle retourner la chercher ? Non, Edgar est sûrement encore à l'affût. « Y va finir par m'avouère. »

Maggie n'a plus le choix. Chaque fois qu'elle s'éloignera de la maison, elle devra apporter sa carabine ou se faire accompagner. Une question la tarabuste davantage : Edgar l'a-t-il vue avec Athanase derrière la corde de bois ? Devrait-elle le prévenir de ce qui est arrivé ?

Maggie touche son cou. « Le gros écœurant, y perd rien pour attendre. » Elle lave ses blessures, enfile une nouvelle jupe et se cale dans la berceuse. Hagarde, furieuse, elle se demande si elle doit endurer cela encore longtemps. Pourquoi ne pas retourner à Québec maintenant ? Renoncer

à la mairie. Pourquoi ne pas expliquer à Athanase qu'elle
ne veut plus vivre dans la crainte d'être tuée, qu'elle l'aime,
mais que si elle reste, elle attirera le malheur sur lui et
ses filles ?

48

Damase Biron est mort. Noyé dans un rond d'eau grand comme un bénitier, nu-pieds, en camisole, la moitié du corps hors de l'eau. Le spectacle est pathétique, désolant.

Quand Lucia revient à la maison, elle s'étonne de ne pas le trouver dans la cuisine. «Probablement étendu sur le lit», pense-t-elle. Ou recroquevillé dans l'encoignure de la remise? Damase est introuvable. Lucia fait le tour de la maison, monte à l'étage, redescend, sans succès. Elle sort, explore les alentours, fouille le boisé des yeux. Aucune trace de son mari. Alerté, Rosario Boulet, son voisin, jette un coup d'œil dans la remise, inspecte les environs, s'aventure dans le sous-bois. Damase gît, inanimé, la tête plongée dans un petit bassin du ruisseau de la Fabrique. Rosario se dépêche de le retourner, de le tirer de l'eau. Trop tard, Damase est mort.

— Lucia, Lucia!

Les cris de Rosario font courir un grand frisson dans le dos de Lucia. Ils lui donnent le vertige. Un malheur est sûrement arrivé. Elle accourt. En voyant le corps de son mari dans le ruisseau, elle pousse un grand cri. Non! Les yeux pleins de larmes, elle s'approche du cadavre, tirant sur sa camisole pour le réveiller. Mal à l'aise, Rosario ne peut la réconforter.

— Va charcher mes gars, pleurniche-t-elle. Y sont chez Josaphat. Dépêche-toé.

Rosario déguerpit aussitôt, soulagé d'échapper au spectacle, de pouvoir masquer son impuissance.

Lucia caresse le visage de son mari. La peau est froide d'avoir trop longtemps baigné dans l'eau. Elle repousse la mèche qui barre le front, ferme un œil à demi ouvert. Elle croise les deux bras de Damase sur sa poitrine avec des gestes d'une infinie douceur, d'une grande tendresse, des gestes trop longtemps refoulés, repoussés. Damase était devenu un étranger après toutes ces années en prison, les derniers mois de sa déchéance, sa longue agonie. Lucia voudrait rattraper le temps perdu, refaire le plein de douceur, retrouver leurs caresses d'avant leur mariage. Des gestes capables d'apaiser la souffrance de Damase. Si seulement il lui avait ouvert les bras.

Quand ses deux fils arrivent avec Josaphat et Rosario, ils se figent à quelques pieds de la scène. Lucia est agenouillée près de son mari, le corps secoué de pleurs. Josaphat se signe. Wilfrid, sanglotant, se penche, met sa main sur l'épaule de sa mère. Encore plein d'ecchymoses dont il refuse d'expliquer l'origine, Edgar est livide, bousculé par une gamme de sentiments contradictoires, un mélange de peine, de haine, de désespoir et de vengeance. En retrait, il observe la scène, immobile comme la tourterelle face à la buse qui enlève ses oisillons. Tout son corps lui fait mal. Son cœur court, épouvanté, comme le cheval fou de Caiüs Boily. Si au moins il avait tué Maggie Miller hier, sa douleur serait moins grande.

Wilfrid aide sa mère à se relever. Il la serre fort dans ses bras, de grosses larmes se mêlant aux siennes.

Aucune parole n'est échangée. Personne ne trouve les bons mots pour adoucir l'événement. Pendant de longues minutes, ils entourent le corps de Damase sans parler, sans prier, incapables de faire le moindre geste, saturés de douleur. Seuls le babillement du ruisseau de la Fabrique et le croassement d'une lointaine corneille habillent le silence. Finalement, Lucia se tourne vers Edgar.

— Aide ton frère à l'emmener dans maison.

Mais Edgar se sauve en claudiquant. Josaphat et Wilfrid échangent un long regard plein d'inquiétude.

— Laisse-lé tranquille, dit Josaphat. M'en vas le r'trouver plus tard pis y parler.

Avec l'aide de Rosario, Josaphat et Wilfrid transportent le cadavre de Damase à la maison. Chiffe flasque, ramollie. Déjà prévenu par la femme de Rosario, le curé les attend, l'étole croisée sur la poitrine, livre de prières en mains. De nombreux curieux se sont rassemblés devant la maison. Une fois le corps déposé sur un vieux sofa, Vidal Demers lui administre les derniers sacrements, lui pardonne ses péchés et récite la prière des morts. *Requiescat in pace.* Josaphat quitte aussitôt la maison par la porte arrière.

— Bon courage, madame Biron, dit le prêtre. Dieu l'a voulu ainsi pour mettre fin à ses souffrances. Parfois, c'est mieux comme ça.

— Vous allez-t-y l'enterrer dans le nouveau cim'tière ? demande Lucia avec inquiétude.

La question surprend le curé. Peut-il ouvrir les portes de l'église et du cimetière à un suicidé ? Damase Biron a-t-il posé un geste délibéré ? Les questions effleurent l'esprit de Vidal Demers un court instant. Malgré toutes les apparences d'un suicide, le curé préfère conclure à un accident. À Dieu de prononcer le verdict, de l'accueillir au ciel ou de le jeter en enfer.

— Oui, oui, madame, ne vous inquiétez pas.

Lucia est soulagée. Le prêtre serre la main de Wilfrid. Il l'invite à se rendre au presbytère quand il le pourra pour préparer la cérémonie funèbre et déterminer une place dans le nouveau cimetière. L'ironie est grande. Ce nouveau cimetière d'où les frères Biron ont été expulsés doit maintenant accueillir leur père, le premier citoyen de la paroisse à y faire son entrée, outre « les vieux morts » que l'on a déménagés.

Wilfrid approuve d'un geste de la tête et raccompagne le curé à la porte. Vidal Demers se tourne vers lui. Bien plus que le suicide de Damase, c'est la réaction d'Edgar qui l'alarme.

— Ton frère n'est pas ici ?

— Y a trop d'peine. Y s'é caché.

— Tu vas t'en occuper, conseille le curé à Wilfrid. Je sais qu'il doit souffrir terriblement, mais le temps serait mal choisi pour faire des bêtises. Tu m'promets de le surveiller ?

— Oui, oui, m'sieur l'curé.

— Et après les funérailles de votre père, j'aimerais avoir une bonne conversation avec vous deux.

Trois coups sont frappés sur la cloche de l'église. Trois coups pour annoncer la mort de Damase, suivis du glas général. Le bedeau répétera la séquence trois fois.

49

La nouvelle de la mort de Damase n'a surpris personne. Depuis son retour de prison, l'homme était méconnaissable. Pâle copie du fanfaron d'une autre époque, il était un homme brisé par les années d'incarcération, ses rêves détruits, ses passions envolées.

— J'aurais mis ma main au feu qu'y allait petter au frette, dit Appolinaire Bolduc, le maréchal-ferrant qui enlève une bonne couche de corne usée de la patte du cheval de Poléon-à-Ti-Jos.

Appolinaire retourne au foyer, tourne la manivelle du soufflet, en retire un fer incandescent qu'il redresse sur l'enclume avant de le tremper dans une cuve d'eau froide et de l'apposer à la patte du cheval. Les murs de la forge sont noircis de fumée. Dans un désordre indescriptible se mêlent les haches, godendards, harnais, faucilles, pics, pelles ; un fouillis d'objets qu'Appolinaire finit toujours par dénicher quand il en a besoin.

— C'é sûr qu'y avait l'génie ben fatigué, renchérit Poléon.

Les réactions sont mitigées. Elles oscillent entre le regret d'une fin pathétique et le soulagement de voir disparaître un criminel, la honte de la paroisse. Doit-on l'enterrer avec les catholiques ? Lui refuser l'accès au nouveau cimetière ? Quand le marguillier en chef soumet ces objections au curé, Vidal Demers le rabroue vertement.

— Il a payé sa dette envers la société. Moi, j'ai choisi de lui pardonner ses péchés et d'inviter Dieu à l'accueillir au ciel. Ne lui faites pas payer les erreurs de ses fils.

Quand Alexandrine annonce la nouvelle à Maggie, elle comprend immédiatement que le danger vient de décupler.

Edgar voudra lui faire payer la mort de son père même s'il doit se retrouver en prison pour le reste de ses jours, ou même sur l'échafaud. Que faire ? Fermer la maison et rentrer à Québec par le train de l'après-midi ? Voilà une solution qu'elle rejette aussitôt. Elle va rester et se battre sur deux fronts. Elle sera candidate à la mairie, pour éliminer ceux qui cautionnent Edgar Biron. Et si les policiers ne réussissent pas à l'arrêter, elle trouvera un moyen d'évincer Edgar. Elle lui tendra un piège, tentera de l'attirer dans un guet-apens. Et si elle réussit, qu'arrivera-t-il ensuite ? Le livrer à la police ? Le tuer ? En arriver là ? Et après ? La justice, le procès, la légitime défense, Athanase a raison, devant la justice, les femmes ont toujours le fardeau de la preuve.

— C'é ben trop dangereux, la sermonne Alexandrine. Parle à Thanase, y va t'aider.

Maggie n'aime pas l'idée de s'en remettre à Athanase. Elle ne veut pas avoir de dette à son endroit. Si elle reste auprès de lui, certes, elle le consultera, mais la décision finale sera la sienne.

Au loin, portées par le vent, les cloches de l'église invitent les fidèles aux funérailles de Damase. La veille, Josaphat a découvert Edgar dans la grange abandonnée de Siméon Fleury. Recroquevillé, sale, la moitié du visage tuméfié, il marchait péniblement. Edgar a suivi Josaphat comme un chien battu. Sa mère l'a aidé à se nettoyer, inquiète de l'enflure de son genou, incapable de lui tirer le moindre mot. S'agit-il de la même personne que celle qui avait battu son mari ? Si oui, qui ?

— Si tu l'as vu, dis-lé à Josaphat pis à mon onc' Séverin.

L'église est presque vide. Une poignée de parents recueillis, dépassés par l'événement. Lucia Biron, inconsolable, est soutenue par son fils aîné. Pendant toute la cérémonie, Edgar reste seul dans le dernier banc de l'église, la tête entre les deux mains, défait. Pas de larmes, pas de réaction, tout est figé en lui. Personne n'ose le regarder en face. Qui l'a battu ainsi ? Le regard vitreux, Edgar refuse de répondre. Le sermon du curé est bref. Il fait appel à la compréhension, à la prière, au pardon.

— Dieu seul est en mesure de juger notre frère Damase. Sa miséricorde est infinie.

Tôt le matin, avant le lever du soleil, Wilfrid a creusé la fosse qui recevra la tombe de son père, tout près de la grande croix blanche plantée par le menuiser dans les jours précédents. Pendant deux heures, Wilfrid a creusé de toutes ses forces, la sueur au front. Pour engourdir la douleur, oublier les raisons du travail qu'il effectuait. Quand le bedeau s'est pointé pour l'aider, Wilfrid lui a fait signe de déguerpir d'un geste vif de la main.

Au cimetière, le cortège funèbre a été précédé par Napoléon Bolduc, debout, près de la croix, deux petits sacs de terre dans les mains. Tout ce qu'il a retrouvé de ses enfants morts à la naissance, il y a quinze ans. Les deux fils qu'il n'a jamais eus. Deux petits sacs de terre, de morceaux de bois décrépit et de particules blanches. Napoléon tente de se convaincre que ce sont des fragments d'os. Le curé lui lance un regard de feu. Napoléon a procédé à l'exhumation sans d'abord obtenir son aval.

Le cercueil de Damase, porté par ses frères et cousins, est d'abord déposé près de la fosse, le temps d'une dernière prière et d'une douche d'eau bénite. Vidal Demers prend les deux mains de Lucia Biron et, d'une voix douce, lui dit :

— Bon courage, madame Biron. Je serai toujours là si vous avez besoin de moi.

La bonté du curé est un baume sur les plaies vives de Lucia. Même si son mari n'était pas un modèle, même si ses fils ne sont pas sans reproche, Vidal Demers choisit le pardon, la compassion.

La famille reste autour du cercueil, en silence, un long moment, le bedeau en retrait attendant le signal de passer à la dernière étape. Quand Wilfrid se tourne vers lui, il place deux câbles sous le cercueil et, avec l'aide de la famille, le laisse glisser au fond de la fosse.

Lucia Biron, stoïque, ne réagit pas. Elle n'a plus de larmes. À l'entrée du cimetière, un homme est accoudé à la clôture. Roméo Labrecque mâchonne un brin d'herbe. Tout indique qu'il n'est pas ici par sympathie pour la famille du défunt. Les parents de Damase s'indignent. Quelle indélicatesse ! Mais le policier n'a pas de temps à perdre. L'heure n'est pas aux grands épanchements. Maggie l'a appelé ce matin pour lui raconter les derniers incidents, l'attaque dont elle a été victime et la tuerie des moutons de Bénoni. Même si l'ancien maire a refusé de porter plainte, le policier a jugé qu'il en avait assez pour arrêter Edgar.

— Vous avez sa montre ? a demandé le policier incrédule.

Ahuri, Roméo Labrecque a songé à réprimander Maggie, lui dire qu'elle a mis sa vie en danger, qu'elle aurait dû se contenter de le faire fuir tout en reconnaissant que la montre pourrait servir de pièce à conviction dans un éventuel procès. Une fois la sépulture terminée, le policier s'approche de la famille.

— Où est-il ? demande Roméo Labrecque à Lucia Biron.

Elle se tourne, balaie le groupe du regard et demande à Josaphat, la voix blanche :

— Y é où, Edgar ?

Personne ne l'a vu. Il n'est pas venu au cimetière. À la fin de la cérémonie religieuse, il avait disparu du dernier banc de l'église.

— M'en vas m'en occuper, grogne Josaphat. Pis, m'en vas vous appeler quand j'l'aurai r'trouvé.

Le policier cache mal son agacement. Il reste un long moment immobile, les yeux fixés sur Josaphat qui baisse la tête et s'en retourne. Le cimetière se vide. Le bedeau remplit la fosse. Roméo Labrecque devra repartir les mains vides. Le temps est-il venu de faire appel à l'artillerie lourde et de la lancer aux trousses d'Edgar Biron? Le policier le croit, mais ses effectifs sont limités et, en ce moment, ils sont occupés à résoudre un crime beaucoup plus important, le meurtre d'une mère et de ses trois enfants dans un autre village du comté de Dorchester.

50

Edgar Biron a disparu. Josaphat et Wilfrid ont fait le tour des cabanes à sucre, des jâvelles et des granges abandonnées, ses cachettes privilégiées, sans succès. Le lendemain des funérailles, Roméo Labrecque est revenu à l'improviste. Il a cogné aux portes de Lucia et Josaphat dans l'espoir d'y trouver Edgar. Peine perdue. S'est-il enlevé la vie comme son père? Plusieurs le craignent. Désespérée, sa mère erre tard le soir dans le village, espérant le voir surgir derrière une maison ou un bosquet. À l'exception de Josaphat et de quelques parents, personne ne se joint aux recherches. La peur d'Edgar l'emporte sur le désir de le retrouver.

Avant de quitter Saint-Benjamin, le policier a recommandé à Maggie de redoubler de prudence. La disparition d'Edgar la taraude. S'est-il suicidé? Non. Elle est convaincue qu'il voudra l'éliminer avant de mettre fin à ses jours. Il est peut-être à quelques pieds d'elle, caché dans la forêt, attendant le moment propice. Quelle est sa part de responsabilité dans la mort de Damase? Est-ce que la raclée de Magella Boily l'a poussé au suicide? Après Domina et Catin, a-t-elle un troisième mort sur la conscience? Ces questions la tourmentent. Elle les repousse et cherche à se convaincre qu'elle a agi pour le mieux. Qu'il s'agissait avant tout de sauver sa peau, que Damase était déjà mort à sa sortie de prison.

La veille, à la tombée de la nuit, elle fait le guet un long moment à la fenêtre, carabine sur les genoux, les yeux fixés sur la forêt, attentive au moindre frémissement des arbres. Elle a dormi d'un œil, sautant du lit au premier bruit insolite. Les portes sont toujours barrées, même le jour.

Animal blessé, Edgar est capable de tout. La prochaine fois, il la tuera sans hésiter.

Maggie se réjouit de voir arriver Athanase. Depuis la dernière agression d'Edgar, elle n'est presque pas sortie de la maison, toute à sa réflexion, prenant prétexte de la fin de la fenaison pour ne pas déranger Athanase.

— J'ai une grosse nouvelle à t'apprendre, lui annonce-t-il.

— Moé-tou, dit Maggie aussitôt. En partant l'aut' jour, j'ai été attaquée par Edgar dans la sucrerie. Y m'a arraché ma jupe, mé j'ai réussi à l'assommer pis à m'sauver.

— Creusse, y t'a pas estropiée au moins ?

— Rien d'grave, mé j'pourrai pus sortir sans mon fusil. J'ai appelé Roméo Labrecque. Y é v'nu pour l'arrêter après l'service de son père, mé Edgar avait disparu.

— Pourquoi t'es pas v'nue m'charcher ? J'sus débordé par les foins ces jours-citte, mé pour toé, j'ai l'temps. Pis tu peux pus rester toute seule icitte. C'é ben d'trop dangereux. Viens-t'en chez nous.

— T'imagines un peu c'que les voisins diraient ?

— Ça m'dérange pas pantoute.

Maggie est surprise par cette bravade d'Athanase. Surprise et rassérénée à la fois. Après la mort de Damase, Maggie a fait le calcul qu'elle aurait quelques jours de répit, une courte accalmie, le temps qu'Edgar couve sa peine et se relance à sa poursuite, ce qui ne saurait tarder à présent. Mais elle ne veut pas se cacher dans la maison d'Athanase de peur de lui envoyer le signal qu'elle est prête à vivre avec lui. Pas maintenant. Si elle quitte la maison de Mathilde, elle ira chez Alexandrine qui l'a aussi suppliée de ne pas demeurer seule.

— Si j'm'en vas chez vous pis qu'Edgar l'apprend, y é ben capable de s'en prendre aux filles. Pis si y vient icitte pis y m'trouve pas, y é capab' de faire brûler la maison. Non, m'en vas rester icitte avec ma carabine, pis m'en vas protéger la maison en attendant qu'la police l'trouve.

Athanase voudrait la convaincre que ce n'est pas raisonnable, qu'elle met sa vie en danger. Aucun de ses arguments n'infléchira Maggie. Têtue, elle restera dans la maison de Mathilde. Il ne dormira plus que d'un œil et surveillera lui aussi les environs jusqu'à l'arrestation d'Edgar.

— Que c'é qu'tu voulais m'apprendre? demande Maggie à Athanase.

— Josaphat, Oram pis Calixte ont démissionné du conseil.

La veille, les trois hommes ont remis leur démission au secrétaire de la paroisse, sans explications. À l'évidence, Josaphat n'a pas donné le choix à Oram et Calixte. Mais pourquoi? Au magasin général, le marchand raconte que Josaphat sera de nouveau candidat, mais comme maire ou conseiller? Les spéculations vont bon train. Calixte Côté laisse entendre qu'il pourrait être candidat à la mairie. Vraiment? Pour l'instant, il ne reste qu'un seul conseiller municipal, Cléophas Turcotte. Le secrétaire lui a conseillé de démissionner aussi pour repartir à neuf. Mais Cléophas n'a pas pris de décision. Il doit d'abord parler à «son ami» Bénoni.

— J'me d'mande ben c'qu'y z'ont derrière la tête, commente Athanase.

Maggie s'essuie les mains sur le revers de sa robe. Elle cherche à comprendre les raisons de ces démissions. Que mijote Josaphat? Est-ce une ultime provocation à l'endroit de Bénoni? Veut-il le forcer à sortir de sa tanière et l'affronter à la mairie? Pour mieux le battre ensuite?

— Ça veut surtout dire que j'avais raison, pis qu'y va y avouère des élections plus vite que prévu.

Des élections, et la victoire sans opposition de Josaphat et des siens, si personne n'ose les affronter. La voilà forcée de confirmer sa décision. Finies les crâneries, elle foncera, elle sera candidate à la mairie. A-t-elle la moindre chance de gagner ou se ridiculisera-t-elle devant la paroisse au complet?

— Tu penses toujours à t'présenter ? demande Athanase.

— Si j'me fais pas tuer avant ! ironise-t-elle en retenant un mince sourire.

— Dis pas ça. Mé c'é sûr que si tu t'présentes, y vont t'faire la vie dure pas pour rire. Si c'é pas Edgar, ça va être quequ'un d'aut' comme Séverin ou son gars.

Athanase espère décourager Maggie, lui faire comprendre que le risque décuplera une fois sa candidature annoncée. D'autant plus qu'elle est irrecevable et sera perçue comme une provocation.

— M'en vas être candidate. C'é plus fort que moé. On peut pus laisser c'te gang-là diriger l'village. C'é des criminels. Si je l'fais pas, j'm'en voudrai toujours. Pis si un meilleur candidat s'pointe le boutte du nez, j'y laisserai la place.

— Pis si tu perds, tu vas t'en aller ?

— Écoute, Athanase, j'sus en amour avec toé, ben gros, mé ça m'fait ben peur aussi, pis tu connais les raisons. Mé j'te promets de t'donner une réponse claire pis honnête après les élections, pis j'te promets que l'résultat changera rien à ma réponse.

— Tu m'promets ?

Athanase voudrait s'en convaincre. Maggie sent son inquiétude. Elle souhaiterait le rassurer, mais elle ne veut pas lui dire ce qu'il a le goût d'entendre. Pas maintenant. Même s'il évite de l'exprimer clairement, Athanase craint que la candidature de Maggie déchaîne ses adversaires et que l'un d'eux finisse par la tuer. Il préférerait qu'elle reste juste pour lui, qu'ils se marient, qu'ils s'installent tous les deux avec les filles et mènent une vie paisible, loin des tracasseries du village. Mais c'est mal connaître Maggie. Elle a envie de se battre avec ces gens qui la méprisent et la menacent depuis son retour à Saint-Benjamin. Elle ne sera pas satisfaite aussi longtemps que les dirigeants actuels seront en poste et qu'Edgar Biron sera en liberté.

— C'é une creusse de grosse *job* ! dit Athanase.

Oui, la tâche est énorme, dangereuse même. Mais laisser les commandes de la paroisse aux mains de Josaphat et de Saint-Pierre serait irresponsable. À moins que Bénoni, le têtu, l'arrogant, change d'idée, à moins qu'un candidat crédible ne surgisse, Maggie défiera toutes les lois, tous les préjugés et tentera de barrer la route à Josaphat et aux siens. Maggie Miller, une femme, candidate à la mairie de Saint-Benjamin! Du jamais-vu dans la province!

51

Saint-Pierre Lamontagne, le secrétaire de la municipalité, a convoqué tous les citoyens habilités à voter. Il aura la responsabilité des élections complémentaires. Un poste de maire est à pourvoir. Il faudra aussi combler cinq des six postes de conseillers. La maison du secrétaire est bondée. Des hommes restent à l'extérieur près des fenêtres ouvertes. Josaphat, Oram et Calixte, les trois démissionnaires, sont assis au fond de la cuisine. Saint-Pierre Lamontagne fouille dans ses papiers. Nichée entre Pit et Athanase, Maggie ne passe pas inaperçue. Murmures et grognements ont accueilli son arrivée. « Que c'é qu'a fait icitte ? »

— À l'ordre ! hurle le secrétaire.

Des chaises s'entrechoquent, une porte grince. Le silence tombe finalement sur l'assemblée.

— Madame Grondin, à ma connaissance, vous n'avez pas le droit de vote.

L'intervention du secrétaire est accueillie par des ricanements étouffés et quelques blagues égrillardes. Pour une fois, les paroissiens ne se moquent pas de lui. Hier encore, des jeunes hommes le narguaient à la fête du village, mimant sa démarche efféminée et son élocution, le bec en cul de poule.

— J'ai pas l'droit d'savouère c'qui nous attend ? Parce que j'sus une femme, j'ai rien à dire ?

La réplique cinglante de Maggie étouffe tous les bruits. Le silence est opaque. Personne n'ose la relancer. Pit Loubier lui donne un discret coup de coude, sa façon de lui témoigner son appui. Athanase en a un frisson dans le dos. Saint-Pierre choisit de ne pas l'affronter.

— On est dans un pays libre, madame, personne ne peut vous empêcher d'être ici. Mais je vous rappelle que vous n'avez pas le droit de vote. C'est comme ça dans la province de Québec.

— Sauf à Montréal, lui fait remarquer Maggie.

— On é pas à Montréal icitte, lance une voix à l'extérieur de la maison. Sacre ton camp à Québec, maudite Irlandaise !

Maggie a reconnu la voix de Séverin Biron, plus amer encore depuis la mort de son frère.

— À l'ordre, répète Saint-Pierre pour se sortir de ce mauvais pas et pour éviter les dérapages. En vertu de l'article 245 du Code municipal de la province de Québec, « le maire et les conseillers seront mis en nomination, le deuxième mercredi de septembre et la votation, de vive voix, aura lieu le jour suivant ».

— De vive voix, murmure Maggie à Athanase.

Plusieurs petites municipalités de la province n'ont pas encore adopté le vote secret. Trop dispendieux. Voilà qui compliquera drôlement la tâche de Maggie. Demander à des électeurs de s'afficher publiquement en faveur d'une femme ? Est-ce utopique ? Elle pensait pouvoir convaincre plusieurs propriétaires de voter pour elle dans le secret de l'isoloir, mais au vu et au su de tous, elle aura besoin d'un pouvoir de persuasion exceptionnel.

Pressé d'en finir, Saint-Pierre a horreur que sa maison, son intimité, soient ainsi envahies. Si par malheur quelqu'un s'avisait d'ouvrir la porte de sa chambre ! Demain, il ira au magasin et achètera un cadenas.

Saint-Pierre explique la procédure à suivre. Les candidatures devront lui être soumises le 9 septembre et l'élection aura lieu le 10, après les gros travaux de l'été, avant que les hommes ne partent pour les chantiers, dont plusieurs ne reviendront pas avant les Fêtes. Seuls les propriétaires de biens-fonds pourront voter.

— Tous ceux qui ont des arrérages de taxes, je vous invite à les payer pour ne pas perdre votre droit de vote. Des questions ?

Aucune question, la maison se vide. Josaphat, Oram et Calixte se sauvent pour éviter d'avoir à répondre aux interrogations des paroissiens. Maggie reste sur son appétit. Elle n'a aucune voix au chapitre. Saint-Pierre Lamontagne rejettera sa candidature sans discussion. Elle est tolérée, sans plus. Ces élections sont réservées aux hommes. D'un coup, elle mesure la raideur de la côte qui se dresse devant elle.

— J'ai ben l'impression qu'ça va rien changer pantoute, dit Pit Loubier à Athanase et à Maggie.

Maggie est renfrognée, contrariée. Ce vote à main levée est un obstacle qu'elle n'avait pas prévu, un de plus. Pourrait-elle exiger que le vote se déroule en isoloir comme dans les grandes villes, comme pour les élections provinciales ou fédérales?

Une bonne odeur de foin fraîchement coupé baigne le rang Watford. Pit klaxonne pour avertir une bande d'enfants qui jouent à la marelle dans le chemin. Avec un grand sourire à leur endroit, il oblique légèrement à gauche pour ne pas effacer les chiffres déjà inscrits dans le gravier.

— J'ai pas dit mon dernier mot, laisse tomber Maggie.

Elle refuse de baisser les bras. Il ne faut pas redonner un mandat à Josaphat et à son groupe, jamais! Quand elle aperçoit Bénoni en train de relever une clôture de perches, elle demande à Pit Loubier de s'arrêter et de la laisser descendre.

— Attendez-moé icitte, j'en ai pour deux minutes.

Incrédules, Pit et Athanase n'essaient même pas de la retenir. Souple, Maggie saute par-dessus la clôture et s'approche de Bénoni. L'ancien maire l'accueille froidement. Il la détaille des pieds à la tête comme le cheval qu'on hésite à acheter. Maggie Miller n'a pas vraiment changé. Elle a toujours ce même regard frondeur, cette beauté qui dérange.

— Mes sympathies pour Mathilde, lâche Bénoni sèchement, pour lui faire comprendre que la conversation n'ira pas au-delà des gens et du temps qu'il fera.

— Merci.

Bénoni plante deux pieux en forme de «x» et y appose une longue perche. Voilà tout ce qu'il attendait de Maggie. Il n'a pas envie de pousser la conversation plus loin. Qu'elle passe son chemin.

— L'secrétaire vient d'annoncer qu'les élections auront lieu le 10 septembre. Vous serez candidat? lui demande Maggie à brûle-pourpoint en choisissant de ne pas le tutoyer pour lui montrer qu'elle le respecte.

— Candidat à quoi? réplique Bénoni sur un ton agacé.

— Vous savez d'quoi j'parle.

— Pis pourquoi ça t'intéresse?

Maggie se cabre. Le ton méprisant de Bénoni la rend furieuse. Non pas qu'elle prévoyait une réception chaleureuse, mais sûrement pas une telle condescendance.

— Ça m'intéresse parce que ma tante a été attaquée deux fois sous les ordres des imbéciles qui *ronnent* c'village. Y ont tué des animaux, y ont démoli des clôtures pis, pire encore, trois fois, Edgar Biron a tenté de m'tuer. Mais l'conseil l'protège, même la police est pas capable de l'arrêter. Y é pas normal dans un village comme Saint-Benjamin que j'soueille obligée de m'promener avec une carabine parce que l'gros Biron risque de sortir du bois à tout moment.

Maggie est déchaînée. Bénoni l'écoute tout en faisant semblant de ne pas s'intéresser à son propos.

— Qu'un ancien maire respecté reste assis sus son cul quand on tue ses moutons, j'trouve pas ça normal non plus.

— C'é pas d'tes affaires, interjette Bénoni.

— C'é les affaires de tout l'monde, mé si personne parle, personne s'lève deboutte pour dire «c'é assez», jusqu'où ça va aller?

Bénoni est surpris par la tirade de Maggie, mais de là à l'admettre, à lui donner raison, jamais! Cette femme le dérangeait, il y a vingt ans. Ses attitudes de gamine le rendaient mal à l'aise. Aujourd'hui, il est confronté à une femme mature qui l'aborde de front, sans complexe. Il est incapable de soutenir son regard. Une femme qui n'a pas peur de lui. Même les hommes ne l'ont jamais apostrophé de la sorte.

— Y a des élections en septembre, pis vous allez tous vous pincer l'nez pis laisser Josaphat Pouliot s'faire élire encore une fois? Pis par acclamation? Si vous vous présentez pas, vous pourriez au moins vous forcer pour convaincre quequ'un de s'présenter.

— Y a personne dans c'village qui é capable d'être maire.

Le ton de Bénoni est méprisant, suffisant, une montagne d'arrogance!

— Justement, y a personne d'aut' que vous. Par orgueil, vous avez laissé la paroisse sans maire digne de c'nom pis sans juge de paix. C'était irresponsable d'vot' part.

— Tu comprends rien à la politique, t'as...

Maggie lui coupe aussitôt la parole.

— C'que j'comprends, c'é qu'vous avez peur! Vous êtes un pissoute! A l'é où vot' fierté, m'sieur Bénoni Bolduc?

Bénoni en a assez entendu. Il laisse tomber marteau et broche, se lève d'un trait et s'avance vers Maggie. Elle ne recule pas d'un pouce.

— J'ai pas d'leçon à r'cevouère de toé, pis sacre-moé ton camp, j't'ai assez vue.

Maggie fait quelques pas en direction de la route, se ravise et revient vers Bénoni. Elle a une dernière carte à jouer sur un ton tout aussi mordant.

— En tout cas, si vous courez pas, moé m'en vas y aller, pis j'vous mets au défi d'aller voter contre moé pis pour la gang à Josaphat Pouliot.

— Tu vas faire une folle de toé.

— Pourquoi donc? Parce que j'sus une femme, pis les femmes pour vous, c'é plus niaiseux qu'les hommes? C'é comme ça qu'vous raisonnez?

— Va-t'en, j't'ai assez vue.

— C'é tout c'que vous trouvez à dire. Moé qui pensais que vous étiez un homme intelligent. Maudit que j'me sus trompée! Ça vous r'ssemble pas, Bénoni Bolduc. Mé si vous avez peur pis qu'vous avez décidé d'chier dans vos culottes, vous vivrez avec les conséquences.

Abasourdi, Bénoni n'a pas le temps de répliquer. Maggie déguerpit, d'un pas saccadé, la rage au cœur. Sidérés, Pit et Athanase se demandent s'ils ont rêvé. Comment Bénoni a-t-il pu encaisser pareilles volées d'insultes sans réagir plus vigoureusement! Jamais, au grand jamais, un citoyen de Saint-Benjamin n'a parlé ainsi au tout-puissant Bénoni Bolduc. Maggie ravale sa colère.

— Y é pas ben d'adon, l'Bénoni, ronchonne Pit. Quand y a queque chose dans l'cruchon, y l'a pas dans les jarrettes!

Maggie garde le silence, les yeux perdus dans sa colère. Avant de descendre de la voiture, elle demande à Pit et à Athanase de ne pas ébruiter sa prise de bec avec Bénoni, pour éviter de l'indisposer davantage. Qu'on raconte partout que Maggie l'a vertement rabroué n'aiderait sûrement pas à convaincre l'ancien maire de reprendre du service, si, par miracle, il subsiste une lueur d'espoir de le voir revenir. Mais Maggie n'a pas beaucoup d'illusions. Bénoni ne bougera pas de chez lui.

— J'ai jamais vu quequ'un d'aussi orgueilleux, dit Maggie à Athanase.

— Faut l'comprendre. La gang du village, y l'ont tassé comme une vieille chaussette!

L'admonestation de Maggie a empêché Bénoni de dormir, mais ne l'a pas convaincu de se porter candidat. Pas encore. Méfiante, Léda comprend que son mari est tourmenté. Elle aussi s'inquiète de la tournure des événements mais, dans ce contexte explosif, elle préfère qu'il demeure à l'écart.

— Y font-y ben des pressions sus toé?

Absorbé dans ses pensées, sa tasse de thé à la main, Bénoni a une réponse teintée de frustration et de mépris.

— Qu'y restent dans leu marde !

Léda n'essaiera surtout pas de le faire changer d'idée. Et même si elle le voulait, ce serait peine perdue. Têtu, arrogant, revanchard, Bénoni ne pardonne pas facilement. Son expulsion du conseil par une bande d'incompétents a laissé des cicatrices qui mettront du temps à guérir.

— Personne dans la paroisse a l'vé le p'tit doigt quand l'conseil a décidé de m'mettre à la porte. Y sont tous allés s'cacher, même ceux qu'j'ai toujours aidés. Bande de sans-cœur ! Qu'y viennent pas brailler aujourd'hui !

Toute la nuit, Bénoni a ressassé les arguments de Maggie. Elle a raison. La situation a dégénéré. A-t-il été irresponsable en démissionnant de toutes ses fonctions sur un coup de tête ? A-t-il abandonné les siens par simple orgueil ? Aurait-il pu continuer à diriger la paroisse malgré les «rouges» ? Ces questions le taraudent. Maggie a réveillé des sentiments enfouis au plus profond de son être. Trop tard pour rappliquer ? S'il décide de mettre son orgueil de côté et de solliciter la mairie, le pourra-t-il ? Se présenter contre Josaphat, ne serait-ce pas lui donner trop d'importance ? Et les paroissiens voteraient-ils pour lui ? Et s'il était défait par Josaphat ? Quelle humiliation ! Non, pas question de revenir, à moins d'un couronnement à la demande générale. Que tous les citoyens accourent du village, des rangs et de la Cabarlonne pour le supplier à genoux ! Le sacre du roi Bénoni ! Conduit au village sous le brancard du Sacré-Cœur ! Que la procession commence !

52

Le magasin général de Mathias Giguère est bondé, la dizaine de chaises occupées par les habitués. Comme la pluie retarde les travaux des champs, une dizaine d'autres hommes les ont rejoints. Un voile de fumée drape le comptoir, si dense qu'on ne voit plus l'arrière du magasin. Caiüs Labonté crache son jus de pipe avant de pester contre la taxe de 2 % sur les ventes au détail que le gouvernement Godbout vient d'imposer.

— Duplessis a raison, maugrée Caiüs, betôt Godbout va taxer les taxes! C'é la province de Québec qui est la plus taxée des neuf provinces du Dominion.

— Ça doit être pour aider son ami King à payer la maudite guerre des Anglais, renchérit Parfait Loubier-à-Batèche.

— Vous dites n'importe quoi, grogne Napoléon Boulet, un libéral notoire. Godbout a étudié dans les vieux pays, y é pas mal plus intelligent qu'Duplessis, pis lui, y sé qu'la seule façon d'sauver l'Europe, c'é de s'battre cont' les Allemands. Si on l'fait pas, Hitler pis sa gang vont r'sourde par icitte!

Mais depuis quelques jours, les placoteux ne s'attardent jamais longtemps sur ce sujet. Rapidement, les élections municipales, mais surtout Edgar Biron, reviennent à l'avant-scène.

— Comment ça s'fait, s'indigne Parfait, qu'y le r'trouvent pas?

Où est Edgar? Son frère le cherche partout. Tout le village est sur le qui-vive. Nombreux sont ceux qui pensent qu'Edgar est mort et qu'on ne retrouvera jamais son corps.

Josaphat Pouliot a renoncé à Edgar. Il a des élections à préparer. Sa stratégie a bouleversé le village. Il a pris tout le monde par surprise avec ces démissions inattendues. Encore une fois, Josaphat tire toutes les ficelles, de connivence avec le secrétaire, cet être maléfique qui manipule les plus faibles que lui à coup d'érudition, de belles paroles et de fiel.

— M'en vas m'contenter d'être conseiller, apprend-il au marchand qui lui demande s'il sera candidat à la mairie, mé Calixte Côté f'rait un bon maire.

Josaphat quitte aussitôt le magasin, laissant ses interlocuteurs sur leur appétit. Cléophas Turcotte branle la tête de dépit. La stratégie de Josaphat est évidente. Faire élire un maire de pacotille qu'il aura sous sa férule comme Romain Nadeau, lui laissant l'odieux de toutes les décisions difficiles, mais empochant tous les bénéfices. Josaphat fait le pari qu'une élection donnera au conseil un mandat tout neuf, tout propre, lui permettant d'agir à sa guise. Une élection qui n'en sera pas une, une victoire par acclamation ou sans opposition, comme dit le secrétaire.

— À moins, reprend Josaphat, en revenant dans la porte du magasin, qu'vous soyez assez sonnés pour voter pour la Grondin !

— Pardez pas la boule, riposte Théodule Bolduc, a l'osera jamais s'présenter. Faut pas virer fou parce qu'a l'a dit ça l'aut' jour.

— A l'était à la réunion du secrétaire, réplique Trefflé Vachon. A l'avait l'air ben intéressée.

— Pis j'sus en train d'me d'mander si a l'a pas enjôlé l'curé ? Y l'a même fait v'nir au presbytère après la mort de Mathilde. Tu sauras me l'dire si a débauche pas c'jeune curé-là !

— Ben voyons donc, interjetteThéodule, les curés, ça a la couenne ben plus dure que ça !

— En tout cas, j's'rais pas surpris pantoute qu'y d'mande au monde de voter pour elle.

Voter pour Maggie Miller ? Combien, parmi tous les francs-tenanciers, lui feraient confiance ? Combien, même si c'était permis par la loi, auraient le courage de lever la main et de voter pour une femme? Certes, elle a redoré son image depuis son arrivée. Le sauvetage du petit Claude a beaucoup impressionné les paroissiens. Son intervention pertinente sur le cimetière, la piété qu'elle démontre chaque fois qu'elle va à l'église, l'attention exemplaire portée à sa tante, autant de gestes qui ont contribué à rehausser son prestige. Mais voter pour elle?

53

Dans le rang-à-Philémon, Maggie a les yeux sur les enfants qui jouent à la cachette. Claude est parmi eux. C'est encore lui qui a les meilleures cachettes, mais depuis l'incident du puits, il est plus craintif, plus prudent, plus facile à retrouver. Hier encore, ses parents reconnaissants ont apporté des œufs et des framboises à Maggie.

Un soleil faiblard assèche la route. Quand elle arrive chez Alexandrine, Maggie est tourmentée.

— C'é encore les élections qui t'étrivent ? lui demande Alexandrine.

Athanase, les élections, Maggie acquiesce d'un geste du menton. Elle cherche des moyens de se faire élire, la recette miracle qui la propulsera à la tête de la paroisse.

— Y a la loi qui permet même pas aux femmes de voter, pis l'vote s'fait à main l'vée, dit-elle à Alexandrine. Tu peux être sûre que l'maudit secrétaire va suivre les règlements à la lettre.

Alexandrine a une moue de mépris.

— J'haïs cet homme. La dernière fois que j'l'ai vu sus l'perron de l'église, y arrêtait pas de r'luquer mes enfants. Tu peux pas savouère comment y m'met mal à l'aise.

Alexandrine n'est pas la première à s'inquiéter de l'intérêt de Saint-Pierre Lamontagne pour les enfants. La façon dont il les regarde laisse deviner un intérêt qui va au-delà du simple engouement des adultes pour les enfants. Comment l'expliquer ? Fils unique, souffre-t-il de n'avoir jamais eu de frères et sœurs ? Regrette-t-il de ne pas s'être marié et de ne pas avoir d'enfants ? Les observations d'Alexandrine sèment le doute dans la tête de Maggie. Et s'il ressemblait à ce prédateur de Québec, condamné à vingt ans de prison pour avoir incité de jeunes enfants à avoir des relations sexuelles avec lui ? Elle n'ose pas en parler à Alexandrine pour ne pas l'effrayer davantage.

— En tout cas, m'en vas aller l'vouère dans les prochains jours, pis y é mieux de s'préparer parce que j'le manquerai pas. Y é mieux d'avouère des bonnes raisons pour m'empêcher de m'présenter.

Alexandrine est décontenancée par l'obstination de Maggie. Pourquoi se perdre dans une aventure sans issue ? Elle comprend son désir de se venger des dirigeants qui ont lancé Edgar à ses trousses. Est-ce une raison suffisante ? Pourquoi ne pas baisser les bras, se montrer prudente en attendant qu'Edgar soit capturé et, ensuite, vivre paisiblement avec Athanase et ses deux filles ?

— On n'é pas faites pareil, Alexandrine, tranche Maggie.

Mère de sept enfants, mariée à un cultivateur honnête et gros travaillant, bonne catholique, Alexandrine est heureuse de son sort. Elle n'en demande pas plus à la vie. Elle n'a aucune ambition si ce n'est de bien élever ses enfants et, si la chance lui sourit, d'en donner un ou deux à Dieu. Le «politicaillage», comme elle dit, ne l'intéresse pas. C'est l'affaire des hommes.

— Pourquoi tu veux t'donner tout c'mal-là ?

Maggie la regarde longuement. Avec tendresse. Elle comprend qu'Alexandrine n'est pas d'accord avec sa démarche. Mais elle ne lui en veut pas. À l'exemple de Mathilde, Alexandrine a trouvé son rang et s'en contente, comme la très grande majorité des femmes de la province. Fidèles, soumises et parfois, comme c'est le cas d'Alexandrine, satisfaites.

— Tu pourrais, continue Alexandrine, être la femme d'Athanase pis être ben heureuse. Pis quand t'aurais des manques, t'aurais juste à aller à Saint-Georges ou à Québec, c'é pas si loin.

Alexandrine a une solution pour tout. Maggie lui touche doucement le bras. Si seulement c'était aussi simple que de renoncer aux élections et plonger dans une relation avec Athanase.

— Athanase é cent pour cent derrière moé pour les élections.

Alexandrine sent que Maggie ne lui révèle pas toute la vérité ou qu'Athanase n'a pas osé lui dire clairement qu'il est opposé à son projet.

— Oui, parce qu'y t'aime tant qu'y en voué pus clair.

Maggie esquisse un grand sourire. Elle en est émue. Les propos d'Alexandrine lui font réaliser toute l'étendue de l'amour d'Athanase. Est-elle digne d'un si grand amour ? Sera-t-elle à la hauteur d'une telle passion ? D'un coup, elle réalise mieux l'immense peine qu'elle lui causera si elle retourne à Québec.

— Ça m'surprend encore un peu. Quand j'y ai dit pour l'bébé qu'j'ai perdu, y avait l'air si choqué que j'ai ben cru qu'y m'parlerait pus jamais.

Alexandrine se lève, sort du four trois pains bien dodus et, grosses mitaines en main, les dépose sur la table. L'odeur du pain chaud parfume la cuisine.

— C'é à cause de moé, dit Alexandrine. C'é vré qu'y voulait pus entendre parler d'toé. Y était tellement scandalisé par c'que t'as faite. Mé j'y ai expliqué comment c'était arrivé pis pourquoi, pis j'ai menti un peu en y disant que c'était presqu'un accident. Y a fini par s'faire une raison.

Maggie découvre toujours un peu plus le vrai Athanase Lachance. Un homme de principes, fidèle à sa religion, mais aussi capable de faire la part des choses. Un homme comme il en existe peu. Soudainement, elle sent une énorme pression sur ses épaules.

— Moé-tou, j'aime beaucoup Athanase, mé j'ai peur d'y faire mal, à lui pis aux filles. C'qui m'fait peur, c'é la terre, l'rang, Saint-Benjamin. C'qui m'fait encore plus peur, c'é moé. J'comprends qu'toé t'es heureuse par icitte, mé moé, j'crains d'étouffer pis d'être forcée de r'partir dans queques mois. Ça s'rait trop dur pis trop injuste pour Athanase pis les filles.

Alexandrine comprend les craintes de Maggie. À presque quarante ans, après Domina et Walter, le prochain homme qui entrera dans sa vie sera le dernier, surtout s'il s'agit d'Athanase, plus jeune qu'elle. Maggie n'a pas droit à l'erreur. Si Athanase acceptait de la suivre à Québec, elle n'hésiterait pas une seconde. Elle serait même prête à l'épouser. Mais à Saint-Benjamin, au-delà d'Athanase et de ses filles, il y a toute une vie qui ne l'attire pas, qui l'empêchera de s'épanouir.

— P't-être ben qu'tu l'aimes pas assez. Si tu l'aimais comme tu l'prétends, tout ça aurait pas d'importance.

Maggie se pose souvent la question. L'aime-t-elle assez pour passer le reste de sa vie dans un milieu déprimant ? Doit-elle renoncer à un grand amour qui menace de mettre un frein à ses ambitions ? Le cœur ou la raison ? Avant de mourir, Walter lui avait fait promettre d'aller au bout de ses rêves. De continuer à piétiner les plates-bandes des bien-pensants, de faire fi des chasses gardées. D'ouvrir grands ses bras à l'amour s'il s'offrait à elle.

— Si j'comprends ben, Maggie, les élections, c'é pour te venger d'la gang du village, mé c'é aussi pour te donner plus d'temps pour t'décider ?

Alexandrine a raison, mais au-delà de la vengeance, elle rêve d'être la leader, celle qui prend les décisions, qui trace la voie à suivre. Elle a promis une réponse claire et honnête à Athanase, quel que soit le résultat des élections. Elle a aussi promis une réponse définitive à son patron de Québec, au plus tard à la mi-septembre.

— Pis si tu gagnes les élections ?

Alexandrine n'y croit pas, mais elle veut provoquer Maggie, la pousser dans ses derniers retranchements.

— Avant de penser à gagner, y faut que j'trouve un moyen pour que l'monde vote pour moé malgré la loi pis l'secrétaire. Pis si j'gagne, y faudra d'abord vouère c'qui va arriver. Y vont tout faire pour m'empêcher d'devenir maire. Mé pour répondre à ta question clairement, c'é ben sûr que si j'gagne, être maire, ça s'rait un bon défi pour moé pis une bonne raison pour rester. Mé ça changera rien à ma décision pour Athanase. J'y ai dit pis j't'le dis à toé-tou, gagne ou perd, j'y donnerai une réponse honnête.

Maggie rentre chez elle, un pain sous le bras. Dans le rang-à-Philémon, un attelage va au pas. Maggie reconnaît Sam Taylor, le père de Walter, vieilli, voûté, tenant les cordeaux du cheval à deux mains, les yeux fixés sur elle. Un regard impénétrable, Maggie ne peut y lire ni haine ni pardon. Elle est secouée. Pourquoi ne ressent-elle pas cette aversion furieuse que lui a toujours inspiré cet homme? Est-elle en train de s'attendrir, de fléchir? Le temps est-il venu de pardonner? Devrait-elle l'envisager si elle reste à Saint-Benjamin? Maggie se surprend à penser à Walter qui avait l'habitude de dire: «Avec le temps, tout devient plus clair.»

54

Maggie dort mal, toujours inquiète de se réveiller dans une maison en feu ou de trouver Edgar Biron au pied de son lit. «Viens rester chez nous», lui répète Alexandrine, mais elle refuse. Ni chez Alexandrine ni chez Athanase, toujours pour les mêmes raisons, pour ne pas attirer le malheur, pour éviter que ceux qu'elle aime soient les victimes d'Edgar Biron.

Maggie retourne entre ses doigts la dernière lettre de son patron. Il accepte de patienter jusqu'à la mi-septembre, mais pas plus tard. Il lui reste un mois pour prendre sa décision. Parfois, elle songe à écouter Alexandrine : abandonner la course à la mairie et vivre pleinement son grand amour pour Athanase. Mais le désir de devenir maire est plus fort que tout. L'envie de prendre des décisions, de se battre avec des conseillers municipaux retors, d'aller à Québec pour défendre les dossiers de la paroisse, de former avec le curé un solide duo qui redonnerait un peu de panache à ce village, voilà autant de défis qui, au-delà de son amour pour Athanase, rendraient sa vie à Saint-Benjamin plus enrichissante. Sans oublier l'élimination de ses adversaires. Elle ne sera pas satisfaite aussi longtemps qu'elle n'aura pas fait un pied de nez à tous ceux qui la méprisent encore, qu'elle n'aura pas détrôné les Josaphat Pouliot, Saint-Pierre Lamontagne et Calixte Côté.

Au village, des ouvriers sont en train de construire un trottoir en bois. Le progrès! La veuve St-Hilaire a repeint sa maison en blanc avec de criardes encolures rouge vif. La nervosité est tombée, la plupart des villageois tenant pour acquis qu'ils ne reverront plus jamais Edgar Biron. Maggie aimerait bien en être convaincue.

Quand elle se présente devant le secrétaire pour l'informer qu'elle soumettra sa candidature au poste de maire, Saint-Pierre Lamontagne refuse net d'accéder à sa requête. Il est d'humeur massacrante. La veille, un plaisantin a déposé un immense nid de corneille sur sa galerie. Un nid rempli de détritus de toutes sortes, y compris de crottin de cheval séché, d'un os et de patates pourries. Habitué aux railleries, Saint-Pierre estime que celle-ci dépasse les bornes.

— La loi ne permet même pas aux femmes de voter au municipal. Le gouvernement a fait une exception pour Montréal, mais seulement pour Montréal.

— On peut voter au fédéral pis au provincial depus queques semaines, mé pas au municipal? C'é ben niaiseux!

— Ce n'est pas moi qui édicte les lois, madame Grondin, je ne fais que les appliquer.

Maggie bouillonne. Elle n'est plus madame Grondin. Pourquoi le secrétaire s'entête-t-il à l'appeler ainsi?

— C'est votre nom officiel en vertu de la loi. Je ne fais que respecter la loi, chère madame Grondin.

Tant de mépris! Maggie se rebiffe. Tout son corps s'arcboute contre lui. Prête à lui casser la figure, elle se retient.

— Pis si j'deviens maire, y vont faire quoi? Envoyer la police?

— Madame Grondin, vous perdez votre temps et me faites perdre le mien.

Arrogant, Saint-Pierre Lamontagne retourne à ses affaires. La présence de Maggie Miller dans sa maison le dérange, véritable profanation. Son dédain pour cette femme est profond, plus encore que pour toutes les autres femmes du village.

— Pis si je d'mande au monde d'voter pour moé, que c'é qu'vous allez faire?

Sans lever les yeux vers elle, Saint-Pierre s'empare d'un livre comme pour indiquer que la conversation est terminée.

— C'est moi qui dirigerai l'élection et je ne soumettrai pas votre nom aux électeurs. Je ne vais sûrement pas me rendre ridicule !

« Se rendre ridicule ! » Maggie aurait envie de sauter pardessus la table et de le griffer, de lui faire ravaler ses paroles méprisantes. Quel insolent ! Pour qui se prend-il, ce petit secrétaire de village ?

Maggie s'attendait à une réception froide de la part du secrétaire, mais pas à autant d'arrogance. À l'évidence, il n'allait pas lui faciliter la tâche. Mais qu'il appose une fin de non-recevoir catégorique, qu'il n'envisage aucun compromis, Maggie ne l'avait pas prévu. Comment poursuivre la démarche ? Quelle devrait être la prochaine étape ? Sur quel terrain doit-elle s'aventurer ? N'est-ce pas une partie perdue d'avance ? Sa candidature est-elle vraiment irrecevable ? Comment contourner la loi et déjouer Saint-Pierre Lamontagne ?

— On va se r'vouère, m'sieur Lamontagne, dit Maggie en pinçant la bouche pour se moquer du secrétaire.

— J'y compte bien, chère madame Grondin.

Maggie s'attarde sur le pas de la porte.

— En attendant, arrêtez donc d'*watcher* les enfants. Tout l'monde dans paroisse vous a vu caché derrière l'rideau pendant les récréations. Vous savez comment on appelle ça en ville à Québec ? Un vieux vicieux !

Bouche bée, le visage crispé, Saint-Pierre Lamontagne cache mal son inquiétude. Que sait-elle ? Qu'insinue-t-elle ? Qu'a-t-il à se reprocher ? Il n'a pourtant jamais commis un seul geste répréhensible.

Aussitôt Maggie partie, Saint-Pierre retourne dans sa chambre, tourmenté. Même le nouveau nid d'hirondelle des granges qu'il vient d'ajouter à sa collection ne suffit pas à la chasser de son esprit. Cette femme doit disparaître de la paroisse. Elle est dangereuse. Et la voilà qui fouille dans ses secrets les plus intimes. Qui devine ses pensées les plus abjectes. Rien ne mettra un frein à cette Marguerite

Grondin. La démission du conseil a fait échouer son projet de résolution. Résolution loufoque, mais qui aurait beaucoup impressionné les paroissiens et qui aurait définitivement discrédité Maggie. Que lui reste-t-il ? Comment évincer cette femme méprisable ? Cette Marie-Louise Cloutier ! « Qui n'a jamais versé une larme après la mort de son mari, qui s'en était remise à une tireuse de cartes pour connaître son avenir. »

Une tireuse de cartes ! Où en trouver une qui prédirait le départ de Marguerite Grondin, sa disparition à tout jamais ? Avant qu'elle ne détruise sa réputation et lui ravisse le contrôle de l'administration municipale.

Maggie saute dans le robétaille d'Albert Loubier. Le jeune homme lui sourit, intimidé. Quand Pit n'est pas disponible, elle fait appel à son petit-fils qui la conduit partout, toujours intrigué par ce long paquet que Maggie dépose chaque fois sous le siège du robétaille.

— Emmène-moé au cim'tière.

Une fois rendue, elle va d'abord devant la tombe de Mathilde. Elle voudrait prier, mais en est incapable. Que fera-t-elle si jamais elle emménage avec Athanase et les filles, eux qui prient à tout moment, y compris ce long et ennuyeux chapelet qu'ils récitent tous les soirs ? Aller à la messe tous les dimanches, communier, se confesser, prier avant et après les repas, en serait-elle capable ? Si Athanase semble prêt à faire plusieurs compromis pour la retenir auprès de lui, il ne cédera pas quand il s'agira de religion et n'acceptera pas que Maggie boude l'église ou la méprise. Ce serait un bien trop mauvais exemple à donner à ses filles.

En marchant dans le cimetière, Maggie réalise que le cercueil voisin des parents de Domina a été exhumé. Une idée lui vient en tête, opportuniste et sincère à la fois. Pourquoi ne pas demander au curé la permission d'exhumer Domina, seul dans son coin profane, et de l'enterrer près de ses parents ? Après toutes ces années, mérite-t-il toujours d'être tenu à l'écart des «vrais catholiques»? Un beau geste qui ferait taire tous ceux qui l'accusent encore d'avoir bafoué Domina, d'avoir tendu la corde pour qu'il se pende. Si le curé ne s'y oppose pas, demain, elle reviendra au cimetière avec Albert et son frère. Ensemble, ils déménageront la tombe de Domina près de celle de ses parents. Elle commandera une belle épitaphe pour Domina et les siens. Une bonne action qui la revalorisera aux yeux de tous les habitants de la paroisse. Qui ajoutera à sa crédibilité et à sa respectabilité nouvelles. Pour l'après.

55

5 août 1940. « Le maire de Montréal, Camillien Houde, a été arrêté hier soir et conduit dans un camp de concentration », rapporte Radio-Canada. Intercepté à sa sortie de l'hôtel de ville par les forces combinées de la Gendarmerie canadienne et de la police provinciale, il a été conduit à Petawawa en Ontario et aussitôt forcé d'enfiler la camisole du prisonnier, grand cercle rouge au dos, la cible des gardiens, en cas d'évasion.

Quel crime a-t-il commis ? Il a incité la population à désobéir au décret d'enregistrement national. Déjà, et sans encouragement, les Canadiens français s'opposent vigoureusement à toute forme de coercition militaire. Mais Camillien Houde ne fait pas l'unanimité. À Québec, le ministre libéral Oscar Drouin se réjouit de la participation des Canadiens français à la guerre. « Le patriotisme canadien-français a plus que jamais sa place au Canada. » Voilà qui donne des munitions additionnelles aux adversaires d'Adélard Godbout, qui le soupçonnent d'être de mèche avec MacKenzie King pour imposer la conscription.

Café en main, Maggie est rivée à la radio. Ces événements la passionnent. Avec Walter, elle discutait souvent de politique. Contrairement à Athanase, il lisait le journal tous les jours, le commentait, s'indignait de certains événements, applaudissait les bonnes décisions. Les dix-huit mois passés en France et en Belgique pendant la première grande guerre l'avaient sensibilisé à la réalité de la vieille Europe. Sa reconstruction, l'incarcération des fondateurs du parti nazi dans les années 1920, leur retour en force dans les années 1930, tout ça l'exaltait. Après sa mort, Maggie n'a jamais cessé de lire le journal, se demandant, encore aujourd'hui, ce que Walter penserait de cette nouvelle guerre. Le traitement réservé aux Godbout, King et Houde en cette période de crise la fascine. Secrètement, elle a toujours eu l'ambition de sortir du rang, d'être un leader comme eux. Prendre des décisions qui influenceraient le cours de la vie des gens. Être la plus forte, diriger, donner des ordres. À regarder de près ses patrons au fil des vingt dernières années, elle s'est convaincue qu'elle aurait pu faire beaucoup mieux. Des rêves refoulés parce que toutes les portes sont fermées, aucune femme n'a encore réussi à gravir les échelons de la politique. La proposition de la Quebec Stitchdown Shoe lui donnerait l'occasion de s'imposer. Être maire de Saint-Benjamin représenterait tout un défi. Maire comme Camillien Houde, dont le sort l'inquiète. Que deviendra Montréal sans lui ? Elle pense à celui de Québec, Lucien Borne, souvent critiqué. Sa décision de remplacer les tramways par des autobus ne fait pas l'unanimité. Les habitants de la province de Québec ont-ils si peur du changement ?

À Saint-Benjamin, si elle est élue, Maggie ne risque pas d'être arrêtée pour subversion ni d'être critiquée pour vouloir moderniser les transports. La paroisse est encore à l'âge de pierre, comme les autres de même taille dans la province. Le progrès est lent à venir. Paver les routes, acheminer l'électricité dans les rangs, étançonner une agriculture de misère, donner des ressources aux écoles, voilà autant de défis qu'elle aurait à relever. Maggie imagine un village moderne, à l'avant-garde. Et si elle soumettait sa vision, ses projets à ses concitoyens ? En promettant de ne pas aller trop loin ni trop vite pour ne pas les apeurer. Voteraient-ils pour elle ? Lui donneraient-ils un mandat pour réaliser ses projets ?

56

Quand Edgar Biron ouvre les yeux, le sort du maire Houde et la guerre en Europe sont les derniers de ses soucis. Des jets de soleil percent les branches des grands érables. Une perdrix nerveuse sautille à leurs pieds. Du haut de sa cachette, Edgar observe les environs. Il sort deux pommes d'un sac poussiéreux. Plus tard, il avalera le pain et les galettes subtilisés la nuit dernière dans la remise de la veuve St-Hilaire.

Après les funérailles de son père, Edgar s'est réfugié dans une cabane construite avec son frère dans les grosses branches d'un vieil érable, il y a une dizaine d'années. En revenant de l'école, il avait besoin de s'isoler, de se cacher pour étouffer sa peine. Si son frère les ignorait, les quolibets de ses camarades de classe l'anéantissaient. « Ton père é un bandit ! » Des années de honte, avant de découvrir qu'avec ses poings, il pouvait tout régler. Nez ensanglanté, bras douloureux, dents cassées mais, à la fin, plus personne n'osait le toucher ni le provoquer. Le gamin bousculé, humilié, devint le matamore craint de tous aujourd'hui.

Il a rafistolé la cabane, l'a recouverte de tôle pour se protéger de la pluie. Dissimulée par le feuillage de l'érable et une touffe de gros sapins, elle n'est pas visible du sol. Edgar dort dans une vieille couverture pour cheval, volée à un cultivateur. La cabane est à un jet de pierre du village. Quand il s'élève sur le bout des pieds, du haut de son arbre, Edgar peut apercevoir le clocher de l'église. Quand le vent souffle dans sa direction, il entend l'animation du village, la piaillerie des enfants, le hennissement des chevaux et les aboiements des chiens. Un jour, s'il vit assez longtemps, il aura des chiens, comme ceux d'Ovila, qu'il caressera, aimera. Des chiens qui le protégeront, lui lécheront les

mains et le visage. De vrais amis. Tout à coup, il entend
un bruit. Il jette un coup d'œil. Un homme s'avance
lentement, un sac sur les épaules, sciotte à la main. La
perdrix s'envole. Edgar ne bouge pas. Il laisse l'autre
s'approcher, saisit son gourdin, prêt à défendre sa peau.
Soudain, il reconnaît le secrétaire, Saint-Pierre Lamontagne.
Que fait-il ici ?

Saint-Pierre s'arrête devant un érable mort. À trois
reprises, il frappe sur l'arbre pour s'assurer que la petite
nyctale n'est plus dans son nid. Il se dresse sur la pointe
des orteils, tente de voir à l'intérieur. Rien. Le rapace est
parti ou mort. Edgar l'observe toujours attentivement et
n'ose pas faire de bruit ni respirer. Le secrétaire coupe
l'arbre juste au-dessus du trou. Il s'esquive rapidement
quand l'arbre tombe. Il coupe ensuite la grosseur d'une
bûche au-dessous du nid. Il met le précieux trophée dans
son sac et repart. Edgar le suit des yeux. Pourquoi une
seule bûche ? Il ne comprend pas. Il n'a jamais rien vu
d'aussi bizarre. Consolation, le secrétaire n'était visiblement
pas à sa recherche.

Edgar réalise cependant que son repaire ne l'isole pas
complètement du village. Parfois, des enfants courent dans
la forêt. Tôt ou tard, on le retrouvera. Comme son frère
l'avait fait pendant l'hiver de 1928. Pour échapper à la
méchanceté de ses camarades, Edgar s'était construit un
antre dans un énorme banc de neige, avec une couverture
pour s'y étendre. Accessible par un tunnel juste assez grand
pour s'y glisser, la maison de neige devint son refuge au
retour de l'école. Seul dans le froid, la demi-obscurité de
l'endroit, il se sentait protégé, à l'abri des sarcasmes. Un
jour, deux garçons qui le virent s'engouffrer dans le tunnel
en bloquèrent la sortie. Edgar tenta de repousser la neige
accumulée devant l'entrée. Il s'épuisa rapidement et n'y
arriva pas. Il se laissa choir dans sa prison en pleurant, les
mains gelées, la morve au nez. Au bout d'une demi-heure,
sa mère envoya Wilfrid à sa recherche. Quand il vit l'entrée

du tunnel, obstruée par une montagne de neige, Wilfrid comprit aussitôt. Il courut chercher une pelle, dégagea le trou et tira son frère de ce mauvais pas. La semaine suivante, Wilfrid cassa le nez de l'un des deux garçons d'un coup de rondin de merisier. Edgar resta à la maison, loin de l'école qu'il détestait, de la maîtresse qui en avait fait son souffre-douleur, de ces livres qu'il n'avait plus envie d'ouvrir. Loin des dictées bourrées de fautes, des additions et soustractions erronées, des prières toujours oubliées.

En attendant que son frère le retrouve, Edgar profite de sa solitude. Il vit pleinement son deuil, à rebrousse-temps, imaginant sa vie avec son père, s'il avait été auprès de lui. Il s'invente des jeux, des promenades, des petits travaux, qu'ils auraient faits à deux. Cueillir des fraises, des pommes chez Josaphat, couper du bois, aller à la messe. Le respect des siens.

La barbe longue, sale, les cheveux huileux, les mains râpeuses, Edgar a l'air d'un animal traqué. Perdu dans une sorte de coma, entre la douleur, les regrets et le désir de vengeance. Vaut-il encore la peine de vivre ? Devrait-il mettre fin à ses jours, une fois Maggie Miller morte ? À trois reprises, il a eu l'occasion de la tuer sans jamais y arriver. Il regrette encore de ne pas l'avoir achevée la première fois. Elle était là, inanimée, sans défense. Pourquoi ne l'a-t-il pas fait ? Pourquoi ne l'a-t-il pas d'abord étouffée la dernière fois avant de la violer ? Il se serait non seulement débarrassé d'elle à tout jamais, mais il aurait évité cette blessure au genou qui l'empêche de marcher normalement. Pourquoi son bras a-t-il hésité à la dernière minute ? Peur d'être arrêté, jugé et pendu ? Peur d'être encore séparé de son père ? Maintenant qu'il est mort, il n'a plus aucune raison de la ménager. Quand il la reverra, il s'assurera d'en finir avec elle. Il l'assassinera, il abusera du cadavre, le découpera en morceaux qu'il éparpillera dans la forêt pour être bien certain qu'ils ne se recolleront pas et que personne ne les retrouvera.

Et après ? Mettre fin à ses jours pour éviter la prison ? Se sauver le plus loin possible ? S'engager dans l'armée ? Se faire oublier à l'autre bout du monde ? La roulade courroucée d'un merle le tire de sa rêverie. Il regarde tout autour, par les interstices de sa cabane. Rien. Si quelqu'un vient, il l'entendra de loin. Comme le secrétaire tout à l'heure. Le tapis de feuilles amplifiera le bruit des pas et trahira le visiteur. Edgar se laisse tomber sur son lit de branches de sapin. Il croque dans sa deuxième pomme et replonge dans sa torpeur. Ce soir, il ira observer la maison de Mathilde Rodrigue pour préparer son plan. Après, il ira voler de l'essence au garage Bolduc, un accélérant qui aidera le feu à dévorer la demeure de Maggie comme il l'avait fait pour la remise.

57

— Vite, Laetitia, tu vas être en r'tard à l'école.

Athanase aide sa fille à enfiler son sac à dos. Il lui reste à nettoyer la table et à laver la vaisselle avant de se rendre aux champs. Une grosse journée de foin l'attend. Il doit d'abord faucher jusqu'à l'assèchement de la rosée, râteler le foin coupé la veille et l'engranger. Magella Boily a promis de venir l'aider. Des petits coups sont frappés à la porte. Laetitia se dépêche d'ouvrir.

— Ton père é-t-y icitte?

— Oui. Papa? Y a quequ'un à la porte.

Étonné, Athanase retrouve Bénoni Bolduc sur le seuil de sa porte. Une visite importante, à n'en pas douter. Qu'est-ce qu'il a en tête? Vient-il lui annoncer son retour en politique, sa candidature à la mairie? En pleine saison des foins, avec un ciel qui s'ennuage, aucun cultivateur n'a beaucoup de temps à consacrer à d'autres activités. D'autant plus que, mauvais temps aidant, les travaux accusent un important retard, plus de trois semaines dans certains cas.

— Entrez, dit Athanase de sa grosse voix.

Bénoni tapote gentiment la tête de la fillette. Il s'attendait à trouver une maison en désordre. Il est étonné de constater que tout est bien rangé et qu'Athanase effectue tous «les travaux de femmes» sans la moindre difficulté.

— Laetitia, amène donc Madeleine chez madame Alexandrine.

Ses deux filles parties, Athanase offre un restant de thé à Bénoni qui s'empresse de l'accepter. Il enlève une dernière assiette sur la table et la dépose dans l'évier.

— J'te dérangerai pas longtemps. J'ai une proposition à t'faire, mé avant, dis-moé donc, t'as eu d'aut' nouvelles d'Edgar Biron?

Athanase ne sait rien de plus que ce qui est colporté dans le village. Personne n'a vu Edgar dans le rang-à-Philémon. Personne ne s'aventure dans les bois de peur qu'il s'y cache. Quelle que soit la nature des travaux, de la fenaison à la traite des vaches, la carabine n'est jamais très loin.

— À cause de Maggie, on a ben peur qu'y r'vienne ravauder par icitte.

— J'pensais qu'a r'partirait après la mort de Mathilde. Que c'é qu'a l'attend?

Embarrassé, Athanase n'ose pas lui dire la vérité.

— A l'a dit qu'a l'était pas pressée de r'partir même si a l'a ben peur du gros Biron. Avez-vous idée où y peut ben s'cacher?

— J'pense pas qu'y é allé loin.

Athanase est perplexe face à l'observation de Bénoni. Comment le sait-il?

— Ç'a toujours été un gros peureux! Si y s'donnaient la peine de l'charcher comme y faut, y le r'trouveraient facilement. J's'rais pas surpris qu'la gang à Josaphat l'protège. Y doit être caché dans cave d'une maison d'quequ'un qu'on r'doute pas.

Bénoni n'ose pas le dire à Athanase pour ne pas l'inquiéter davantage, mais il est convaincu qu'Edgar ne disparaîtra pas avant d'avoir réglé ses comptes avec Maggie et lui. L'ancien maire fait une pause et allume sa pipe.

— Aussi longtemps qu'y r'trouveront pas Edgar, y va falloir faire ben attention. Moé l'premier, concède Bénoni. Chaque fois qu'mon chien jappe la nuitte, j'me lève ben vite.

Dépourvu de jugement, un peu retardé, disent les mauvaises langues, Edgar ne reculera devant rien. Qu'a-t-il à perdre?

— J'comprends pas qu'y l'a pas tuée. Peut-être ben qu'y voulait juste y faire peur? Ou ben y voulait pas se r'trouver en prison comme son père? Ou finir sus l'échafaud?

Athanase l'approuve d'un geste de la tête. Bénoni en vient finalement au but de sa visite, la mairie. Athanase est-il toujours intéressé?

— Non, pantoute. C'é trop dangereux pour mes filles, pis j'ai pas l'temps pour ça.

La réponse d'Athanase est tellement catégorique que Bénoni est sans voix. La veille, après une longue discussion avec Cléophas, l'ancien maire a convenu d'utiliser son influence au profit d'Athanase. Tous les deux en sont arrivés à la conclusion que le désordre a assez duré et que le temps est venu de dénicher une opposition crédible à la clique de Josaphat. Athanase s'avère le candidat idéal.

— J'sus trop débordé. J'peux vraiment pas.

Bénoni fait semblant de réfléchir. Son plan a mûri dans sa tête depuis une semaine. Pourquoi Athanase n'engagerait-il pas une servante pour tenir sa maison, s'occuper des filles et le soulager de toutes les tâches qui ne relèvent pas d'un homme?

— J'en connais pas, dit Athanase, pis j'sus pas assez riche pour m'payer une servante.

Et si Bénoni l'aidait à dénicher la perle rare et même à payer une partie de son salaire? Athanase regarde le maire, incrédule. Pourquoi ferait-il cela? Qu'est-ce qu'il a derrière la tête? L'aider à devenir maire pour en faire sa marionnette, pour mieux lui ravir le poste dans quelques années? Athanase est dérouté par la proposition. Il essaie un peu d'imaginer la réaction de Maggie s'il l'acceptait. Que dirait-elle? Lui pardonnerait-elle une volte-face semblable? Même s'il n'aime pas l'idée, il soutiendra sa candidature. Jouer les girouettes? Non, la proposition de Bénoni ne l'intéresse pas.

— Vous, m'sieur Bénoni, pourquoi vous vous présentez pas? Y a juste vous qui pouvez arrêter ces fous-là.

Bénoni souffle une grosse bouffée de fumée dans la cuisine. Être candidat? Il y songe depuis sa rencontre orageuse avec Maggie. La tentation est très forte. Cléophas l'assure de l'appui inconditionnel d'une vingtaine de francs-tenanciers. Mais Bénoni préfère passer son tour, trop tôt, trop de paroissiens lui en veulent encore. Les plaies ne sont pas couturées. Trop de mauvais souvenirs laissés par des années de pouvoir, que même les frasques de Josaphat n'arrivent pas à faire oublier. La tuerie de ses moutons l'a démontré clairement, s'il brigue de nouveau la mairie, il s'exposera à la vindicte de ses ennemis. Pas maintenant, mais la prochaine fois. Voilà pourquoi il a besoin d'Athanase pour garder le siège au chaud. Un candidat de pacotille qu'il assujettira à son autorité.

— Non, mon temps é pas r'venu. M'en vas attendre qu'les libéraux s'passent la corde au cou avant. Pis y sont ben partis, avec des niaiseries comme l'assurance-chômage que King vient d'annoncer, ça s'ra pas long.

— C'é pas une si mauvaise idée, ose Athanase.

— Tu sauras me l'dire, Godbout va payer pour s'coller comme ça à King pis pas défendre l'butin d'la province de Québec. On a pas besoin d'assurance-chômage, tout l'monde travaille à cause d'la guerre.

Athanase n'a pas envie de faire ce débat qui ne l'intéresse pas vraiment. Même s'il l'a rejetée, la proposition de Bénoni continue de le titiller. Pourquoi maintenant, à la dernière minute? Pour bloquer Maggie? Que sait-il exactement? Bénoni se lève. Athanase le raccompagne jusqu'à l'extérieur de la maison.

— En tout cas, j'espère qu'y vont trouver des candidats pour s'présenter contre la gang d'Josaphat. Si tu vires ton capot de bord, Athanase, fais-moé signe.

Athanase branle doucement la tête. Doit-il lui parler de la candidature de Maggie? L'ancien maire a-t-il changé d'idée à son sujet? Croit-il toujours qu'elle est le diable en personne?

— Y a ben Maggie qui voudrait s'présenter. Pensez-vous que ça s'rait une bonne idée?

Bénoni éclate d'un rire nerveux.

— Maggie Miller? Maire de Saint-Benjamin? Tu ris d'moé, Athanase. D'abord, la loi l'permet pas. A l'a même pas l'droit d'voter. Pis même si a pouvait, après tout c'qu'a l'a fait dans paroisse, y a pas un chat qui voterait pour elle.

— Vous exagérez. A l'a ben changé. R'gardez comment a s'é occupée d'sa tante. Pis a vient d'faire faire des nouvelles épitaphes pour ses parents pis pour Domina Grondin. A doit pas être si méchante que ça. Pis c'é elle qui a sauvé le p'tit Claude. Y a ben du monde qui pourrait voter pour elle.

La défense d'Athanase est passionnée. Bénoni en est surpris. Il est forcé de reconnaître qu'Athanase a raison, mais la loi, c'est la loi et elle ne permet pas à une femme d'être candidate à la mairie. Et il ne peut imaginer une femme maire de Saint-Benjamin. Ça dépasse l'entendement.

— Ç'arrivera jamais, Athanase. Jamais!

— Mé si vous, m'sieur Bénoni, vous l'appuyez, ça pourrait faire changer l'idée de ben du monde.

— Non.

— Vous pensez pas qu'on serait mieux avec elle qu'avec la gang à Josaphat?

Bénoni hoche furieusement de la tête et s'en va sans saluer Athanase. Jamais il ne pourrait voter pour une femme, encore moins pour Maggie Miller. Il soupçonne Athanase d'être subjugué par Maggie. «A l'a sûrement enjôlé pour qu'y dise des folies d'même!»

— Si j'comprends ben, lui crie Athanase, tout c'que vous voulez, c'é un maire qui va vous manger dans main en attendant d'prendre sa place? Comme Josaphat avec Romain pis Calixte.

Bénoni retient un juron, repousse l'envie de faire la leçon à ce blanc-bec qui s'est laissé séduire par une vaurienne. «Y perdent rien pour attendre.»

58

Deux fois au cours de la nuit, Maggie croit entendre des bruits de pas. Des branches craquent. Froissement de feuilles. Elle saute du lit. Rapidement, carabine en mains, elle va à la fenêtre. La nuit est noire. Un voile d'encre masque la lune et les étoiles. Délicatement, elle soulève la planchette qui recouvre les quatre trous d'aération de la fenêtre. Elle n'entend rien. A-t-elle rêvé? Un chien? Un chat? Edgar?

Au lever du jour, elle s'habille, prend sa carabine et sort de la maison. Un vent léger s'est levé. Pit Loubier ramène ses vaches à l'étable. Les moutons quémandent leur pitance. Près de l'étable, une grosse truie, assise sur son derrière, lorgne un pommier dont les branches retombent au-dessus de son enclos. De temps à autre, Pit va secouer l'arbre pour que sa truie se régale de pommes dures comme la pierre. Appuyée contre la maison, Maggie surveille la forêt. Rien ne bouge. Fausse alerte? Sa crainte morbide d'Edgar est-elle en train de lui jouer des tours? Une fois rassurée, Maggie se dirige vers l'étable d'Athanase. Elle le retrouve avec Laetitia, en train de traire les vaches.

— Bonjour, madame Maggie, dit la fillette.

— Allo, Laetitia.

Athanase se retourne vivement, soupçonnant un malheur. Maggie a les traits tirés.

— Que c'é qui t'amène de si bonne heure?

Devant Laetitia, Maggie n'ose pas lui raconter les bruits de la nuit, ses craintes, son obsession d'Edgar.

— J'me sus réveillée avant l'soleil. J'arrivais pus à dormir.

Athanase se demande s'il doit lui raconter sa conversation avec l'ancien maire en gommant au passage la réaction de celui-ci à la candidature éventuelle de Maggie. Pas devant Laetitia. Une autre fois. Il finit de traire une vache, se lève et transvide le seau de lait dans un contenant plus grand.

— Ça t'en fait d'l'ouvrage, constate Maggie.

Se tournant pour s'assurer que Laetitia ne l'entend pas, il ajoute avec un clin d'œil coquin, à voix basse :

— Si tu restais avec moé, ça s'rait plus facile !

La taquinerie d'Athanase tire un mince sourire à Maggie. Plaisanteries, allusions, déclarations plus directes font partie de l'arsenal d'Athanase pour la convaincre. Elle ne s'en offusque pas, au contraire, elle en est flattée, rassurée quant à ses véritables intentions. Mais dans l'étable, toutes ses inquiétudes remontent à la surface. L'odeur devient insupportable. La perspective de longues journées dans les champs, la traite des vaches deux fois par jour, sept jours par semaine, les moutons, les poules, tout lui donne la nausée. Seul le grand sourire de Laetitia l'allume.

— Tu veux m'montrer comment faire ? demande Maggie à la fillette. Ça fait tellement longtemps qu'j'ai pas tiré une vache.

Pendant que son père s'approche pour observer la leçon, Laetitia s'assoit sur un petit banc, le sceau entre les jambes, et tire doucement mais fermement sur les trayons de la vache. Le lait pisse dru dans la chaudière.

— Tu vois, c'é facile. À ton tour !

Maggie s'installe à la place de la fillette et, expérience passée aidant, réussit à traire la vache au grand plaisir de Laetitia et d'Athanase. Quand elle a terminé, Maggie tend le sceau à Athanase et caresse la joue de Laetitia.

— Pas mal, hein ? Faut qu'j'me sauve.

Elle jette un rapide coup d'œil à Athanase, déçu, resté sur son appétit. Elle lui coule un sourire contrit et quitte rapidement l'étable. Le cœur en menus morceaux, elle se revoit dans l'étable avec sa mère, les pieds englués de fumier, cette odeur désagréable imprégnée dans ses vêtements. Elle retourne vingt ans en arrière dans la ferme de Domina. Elle refusait de mettre les pieds dans l'étable et les champs. Domina ne lui en tenait pas rigueur, il lui avait offert une vie de princesse. Athanase en ferait-il autant? Tout à coup, elle étouffe. Elle se voit prisonnière du rang-à-Philémon, son univers rétréci, loin de la ville, de ses attraits – les magasins, les restaurants – et même de ses irritants – les klaxons impénitents des chauffeurs de taxis, les sirènes agaçantes des tramways, le coude à coude des trottoirs bondés.

Quand Albert Loubier et son frère viennent la chercher dans une grande voiture plate, Maggie est fourbue, non seulement par le manque de sommeil, mais par la dernière invitation d'Athanase. Chaque fois qu'il lui ouvre la porte, elle se sent un peu plus attirée, comme happée par une force mystérieuse qu'elle ne peut plus contrôler. Chaque fois, une autre force tout aussi mystérieuse la tire vers Québec. Avant de partir, elle s'assure que portes et fenêtres sont bien fermées et verrouillées.

Dans le vieux cimetière, deux hommes que Maggie ne reconnaît pas dégagent les restes de leurs parents. Elle s'approche d'eux, intriguée.

— On est venus d'Montréal, lui apprend l'un d'eux. Quelle idée de fou que d'déranger des morts comme ça!

— Pourquoi vous les déménagez?

Les deux hommes la regardent, interdits.

— Mon oncle nous a dit qu'il fallait vider l'vieux cimetière, sortir tous les morts.

— Ben non, les contredit Maggie. Y a mal compris. Moé, j'laisse mes parents icitte. On déménage seulement ceux qui l'veulent. Allez demander au curé si vous m'croyez pas. Pis d'toutes façons, vous d'vez y parler avant d'creuser.

L'un des deux hommes branle la tête de dépit. Ils interrompent leurs travaux et filent vers le presbytère. De retour dix minutes plus tard, ils replacent rapidement la terre dans le trou et retournent à Montréal en jurant contre ce pays de fous.

Déjà, plus de la moitié du vieux cimetière a été vidé de ses occupants. Par des gens qui ne veulent pas être séparés de leurs proches, et par d'autres, convaincus que l'ancien cimetière n'est plus digne de leurs morts.

Maggie s'approche d'abord de l'épitaphe de Gaudias. Elle l'enlève en la secouant dans le sol et la dépose à l'arrière de la voiture. Elle en a commandé une nouvelle. Quand Maggie se retourne, elle se retrouve en face du bedeau, Éleucippe Boily.

— J'ai parlé au curé pis y a pas d'problème pour déménager vot' mari.

« Vot' mari ! » Maggie a un mouvement d'impatience, mais elle l'étouffe aussitôt. Éleucippe n'a pas voulu être méchant. Il n'a rien d'un Saint-Pierre Lamontagne. Pour lui comme pour bien d'autres, Domina Grondin a été le mari de Maggie et, même mort, il le sera toujours. Au lieu de le réprimander, Maggie se sert d'Éleucippe pour lancer une première sonde.

— Vous pensez, m'sieur Boily, qu'Josaphat Pouliot va dev'nir maire ?

— Hospice, non, pas pantoute. Parce que Josaphat, y court pas. C'é Calixte qui va courir comme maire.

— Calixte Côté ?

Maggie feint d'être surprise. Éleucippe enlève sa calotte, se gratte la tête. Cheveux cendrés en brosse, l'œil pétillant, la peau grenue, le nez rouge et velu comme une grosse framboise, il connaît tous les secrets de la paroisse. Il raffole des ragots et quand il s'agit de les propager, il fait bonne concurrence à Honoré-à-la-Pie. Flagorneuse, Maggie fait appel à son orgueil.

— J'm'en doutais. Mé vous qui connaissez ben la paroisse pis qui en avez vu d'aut', dites-moé une chose : Calixte Côté, ça va faire un bon maire ?

Éleucippe se gonfle de suffisance. Pour une fois qu'on fait appel à ses connaissances. Pour une fois qu'on l'appelle monsieur, il est flatté.

— Pas sûr de ça, laisse-t-il tomber. En tout cas, l'curé voudrait ben qu'ce soueille quequ'un d'aut' mé y s'en mêlera pas.

— Le curé a dit ça ? fait Maggie, surprise.

— Ben pas aussi directement, mé c'é clair en hospice qu'y veut pus d'Josaphat.

Le curé voudrait se débarrasser de Josaphat et sa clique ! Intéressant ! Maggie devrait-elle lui soumettre son projet et solliciter son appui ? Elle devra d'abord s'assurer qu'Éleucippe n'exagère pas. Un curé qui se mêle d'affaires municipales, c'est loin d'être une anomalie. Dans la province de Québec, plusieurs paroisses sont dirigées par des curés, maires et conseillers étant trop faibles pour exercer leur autorité. Et très souvent, les curés, les seuls à avoir de l'instruction, empêchent leurs paroissiens de sombrer dans la médiocrité la plus complète. Mais certaines cohabitations ont été laborieuses, explosives. Vidal Demers a sûrement en mémoire la lutte de pouvoir féroce qui a causé le renvoi et la déchéance d'Antonio Quirion, rétrogradé deuxième vicaire à Lévis, incapable de remplir la plus petite fonction.

— Y a quequ'un d'aut' qui a envie de s'présenter ? demande Maggie à Éleucippe.

— Non, pantoute, dit Éleucippe. Au magasin, y ont parlé de Thanase Lachance, mé y paraît qu'y veut pas. Pis même si y voulait, y é pas d'la paroisse.

Le chauvinisme du bedeau désespère Maggie. Elle évite de le rabrouer et détourne la conversation sur une autre voie, tout aussi pentue. Si un « étranger de Beauceville » n'est pas assez bon pour les électeurs de Saint-Benjamin, que dire d'une femme ?

— Vous, m'sieur Boily, voteriez-vous pour une femme comme maire d'la paroisse ?

Éleucippe a un geste de recul, moue incrédule sur les lèvres. Il ravale sa salive. Comme si un taureau menaçait de l'encorner.

— Une femme? Ben voyons donc, ç'a pas d'allure! Que c'é qu'une femme connaît à la politique? C'é pas parce que Godbout les laissera voter qu'y faut chavirer. Moé, ma femme a l'a jamais voté pis a votera jamais.

Maggie reste calme. Le temps n'est pas à la confrontation. Elle a besoin de savoir. Éleucippe vient de lui asséner un sérieux coup de massue. Chauvinisme, misogynie, petitesse, Maggie aura-t-elle assez de temps d'ici aux élections pour infléchir ces âmes obtuses?

— Vous voteriez pas pour moé? lui demande-t-elle avec un sourire entendu.

Éleucippe est confondu. Il se demande si Maggie est sérieuse. « Quelle enjôleuse! » Pourquoi se moque-t-elle de lui? La seule idée de lever la main en faveur de Maggie lui donne le vertige. Il préfère ne pas répondre à la question.

— Y paraît qu'Calixte pis Josaphat vont faire une assemblée la semaine prochaine devant la maison d'Calixte. On verra ben si y a des adversaires.

Une assemblée publique! Maggie cache mal un petit rictus de plaisir, d'anticipation. Voilà une belle occasion de se manifester, d'afficher ses couleurs et, surtout, d'enquiquiner la coterie de Josaphat.

— Vous y s'rez, m'sieur Boily?

— J'manquerais pas ça pour tout l'argent de Mathias Giguère!

Le lendemain, les frères Loubier, supervisés par Maggie, exhument la tombe de Domina et l'enterrent près de ses parents. Maggie récupère l'épitaphe rudimentaire. À Beauceville, Les Monuments Gosselin ont promis que les nouvelles pierres tombales seraient bientôt prêtes. De retour à la maison, Maggie débite les vieilles épitaphes de bois de Domina et de Gaudias et les fait brûler.

59

Athanase passe une mauvaise journée. L'attitude de Maggie ce matin dans l'étable, son départ précipité, ce sourire ambigu lui ont laissé un goût amer. Il a le sentiment qu'elle ne pourra jamais s'adapter à la vie qu'il mène. Tout en elle semblait artificiel, gêné, comme si elle était venue dans l'étable pour vérifier des impressions. Le temps est-il venu de tirer des conclusions, de prendre une décision qui mettra fin à l'incertitude?

Après le barda, Athanase confie ses deux filles à Alexandrine et va cogner à la porte de Maggie. Elle met du temps à ouvrir. Carabine en main, elle soulève d'abord le rideau, histoire de vérifier l'identité du visiteur.

— J'ai besoin de t'parler, dit Athanase.

Maggie ouvre la porte et le laisse entrer. Athanase balaie la maison des yeux. Elle reluit de propreté et flaire bon le vinaigre. Aucun indice d'un départ prochain.

— Veux-tu une bière? J'ai acheté queques bouteilles de Red Cap Ale la semaine passée.

— Une bière?

Athanase la dévisage comme si elle avait commis un crime dégoûtant. Une bière? En plus, elle boit de la bière! Il cache mal son agacement. Maggie décapsule deux bouteilles et lui en tend une.

— Tu boués d'la bière?

Elle le regarde, ahurie, pas certaine de saisir le reproche.

— Oui, j'boués de la bière. Une bouteille de temps en temps. C'é un péché? Une femme peut pas boire de bière?

Athanase a très envie de la rabrouer. Il se retient. D'un petit geste de la main, il repousse la bouteille au milieu de la table. Encore une fois, Maggie est dépassée par la rigidité d'Athanase.

— T'as fait l'vœu d'tempérance? lui demande-t-elle, moqueuse.

Athanase ne relève pas la raillerie, se contentant d'un léger haussement d'épaule.

— Que c'é-ce qui t'amène? enchaîne Maggie.

— Y faut qu'on s'parle sérieusement. J'peux pus vivre comme ça. Ou ben tu m'aimes pis on s'marie ou ben tu m'aimes pas pis on ferme les livres.

Le ton d'Athanase est pugnace. Maggie se cabre. Tout son corps se raidit, prêt au combat. Elle a horreur des ultimatums. Elle se lève, fait quelques pas, va à la fenêtre, prend tout son temps, pesant bien les mots qu'elle dira.

— J't'aime, Athanase, mé j'ai peur de...

Athanase l'interrompt aussitôt.

— Peur? Toé? T'as jamais peur de rien. T'as toujours d'l'air au-d'sus d'tes affaires.

— C'é pas pareil, c'é du reste de ma vie qu'y s'agit. J'ai pas l'droit de m'tromper. Pis c'é aussi ta vie pis celle des filles. Ça s'rait injuste pis cruel que je r'parte dans six mois, un an, parce que j'aurais pris la mauvaise décision.

— Tu m'aimes pas assez?

— J't'aime assez pis j't'aimerai jamais plus que maintenant, mé j'sus pus une p'tite fille. J'ai presque quarante ans pis j'sais c'que j'attends d'la vie. Même si j'sus ben amoureuse de toé, ça veut pas dire que j'sus prête à tout sacrifier.

— J'te d'mande pas ça...

— Laisse-moé finir. J't'aime assez pour vivre avec toé, mé pas pour renoncer à mes ambitions. J'passerai pas l'reste de ma vie à t'servir. J'l'ai jamais fait pour Walter, pis je l'ferai pas pour toé non plus. J'ai besoin d'liberté. J'ai souvent besoin d'changer d'air. J'ai besoin d'avouère le sentiment qu'j'ai faite queque chose à la fin d'la journée.

— J'm'attends pas à c'que tu m'serves comme une esclave, mé qu'on partage l'travail. Si tu veux pas v'nir à l'étable, viens pas. Aide les filles, aide-moé dans la maison, mé si tout ça t'tente pas, c'é l'temps de l'dire. Pis pour c'qui é d'tes ambitions, t'auras sûrement r'marqué que j't'ai pas dit d'pas courir comme maire.

— Oui, mé on peut pas dire que tu sautais d'joie.

— T'admettras que c'é pas des ambitions ordinaires !

Maggie fait quelques pas dans la cuisine. Athanase se lève, s'approche d'elle, l'attire dans ses bras. Maggie n'arrive pas à se détendre.

— C'que j'aimerais itou, poursuit Athanase, c'é qu'on s'marie. Moé, j'pourrai pas vivre dans l'péché en dehors du mariage. Pis pense aux filles, l'exemple…

Maggie se dégage vivement.

— Toé pis tes maudits péchés pis ta religion. Y a pas aut' chose dans vie ? Faut-y tout l'temps qu'tu suives toutes ces niaiseries-là ?

Le visage d'Athanase devient blanc comme de la chaux.

— Des niaiseries ? Le mariage, t'appelles ça une niaiserie ? Le mariage de tes parents, d'Mathilde pis Gaudias, de mes parents, c'étaient toutes des niaiseries ?

Athanase lui saisit les poignets. Maggie se dégage rudement. Il lui prend les deux bras, tente de l'immobiliser. Maggie le repousse, lui griffe le bras, mord son épaule, mais renonce à le frapper. Corps-à-corps prudent. Athanase se contente de la retenir, surpris par la force de Maggie. Leurs yeux se croisent sans un clignement de part et d'autre. Les deux s'épuisent, retiennent leurs larmes, se détendent. Maggie laisse sa tête reposer sur l'épaule d'Athanase.

— Mariée ou pas, Athanase, j't'aimerai pas plus, pis j'serai pas une meilleure femme. R'garde autour de toé, pour un couple comme Alexandrine pis Lucien, y en a trois qui sont mal mariés pis malheureux.

— J'comprends ça, mé l'mariage c't'un symbole. Y a rien qu'j'aimerais plus que d't'amener au pied d'l'autel pis d'montrer à tout l'monde que j'ai marié la plus belle femme sus la terre pis la plus *smart*. J'serais tellement fier de sortir partout avec toé pis d'envoyer à tout l'monde l'signal qu'on é ensemble, qu'ça les dérange ou pas.

L'explication d'Athanase touche Maggie. Mais le mariage sera toujours ce carcan qui l'attachait à Domina, qui fera d'elle quelqu'un d'autre. De Marguerite Grondin à Maggie Lachance, un passage impossible. La femme d'un autre. L'objet d'un homme. Elle est forcée d'admettre qu'Athanase lui a déjà donné plusieurs preuves de sa bonne foi. Il a gommé son passé, le lui a pardonné. Il a fait des compromis. Est-ce qu'Athanase lui laisserait toute la liberté que Walter lui concédait? Est-ce que cette liberté ne serait pas brimée par toutes les obligations posées par la ferme et les deux filles? Et comment réaliser ses ambitions dans le fin fond d'un rang, si loin de tout?

— Pis vivre à Québec, c'é non? demande-t-elle.

— C'é non, confirme Athanase, catégorique.

Maggie se dégage doucement des bras d'Athanase. Elle prend les deux bouteilles de bière et les vide dans l'évier.

— J't'aime, Athanase. Mé y m'reste à décider si l'amour suffira, si j'sus capable d'être pleinement heureuse dans cette vie-là. Si j's'rais pas mieux d'sacrifier ce grand amour pour protéger ma liberté.

Elle se tourne, revient vers lui et lui prend les deux mains.

— J'ai besoin que ça soueille ben clair dans ma tête avant d'te dire oui ou non. J'te d'mande encore un peu d'patience. Laisse-moé m'débarrasser des élections, pis après tout d'viendra plus clair. J'sais que t'aimes pas l'idée des élections, mé je r'culerai pas. Pour rien au monde. Quand j'm'embarque, j'vas jusqu'au boutte, pis ça s'ra la même chose avec toé, si j'embarque.

Athanase la serre dans ses bras. Cette fois, Maggie s'abandonne, profite de la bonne chaleur de l'autre, cette chaleur qui la rassure tant, qui lui fait tant de bien.

— M'en vas t'aider, promet Athanase, m'en vas tout
faire pour qu'tu gagnes.

Il songe à lui raconter en détail la visite de Bénoni, mais
choisit d'attendre. Après l'élection.

60

La réunion est convoquée en face de l'église, devant la maison de Calixte Côté, candidat à la mairie. En ce début de soirée fraîche de la mi-août, le soleil périclite, pressé de retrouver son lit. L'été se fane. La saison des foins enfin terminée, les cultivateurs travaillent en forêt, en attendant la récolte d'avoine et les labours de l'automne.

Dans la province de Québec, comme partout au Canada, l'enregistrement national vient de commencer. Tout citoyen de seize ans et plus, homme ou femme, doit s'enregistrer et répondre à une vingtaine de questions, sous peine d'emprisonnement s'il ment ou refuse de répondre. La mesure confirme que, tôt ou tard, la conscription sera imposée, même si les autorités s'en défendent. Les derniers célibataires cherchent l'âme sœur. Le curé Demers est appelé à célébrer un autre mariage.

Plus tôt dans la journée, le secrétaire de la municipalité, Saint-Pierre Lamontagne, a confirmé qu'à deux semaines de la date des mises en candidature, deux aspirants, Calixte Côté et Colomb Veilleux, l'ont avisé qu'ils solliciteraient le poste de maire. La candidature de Colomb n'est pas sérieuse. Il sollicite tous les postes disponibles : maire, président de la commission scolaire, marguillier en chef. Sans jamais se faire élire ! Quatre candidats aux postes de conseillers ont manifesté leur intention de soumettre leur candidature, dont Josaphat Pouliot.

L'assemblée n'est pas courue, à peine une vingtaine de personnes sont regroupées devant la maison de Calixte. Des amis pour la plupart, à l'exception de Pit Loubier, d'Athanase Lachance, d'Ansel Laweryson et de Maggie Miller.

— Encore elle! s'exclame Josaphat. J'commence à r'gretter qu'Edgar l'aille pas zigouillée.

— Yousse qu'y é, le gros Edgar? demande Oram. Comment ça s'fait qu'on le r'trouve pas?

Josaphat n'a pas de réponse. Les recherches n'ont rien donné. Edgar est introuvable. Sa mère n'en finit plus de s'inquiéter. A-t-il imité son père et mis fin à ses jours? Wilfrid a revisité tous les endroits fréquentés par son frère dans le passé, sauf la petite cabane logée dans le gros érable, tellement défraîchie, précaire, que personne ne songerait à s'y réfugier.

— Mes amis!

La voix de Calixte est puissante. Le caquetage s'estompe lentement. Grand, toujours rougeaud comme s'il s'était frotté le visage avec une tomate, le nez aquilin, Calixte porte un pantalon trop grand retenu par des bretelles élastiques. Il est fier d'avoir complété sa cinquième année. «J'lis les gazettes», se plaît-il à dire.

— Mes amis, j'vous demande de voter pour moé comme maire de not' belle paroisse. J'promets d'la faire profiter du mieux que j'pourrai, pis d'remplir l'trou du rang 12.

Applaudissements modérés, peu d'enthousiasme, Calixte fait la démonstration pathétique de sa médiocrité. Ses partisans ont des attentes plus élevées. Maggie n'en croit pas ses oreilles. Il est pire que Romain si c'est possible! Même Pit est dépassé.

— L'trou du rang 12! Maudit verrat, on rit pus!

Un ricanement gêné, aussitôt étouffé, accueille la remarque de Pit. Pourquoi Calixte parle-t-il de ce trou pas très profond que Mathias Boulet a fait creuser trop près de la route, à la recherche d'eau? Rapidement, il l'a abandonné, aucune source ne jaillissant de l'endroit. Trou menaçant comme celui qui a englouti le petit Claude? Aucunement. Mathias l'a recouvert d'une grosse roche.

Maggie choisit de ne rien dire. Elle observe, intéressée, convaincue de la faiblesse intellectuelle de son éventuel adversaire.

— Peux-tu m'dire, mon beau Calixte, comment tu vas protéger l'pauvre monde contre les bandits qui courent dans l'village ? demande Pit Loubier.

Calixte est embarrassé. Il cherche Josaphat du coin de l'œil. Il n'avait pas prévu les questions, encore moins les réponses. Les mains dans les poches, Josaphat grimace. Y é temps d'y régler son compte, à celui-là. L'intervention de Pit jette un froid sur l'assemblée, qui se voulait avant tout une démonstration de force de l'équipe de Calixte, une séance d'intimidation à l'endroit d'éventuels candidats.

— Vas-y, mon Calixte, on t'écoute ! lance Cléophas Vachon qui vient d'arriver.

Calixte n'a plus rien à dire. Il n'a pas préparé de discours. Josaphat ne le lui a pas demandé. Piteux, il quitte la plus haute marche de la galerie où il s'était juché.

Des grognements montent dans la foule. Déception, agacement, les partisans de Calixte souhaitent qu'il en découse avec Pit et Cléophas. Ils veulent un vrai débat avec des éclats de voix, de longues tirades, une rhétorique populiste, mais non, pas un mot plus haut que l'autre. Calixte n'a rien d'un Henri Bourassa, il en est incapable.

— Vous d'vriez avouère honte de vouloir diriger la paroisse. Vous êtes trois incompétents. Trois malhonnêtes, en plus !

La voix forte de Maggie fait sursauter Calixte et Josaphat, en tête-à-tête avec Oram. L'étonnement est général. Jamais dans l'histoire de Saint-Benjamin une femme n'est intervenue dans une réunion politique. À l'occasion, des femmes y assistent. Mais de là à prendre la parole ! Pour qui se prend-elle ? Personne ne sait trop comment réagir, partagés entre l'amusement et la colère. À la vingtaine de personnes rassemblées au début, il s'en est maintenant rajouté une

bonne douzaine et d'autres arrivent encore. Pas nécessai
rement des partisans de Calixte et des siens, et qui ont très
envie d'applaudir Maggie, mais qui se retiennent.

— Servez-vous de vot' tête, pis laissez la place aux aut'.
Y a pus parsonne qui veut vous vouère la face dans l'village !

La deuxième intervention de Maggie est saluée par une
volée d'applaudissements, de grognements et de jurons. Mais
elle n'en a pas fini avec eux. Avant l'assemblée, Athanase
lui a fait part de la théorie de Bénoni au sujet d'Edgar.

— Pis j'ai une question à vous poser !

Maggie fait une pause pour donner encore plus d'effet
à son intervention, pour laisser flotter le mystère. Tous les
yeux sont braqués sur elle.

— L'quel de vous aut' cache Edgar Biron dans la cave
de sa maison ?

Le silence tombe sur l'assemblée. Tous retiennent leur
souffle. Tous tiennent pour acquis qu'Edgar se cache dans
la forêt ou qu'il s'est enlevé la vie. D'où Maggie sort-elle
cette information ?

Josaphat et Calixte échangent un long regard, étonnés.
Que raconte-t-elle ? Lentement, les conversations repren-
nent. Si elle avait raison et qu'Edgar sortait de sa cachette
pour bondir sur eux ? Une voix rompt finalement le silence.

— Câlice donc ton camp d'la paroisse, hostie d'protestante ! T'es pire qu'la Cloutier !

Encore une fois, Séverin Biron, le frère de Damase,
est le chahuteur, celui qui interpelle Maggie chaque fois
que l'occasion se présente. Elle hausse les épaules. À quoi
bon tenter de lui expliquer qu'elle n'est pas protestante
mais catholique comme lui ? À quoi bon lui donner la
réplique ? L'ignorer l'humiliera davantage et fera comprendre
à tous qu'il n'a aucune pertinence et que son propos vulgaire
ne l'impressionne pas.

— Personne vous fait confiance. Y a ben du monde dans
paroisse qui veulent pus d'vous aut'. Y vont vous montrer
la porte avant longtemps, renchérit Maggie.

Quel monde? se demande Josaphat, contrarié. Depuis son arrivée, il refuse de croire que Maggie a la moindre influence sur la communauté. Son passé est trop lourd, les souvenirs ineffaçables. D'après lui, Maggie Miller restera toujours la mal-aimée du village. Mais tout à coup, Josaphat n'en est plus aussi certain. Le vent est-il en train de tourner? Si elle faisait dérailler son beau projet? Si elle réussissait à convaincre la paroisse de changer ses dirigeants? Depuis son retour, elle s'est bâti un bon capital de sympathie. Le curé lui a même permis de déménager la tombe de Domina. Elle n'est pas encore Jeanne d'Arc, mais de nombreux paroissiens la voient différemment. La méfiance à son endroit a-t-elle diminué? A-t-elle de l'influence?

— Qu'y vienne, l'monde pas content, on va leu z'arranger la face! lance Godefroi Biron, le fils de Séverin qui s'avance vers Maggie, menaçant.

D'autres partisans de Calixte Côté se sont rapprochés, prêts à lui faire mauvais parti. Frondeuse, Maggie les toise avec insistance, encadrée par Ansel et Athanase qui a fermé les poings dans ses poches, prêt à en découdre avec tous ceux qui oseraient lever le petit doigt sur elle. Oram Veilleux s'interpose. Oram, le sage, celui qui arrive parfois à freiner les ardeurs de Josaphat et de Calixte.

— Pardez donc pas vot' temps avec elle. Tout c'qu'a veut, c'é d'vous faire étriver, pis ensuite vous accuser d'être des bandits. V'nez-vous-en.

Oram a encore en mémoire cette célèbre assemblée politique de 1935 qui avait fait connaître Saint-Benjamin partout dans la province de Québec. Une bande de fiers-à-bras à la solde du candidat libéral avait provoqué une bagarre à coups de poings de plus d'une heure. Et quand les poings ne suffisaient plus, les belligérants s'affrontaient avec roches et madriers. Bilan: une femme sérieusement blessée, plein d'ecchymoses au visage des bagarreurs et une grosse tache noire sur la réputation de Saint-Benjamin.

Ce soir, les deux groupes se dévisagent sans céder de terrain. Au coude à coude comme dans les tranchées de Vimy. Oram repousse doucement Séverin et son fils. Ansel montre sa tête du doigt pour signifier à Godefroi Biron que son jugement laisse à désirer. Dans la foulée de Josaphat, le groupe se dissout, en minorité. Maggie, Pit, Athanase et Ansel retournent à la maison. Mission accomplie. Une fois de plus, ils auront semé le doute dans l'esprit des paroissiens.

— On peut vraiment pas les laisser faire. Y faut les empêcher d'gagner par tous les moyens. Demain, j'vas vouère l'secrétaire.

— Pourquoi? demande Athanase.

— J'ai une ou deux questions à y poser.

Maggie fixe le vide, se mord les lèvres, à la recherche d'une solution miracle. Comment amener les gens à voter pour elle si la loi l'interdit?

— Y t'laisseront jamais *ronner* la paroisse, dit Pit. Jamais. T'es une femme, Maggie, oublie-lé pas.

— Pis une femme, c'é moins fin qu'un homme?

Athanase sourit. Pit est embarrassé. Ce genre de discussion l'horripile. Une femme ne se mêle pas des affaires des hommes. Certes, Maggie pourrait être maire, bien mieux que les crétins qui dirigent la paroisse en ce moment. Mais de là à l'admettre et à voter pour elle!

— Ça s'fait pas, c'é toute.

— C'é pas une réponse, Pit. T'es plus *smatte* que ça. Josaphat répondrait comme ça, mé toé, ça m'étonne.

Flatté, Pit bombe le torse. Rarement a-t-on évoqué son intelligence! Maggie n'en croit pas un mot, mais en ce moment, tous les moyens sont bons. Tous les appuis comptent. Même si Pit n'a pas de crédibilité, il dérange. Mieux vaut l'entendre vanter les mérites de Maggie que le contraire. Reste à trouver un moyen d'être candidate.

— Maudit verrat, dit Pit, la paroisse aurait ben besoin d'quequ'un qui a un peu d'génie dans l'cruchon.

Après le départ de Pit, Athanase s'attarde devant la maison de Maggie avant de rentrer chez lui. Quelques questions lui trottent encore en tête.

— Pourquoi tu lèves autant l'nez sus l'étable pis la terre?

Maggie baisse les yeux, fixe le bout de ses chaussures.

— C'é comme toé pour Québec.

— Cultivateur, c'é pas un beau métier? rétorque Athanase.

Maggie n'en est pas convaincue. Comme bien d'autres, Athanase s'échine sur une mauvaise terre. Vallons, replats, aspérités, gerçures, des pierres partout comme des verrues, les terres du comté de Dorchester sont impropres à la culture. Le rendement des vaches, mal choisies et mal alimentées, est lamentable. Des fonds de chaudières. Pour survivre, Athanase doit compter sur un troupeau de moutons, des porcs, des poules, une cabane à sucre et le travail en forêt. Une tâche gigantesque qui génère des profits ridicules.

— Pour faire vivre ta famille, tu dois faire ben des p'tits travaux pas payants pis t'faire mourir au travail. À Québec, dans ma *shop*, t'aurais une bonne *job*, tu travaillerais pas les fins d'semaine, les filles pourraient apprendre le piano avec une de mes amies, pis t'imagines toute l'argent qu'on gagnerait à nous deux?

En plus de ne pas être attiré par la ville, Athanase n'aime pas l'idée d'une femme qui aurait un meilleur emploi et, pire encore, qui gagnerait plus d'argent que lui dans la fonction que la Quebec Stitchdown Shoe offre à Maggie.

— C'é Saint-Benjamin que t'aimes pas pis la terre? Tu veux pas d'cette vie-là?

— J't'ai d'mandé d'attendre après les élections. Complique-moé pas les choses encore plus.

Maggie enfouit sa tête au creux de l'épaule d'Athanase et se serre très fort contre lui. Il est évident qu'il ne la suivra jamais à Québec. Devrait-elle lui servir un ultimatum ? Athanase lui caresse les cheveux, le dos. Il l'embrasse longuement.

— Dis rien.

Maggie lui prend la main, l'entraîne dans la maison, se donne à lui et s'abandonne dans un long plaisir.

61

La maison du secrétaire Saint-Pierre Lamontagne est modeste mais bien tenue. La galerie fraîchement repeinte, un petit panneau en carton invite les visiteurs à utiliser la porte arrière. Maggie ne le voit pas. Quand elle cogne à la porte, le secrétaire se dépêche d'ouvrir, furieux.

— En plus de tout le reste, vous ne savez pas lire!

Maggie recule d'un pas, lit l'inscription et hausse les épaules. Voilà une rencontre bien mal amorcée, pense-t-elle. «En plus de tout le reste», qu'est-ce que ça signifie?

— J'ai besoin d'vous parler.

— Encore! Je n'ai rien à vous dire.

L'homme est détestable. La misogynie affleure derrière chacune de ses paroles. Depuis que Maggie a insinué qu'il se livrait à des activités douteuses, il la déteste encore plus. Elle s'est promis de garder son sang-froid, de ne pas s'emporter. Une volée de jurons meurt sur ses lèvres.

— J'ai hérité d'la maison de ma tante, pis j'ai besoin d'faire enregistrer ça dans les livres d'la paroisse.

Saint-Pierre Lamontagne, petite veste grise, chemise blanche au collet empesé, ajuste ses lunettes, le regard dépité. Propriétaire, il ne manquait plus que ça. Elle ne partira donc jamais!

— Faites le tour par en arrière, comme tous ceux qui savent lire.

Maggie se mord les lèvres. Un jour, elle aura sa revanche. La veille, elle a conclu la transaction au bureau du notaire Tardif. Maggie a acheté la maison pour une bagatelle, mais elle s'est engagée auprès de Mathilde à répartir les profits parmi les neveux et nièces de sa tante si elle décide de vendre la maison et de retourner à Québec.

— Ah ben mosus, s'est étonnée Alexandrine, ça veux-tu dire que tu vas rester par icitte ? À cause de Thanase ?

Maggie s'est contentée de sourire. Pour l'instant, l'achat de la maison lui permet de lever un obstacle. Elle est maintenant propriétaire de bien-fonds. Elle répond à la moitié des exigences de la loi électorale, mais l'autre moitié représente tout un défi.

— Tu perds ton temps, Maggie. Jamais c'monde-là votera pour toé. Jamais, prends-en ma parole, a insisté Alexandrine.

Une odeur de ranci flotte dans la maison du vieux garçon. Tout est bien rangé. Un couvert est dressé sur la table. Une tasse et un long verre, renversés dans leur soucoupe, attendent le prochain repas. Maggie a une moue méprisante. «Des manières de vieux gars !»

Les livres s'entassent dans la bibliothèque. Une copie de *L'Action catholique* repose sur un petit bureau voisin d'une grande chaise berçante. Le secrétaire n'offre pas à Maggie de s'asseoir.

— Vous voulez enregistrer la transaction ? demande-t-il d'une voix terne, pressé d'en finir.

— Oui, pis vous poser queques questions.

— Vous avez le contrat notarié ? poursuit Saint-Pierre.

— Non, le notaire me l'envouèra dans les prochains jours. Si vous l'voulez, m'en vas r'venir vous l'montrer pour l'mettre dans les livres d'la paroisse.

— Madame Grondin, je ne peux rien pour vous sans voir le document.

Maggie fulmine. Cette façon qu'il a de prononcer Grondin en roulant le r pour accentuer son mépris. Le secrétaire range ses papiers, se lève et indique à Maggie que la rencontre est terminée.

— Pas si vite, dit-elle, de plus en plus en colère. L'important, c'é qu'j'ai maintenant une propriété à Saint-Benjamin, pis qu'ça m'donne le droit de m'mêler de c'qui s'passe dans la paroisse.

Saint-Pierre hausse les épaules. Il sait où Maggie veut en venir. Cette discussion lui déplaît au plus haut point. Sa seule présence dans sa maison lui donne un haut-le-cœur insoutenable, comme une odeur de pourriture, un relent de viande avariée.

— Le droit d'aller à l'église, de manger trois fois par jour et de faire une folle de vous, si vous le voulez. Mais pas le droit de vous mêler d'affaires municipales, celui-là, vous ne l'avez pas, madame. Même si vous achetiez le pont de Morissette, vous ne pourriez pas être candidate. LA-LOI-NE-LE-PER-MET-PAS! hurle-t-il en détachant chaque syllabe. Combien de fois faudra-t-il vous répéter le même discours?

Maggie rage. Le ton, cette façon de lui parler sans jamais la regarder dans les yeux, cette condescendance, tout la révolte chez cet homme. À se demander si elle ne le déteste pas davantage qu'Edgar Biron. Un esclandre la soulagerait mais ne ferait pas avancer sa cause. Lui tordre le cou et le rouler dans la boue comme elle l'a fait avec Edgar? Elle en rêve. Un jour!

— Allez, madame Grondin, j'ai assez perdu de temps.

Quand il lui met la main sur l'épaule en la guidant vers la porte, Maggie se raidit. Elle lui rabat violemment le bras. Saint-Pierre Lamontagne ne désarme pas.

— Allez, allez, retournez à vos petites choses. Vous me faites tellement penser à la Cloutier. Vous savez ce que maître Noël Dorion a dit de la Cloutier?

Il lève le bras et solennel, lance à Maggie:

— «On a deux options: la condamner ou la canoniser!» Vous, madame Grondin, vous êtes condamnée à la médiocrité.

Maggie bondit. La médiocrité! Celle des femmes dont on n'a rien à attendre. De quel droit peut-il la juger ainsi?

— Allez jouer avec vos catins! Vous me faites pitié, madame Grondin.

Tout le corps de Maggie est hérissé. Ses doigts griffent le vide.

— On va se r'vouère, m'sieur le secrétaire, pis beaucoup plus vite que vous l'pensez. Pis quand j'aurai acheté le pont d'Morissette, ça va m'faire ben plaisir de vous domper dans rivière Famine avec vos niques d'oiseaux pis vos catalogues.

Bouche bée par tant de crânerie, le secrétaire lève enfin les yeux sur elle. Hébété, il n'a pas le temps d'ouvrir la bouche. Maggie claque la porte de toutes ses forces et quitte la maison, regrettant de s'être emportée, dévorée par le désir de retourner à l'intérieur et de lui faire ravaler ses paroles. De lui frotter le nez sur un mur crépi.

En attendant Pit Loubier, encore secouée par la colère, Maggie jette un coup d'œil autour d'elle. La rue est déserte. Le curé flâne dans le nouveau cimetière. Vidal Demers examine la clôture, la grande croix blanche et son Jésus récemment crucifié, filet de sang dans les mains. La volée de nouvelles épitaphes lui plaît, il est satisfait du résultat. Grâce en bonne partie au mélodrame des élections municipales qui a détourné l'attention des paroissiens. Bien sûr, il a dû composer avec les revenants et la drôle de relation de ses paroissiens avec la mort, mais il est soulagé. L'opération a été un succès. «L'évêque sera content.» Une opération qui lui a permis de se révéler, de s'affirmer, de jouer un rôle auquel il n'avait jamais songé. Une opération dont il craignait les conséquences, mais qui l'a fait grandir, sortir de sa soutane et l'a forcé à aller au-delà du péché et de sa contrition.

— Bonjour, m'sieur l'curé.

Vidal Demers se retourne vivement, surpris de retrouver Maggie en face de lui.

— Qu'est-ce qui vous amène? Edgar Biron vous a-t-il encore attaquée? Je ne comprends pas qu'on n'arrive pas à le trouver.

— Non, c'é pas Edgar. J'fais très attention, pis tout l'monde dans l'rang l'surveille pour moé, mé j'espère comme vous qu'y vont le r'trouver betôt.

Maggie hésite. Comment aborder la question qui l'intéresse avec le prêtre? Que peut-elle attendre de lui? Leur première rencontre a été très positive. Elle a senti que le curé la trouvait sympathique. Mais c'était après la mort de Mathilde. Pouvait-il agir autrement?

— Les élections. J'sus allée à l'assemblée d'hier, pis j'viens d'rencontrer l'secrétaire. J'ai comme l'impression que tout é organisé d'avance pis qu'y a rien qui va changer. Ça vous inquiète pas?

Vidal Demers fait quelques pas, visiblement embarrassé. Oui, la situation le rend nerveux. Réélus, les anciens dirigeants seront impitoyables. Mais le curé se sent démuni. L'évêché le somme d'agir avec prudence, de solliciter des candidatures, mais de ne pas s'afficher ouvertement. «Très, très discrètement.»

— Bien sûr que ça me tracasse. J'essaie de jouer mon rôle, mais les limites sont claires. Dans le passé, j'ai tendu plusieurs perches au maire démissionnaire, monsieur Nadeau, pour essayer d'établir de bonnes relations avec lui, mais il ne m'a jamais répondu. Quant à l'ancien maire, je regrette qu'il soit si têtu, incapable de passer outre son orgueil et de venir au secours de ses concitoyens.

Le curé s'en veut d'en avoir tant dit. Maggie s'approche un peu. Comment aborder la question fatidique? Comment sonder un prêtre? Depuis Antonio Quirion, elle n'a jamais côtoyé d'autres prêtres. Elle en garde le très mauvais souvenir d'un être méprisant, piétinant son nom anglais, refusant de la laisser enseigner. Odieux et détestable. Mais elle a une meilleure impression de Vidal Demers, un guide spirituel tout en douceur, ferme mais compréhensif. Antonio Quirion aurait refusé d'ouvrir l'église à Damase Biron. Vidal Demers l'a accueilli comme un frère. Maggie le trouve parfois distant. Mais le ton est amène et l'esprit, ouvert. Un être avant tout préoccupé par le bien-être des siens.

— Vous avez d'l'influence, dit-elle au prêtre, y a sûrement queques personnes honnêtes que vous pourriez convaincre de s'présenter.

Le curé hoche la tête, désespéré. Tant les marguilliers que les paroissiens plus en vue refusent d'affronter Josaphat et les siens.

— Ils ont tous peur, chère madame. On m'a dit qu'Athanase Lachance serait intéressé, mais je n'en ai pas eu de nouvelles. S'il l'est, il devrait se manifester un peu plus.

À la mention d'Athanase, Maggie fronce les sourcils.

— Y s'ra pas candidat. Y a trop peur que les crapules du village s'en prennent à ses filles.

Maggie baisse la tête et regarde le bout de son pied. Le prêtre fixe la pierre tombale de Gaudias Rodrigue sans la voir.

— Pis si moé, j'me présentais?

Le curé reste de glace. Elle, maire? Il se souvient d'avoir entendu les hommes du magasin en parler, mais il n'a jamais cru que c'était sérieux. Ses yeux papillotent. Il cherche ses mots.

— Vous?

— Le secrétaire m'dit que j'peux pas parce que la loi l'permet pas, mé la loi quand a l'é pas bonne, on doit-y la suivre? Pis si la loi permet maintenant aux femmes de voter dans la province de Québec, pourquoi on pourrait pas voter dans une paroisse?

Confondu, Vidal Demers n'a pas de réponse. Cette femme qui l'impressionne, mais dont il se méfie encore, a le don de le surprendre. Et parfois de le titiller, un sentiment furtif qu'il chasse aussitôt! Maire? Comment réagiraient les paroissiens? Et si la réaction était si mauvaise qu'elle donnait une victoire encore plus éclatante à Josaphat et aux siens, qu'elle leur procurait le pouvoir absolu? Les conséquences seraient désastreuses. Le curé piétine.

— Je suis bien sûr que vous avez la compétence, mais comment contourner la loi? Je ne le sais pas. Est-ce qu'on votera pour vous? Je ne le sais pas davantage.

— À Montréal, les femmes ont droit de voter pis d'devenir maire ou conseiller. Pourquoi pas par icitte?

— Ce sont là des questions légitimes, concède le prêtre. Mais il faudrait que le gouvernement change la loi pour nous aussi.

— Vous m'appuierez si j'me bats contre Josaphat pis Calixte? Si j'trouve une façon d'être candidate?

Vidal Demers branle furieusement la tête. Il n'en est pas rendu là. Maggie va beaucoup trop vite, il doit d'abord absorber tout cela, laisser décanter. Surtout, il faudra en parler avec son évêque dont il connaît à l'avance la réponse. Monseigneur Villeneuve s'opposera vivement à l'élection d'une femme à la tête d'une paroisse. À cause de la loi, bien sûr, mais surtout parce que la place de la femme est autour de la table de cuisine, pas de la table d'un conseil municipal.

— Je ne peux pas vous donner de réponse immédiatement, madame Miller.

Maggie n'est pas surprise. Demi-victoire? Elle essaie de s'en convaincre. Vidal Demers n'a fermé aucune porte. Pas de fin de non-recevoir définitive. Il a besoin de temps pour apprivoiser l'idée, la laisser couler en lui. Y arrivera-t-il?

— Si j'fais cabale sus l'perron de l'église, vous allez m'en empêcher?

Le curé lui tourne le dos et s'en retourne au presbytère, Maggie sur les talons. Sa proposition le chicote. Elle est inusitée, à contre-courant. Sa première impulsion: la laisser faire le sale boulot en espérant qu'elle réussira à bloquer la voie aux anciens dirigeants. Mais l'envoyer au front pour faire le travail qu'il ne peut pas faire, ce scénario lui déplaît.

Il respire l'hypocrisie et la lâcheté. Dieu ne serait pas fier de lui.

— Non, vous êtes libre de faire ce qu'il vous semble nécessaire. Le perron de l'église appartient à tout le monde.

— Merci, m'sieur l'curé. J'compte sur vous.

Le ton chaleureux de Maggie le dérange. Ils ont tous raison. Cette femme a un magnétisme exceptionnel. Elle enjôle, ensorcelle, prétendent certains. Comment lui dire non? Doit-il la laisser se lancer dans cette aventure, dans ce cul-de-sac? Et si, par miracle, elle réussissait et le débarrassait de ces dirigeants encombrants et sans scrupules?

62

Panique dans le rang-à-Philémon, deux enfants jurent qu'ils ont vu Edgar Biron près de l'école. Leurs informations sont incomplètes, contradictoires, mais suffisantes pour convaincre tous les hommes d'épauler leur fusil. Maggie se réfugie chez Athanase, sa carabine enroulée dans sa jupe pour ne pas faire peur aux deux filles.

Ce n'est pas la première fois que l'alerte est donnée. Presque tous les jours, quelqu'un pense avoir vu Edgar. Avant-hier, le rondouillet curé de Saint-Prosper, la démarche chancelante, a été confondu avec Edgar ! Même Josette-à-Frid, la « bacaisse », vue de dos, peut ressembler au malfrat !

— Que c'é que l'curé t'a dit ? demande Athanase à Maggie.

Elle n'est certaine de rien, mais Vidal Demers ne l'a pas découragée.

— Y s'é même inquiété pour moé. Y voulait savouère si Edgar m'avait encore attaquée. Tu voués, si t'avais été candidat, t'aurais eu l'curé d'ton bord.

Athanase sourit. Il ne regrette pas sa décision, mais la candidature de Maggie l'inquiète de plus en plus. Sa démarche donnera des munitions à tous ceux qui, comme Edgar Biron, veulent se débarrasser d'elle. Sa candidature agira comme une provocation. La femme qui défie la loi et les hommes.

— Tes filles, c'é la seule raison pourquoi t'as pas été candidat ?

— C'é pas une bonne raison ?

— Ben oui, j'aurais fait comme toé.

Quand ses filles auront vieilli, Athanase tentera sa chance. Dans dix ans peut-être ? Quand il aura plus de temps, plus d'expérience.

— Pis, j'aurai p't-être ben une femme pour m'aider !

— Pour t'aider… Tu veux dire être ton esclave ?

— C'é pas c'que j'ai voulu dire. Tu l'sais que j'te traiterai pas comme une esclave. Pis même si j'le voulais, madame sortirait ses griffes !

Maggie se contente de sourire. Qu'Athanase promette de la traiter comme une reine, elle s'en réjouit. Qu'il reporte à plus tard ses ambitions politiques ne la surprend pas.

— En as-tu vraiment eu envie ? demande Maggie.

Athanase piétine un peu. Il a changé d'idée quand il a réalisé qu'il voulait être candidat uniquement pour faire plaisir à Maggie, pour espérer ainsi la retenir auprès de lui, au détriment de ses filles, de sa terre, de sa vie. La franchise d'Athanase attendrit Maggie.

— J'te comprends.

— Pis, penses-tu que l'monde va voter pour toé ?

Maggie a beaucoup réfléchi aux moyens de contourner la loi. Elle pense avoir trouvé une solution. Une solution fragile qui demandera à ses partisans d'avoir un geste courageux. Athanase attend l'explication, les yeux pleins de curiosité.

— J'pense qu'ça pourrait marcher.

Quand le secrétaire demandera aux propriétaires de voter à main levée pour Calixte Côté ou Colomb Veilleux, elle pourrait ensuite demander à ceux qui l'appuient de se manifester. Que tous ceux qui n'aiment pas Calixte ou Serge, qui préféreraient Maggie, lèvent la main. Athanase trouve l'idée intéressante, mais il craint que toute l'opération manque de crédibilité. Plus encore, combien de propriétaires oseront lever la main ? Combien auront le courage et l'audace de s'afficher publiquement en faveur d'une femme ? Surtout que même si elle avait plus d'appuis, la loi ne lui permettrait pas de diriger le village.

— T'as rien à perdre à essayer. M'en vas t'aider, déclare Athanase. Pis, plutôt qu'toé qui pose la question au monde, on pourrait d'mander à quequ'un d'important de l'faire à ta place. Si tu pouvais convaincre quequ'un comme Clovis-à-Bi, tu s'rais dans les gros chars. L'monde l'aime ben, pis y a fait une maudite bonne *job* avec le cim'tière.

Maggie aime l'idée. Voilà qui donnerait plus de crédibilité à sa démarche. L'appui du curé, l'intervention de Clovis, deux armes qui pourraient faire mal à ses adversaires. Encore faudra-t-il convaincre le marguillier en chef.

— Tout d'suite d'main sus l'perron d'l'église, m'en vas tester mon idée, pis après, m'en vas parler à Clovis.

Une fois certain que les filles sont endormies, Athanase entraîne Maggie dans sa chambre. La porte bien fermée, il lui retire ses vêtements. Lentement, il laisse glisser ses mains sur son corps, sa tête fouinant dans l'épaisse chevelure de Maggie. Il se moque des taches de rousseur qui étoilent le pourtour du nombril. Il effleure la pointe des seins du bout des doigts, mordille la peau tendre du cou, palpe la rondeur des fesses, lutine l'intérieur des cuisses. Cette fois, il a tout son temps. Maggie mord ses lèvres pour éteindre les geignements de plaisir. La chaleur du souffle d'Athanase allume sa peau. Plein de frissons titillent son corps. Étreintes prolongées. Corps emmêlés. La respiration devient plus difficile. Son corps dans le sien. Assouvis, ils restent un long moment immobiles.

— Tu voués comme on pourrait être heureux ensemble.

Maggie ne répond pas. Elle pose un baiser sur l'épaule d'Athanase.

— Dors icitte, avec moé. J'me réveille toujours avant les filles, a s'apercevront de rien.

Maggie se coule sous la couverture. Athanase éteint la bougie. Demain, la campagne électorale commence.

63

Premier jour de septembre, l'âge se pose au dos de l'été. Gel hâtif. Les paroissiens tremblotent sur le perron de l'église. Les bras en l'air comme le cultivateur qui rassemble ses vaches, Pit Loubier les invite à se regrouper devant la porte principale de l'église.

— Pas toé ! lance-t-il vigoureusement à Oram Veilleux.

Oram ne comprend pas mais, habitué aux pitreries de l'autre, il entre dans l'église en haussant les épaules. Une dizaine de personnes se laissent entraîner par Pit autour de Maggie. Intriguées, elles s'attendent à une autre de ses blagues, mais c'est Maggie qui prend l'initiative.

— Mes amis, dit-elle, j'pense qu'on peut pus laisser Josaphat, Calixte pis Oram *ronner* la paroisse comme y l'ont fait. Si ça continue, pus personne voudra vivre dans c'village-là. J'ai une proposition à vous faire.

Déjà surpris de l'intervention de Maggie, les paroissiens tendent l'oreille. D'autres se sont joints au groupe. Quelle proposition ?

— Comme y a pas de candidat sérieux contre Calixte Côté, j'vous propose de devenir maire si vous voulez voter pour moé. Mé ça va vous d'mander un peu d'effort pis pas mal de courage.

Hochant la tête avec dégoût, deux hommes se retirent du groupe et entrent dans l'église. À l'évidence, la proposition de Maggie ne fait pas l'unanimité.

— Et comment on vote pour toé, demande Edgar Lapierre, si t'as pas l'droit d'courir ?

— Tout c'que vous aurez à faire, c'é de l'ver la main quand on vous le d'mandera. Si j'ai plus d'mains que Calixte, y seront ben obligés de m'faire une place.

Regards surpris, incrédulité, le plan de Maggie ne les excite pas. Que penseront les voisins, les parents, les amis de les voir s'afficher ainsi en faveur d'une femme? Voilà une démarche compliquée qui les embête. Séverin Biron, qui assiste à la scène en retrait, revient à la charge.

— Que c'é qu'y aurait de mieux avec toé, la courailleuse?

Des murmures s'élèvent autour de Maggie. L'intervention grossière de Séverin importune plusieurs personnes. Maggie meurt d'envie de le rembarrer, mais elle ne veut pas tomber dans son piège. Même si l'insulte de Séverin l'atteint au cœur. Courailleuse! Cette expression l'horripile. Un mot dégoûtant qui englobe tout ce qu'il y a de mauvais chez une femme. La courailleuse qui porte des robes «écourtichées», qui a les seins trop gros ou qui «se dérange» avec d'autres hommes que le sien. Rien de plus faux. Tout le temps qu'elle a été mariée à Domina ou pendant sa longue cohabitation avec Walter, elle a toujours été fidèle.

Pourra-t-elle un jour effacer cette réputation qui revient sans cesse la hanter? Une réputation que Maggie juge exagérée, fabriquée de toutes pièces et qui repose sur des préjugés. Que lui reproche-t-on au juste? D'être une femme différente des autres? D'être trop souvent sortie du rang? D'avoir un comportement non conformiste?

— Ce qui va changer? M'as vous donner un seul exemple. Edgar Biron a disparu depuis la mort d'son père. Que c'é que Josaphat fait pour le r'trouver? Rien. Absolument rien. Y é caché queque part, prêt à encore attaquer quequ'un, pis que c'é que l'conseil fait, pis Josaphat? Rien. Y vous laissent vivre dans la peur que c'malade-là sorte de sa cachette pis s'en prenne à un d'vous aut'. C'é comme ça qu'vous voulez vivre?

La tirade de Maggie les fait réfléchir. Des femmes l'approuvent de petits coups de tête discrets. Les hommes regardent au loin. Elle a raison, mais ce serait mieux avec un homme.

— Ça fait un boutte d'temps qu'Edgar Biron a disparu. Trouvez-vous ça normal qu'on l'trouve pas ? J'vous pose la question encore une fois. Que c'é qui nous dit que l'beau Josaphat ou quequ'un d'sa gang ont pas décidé de l'cacher dans leu maison jusqu'aux élections ?

Séverin Biron rage, mais n'ose pas récidiver. Il est en minorité. «Si Edgar peut la tuer, la câlice ! »

— J'vous promets en plus que m'en vas aller m'battre à Québec pour qu'on aille d'l'électricité dans les rangs. Pourquoi l'gouvernement tient pas sa promesse ? M'en vas m'battre pour qu'on aille un juge de paix. Pis, si y faut, m'en vas leu parler en anglais, parce que, souvent, c'é la meilleure façon de leu faire comprendre l'bon sens.

Cette intervention de Maggie est saluée par un bourdonnement de murmures et de paroles d'appui, assortis d'une retenue perceptible. Comment solutionner le problème principal ?

— Oui, ben sûr, j'sus une femme, mé les femmes sont pas toutes des codindes. Combien d'vous aut' remplacez vos maris quand y sont partis ? Qui c'é qui fait l'barda pis tout l'nécessaire quand vos maris sont pas là ? Qui c'é qui élève les enfants pis qui s'désâme pour les faire instruire ?

En jouant sur l'amour-propre des femmes, Maggie espère que certaines d'entre elles inciteront leur homme à voter pour elle. Une minorité, elle le sait, car la grande majorité des femmes restent soumises à leur mari, encore davantage quand il s'agit de politique. Combien d'entre elles trouvent parfaitement ridicule que le gouvernement Godbout leur ait accordé le droit de vote ? Combien d'entre elles oseront l'exercer ? Tout ce que Maggie souhaite, c'est que ses projets, sa vision et sa détermination les inspireront en nombre suffisant, et indirectement leur mari, pour lui donner la victoire.

— J'sais ben, continue Maggie, que j'sus pas la candidate idéale. J'ai pas toujours été correcte avec tout l'monde. J'sus pas parfaite pis je l's'rai jamais, mé j'sus pas une courailleuse ni une femme de mauvaise vie. Pis, j'sais que vous êtes tous en accord avec moé pour dire qu'on peut pus laisser des crapules *ronner* la paroisse.

Le bedeau sort sur le perron de l'église et avertit les fidèles que la messe va commencer dans quelques instants. Maggie lance un dernier message.

— Pensez-y ben. Moé, j'vous offre de vous aider. Pour ceux qui s'inquiètent, laissez-moé vous dire que j'sus maintenant propriétaire. J'ai acheté la maison d'ma tante, pis j'ai pas l'intention d'partir d'sitôt.

La déclaration fait bondir le cœur d'Athanase. Est-elle sérieuse ou est-ce simplement une fanfaronnade pour rassurer les paroissiens ? Maggie se retourne, fait un discret clin d'œil à Athanase et entre dans l'église. Elle se rend au banc de Mathilde, son banc.

64

À Cumberland Mills, les protestants n'ont pas vraiment la tête aux élections. Le départ de la famille McKentyre vers Montréal ébranle la communauté, qui n'en finit plus de dépérir. Plus qu'une vingtaine de familles l'habitent encore. Une situation précaire. Les enfants ont l'œil sur les villes dès qu'ils sortent du berceau.

Même le ponceau de bois qui enjambe la rivière Cumberland, sous le couvert de deux gros merisiers, a besoin de réparations. Depuis un an, Cumberland Mills n'a pas eu sa part des travaux municipaux. La route principale est rarement nivelée. Malgré les demandes répétées de quelques protestants, le chemin de la mitaine n'est toujours pas carrossable. Comment convaincre la paroisse d'effectuer les travaux qui s'imposent? Sans conseiller municipal, les protestants sont abandonnés à leur sort. Comme si les catholiques les laissaient mourir à petit feu.

Au lendemain du départ des McKentyre, Robert Wintle barricade la maison, en attendant qu'un acheteur se manifeste. Une jolie maison bien entretenue, ses volets fermés comme deux yeux voilés par la tristesse. Lord Dorchester avait raison, les Anglais ne sont pas faits pour ce pays de misère, pense Robert Wintle.

— Crois-tu que quelqu'un va l'acheter? lui demande Ansel Laweryson en anglais.

— *Don't know.*

À moins qu'un catholique ne soit intéressé, Robert Wintle ne voit pas trop qui pourrait acheter la maison. L'idée de voir arriver un autre catholique à Cumberland Mills ne lui sourit pas. Petit à petit, de nouveaux cultivateurs, comme le fils de Bénoni, rachètent les terres des protestants.

Étranglement lent, la communauté est anémique. Robert Wintle le regrette, impuissant. Comment retenir les plus jeunes ? Avec quelles promesses ? Les terres sont rocailleuses, peu productives. Mis à part le travail en forêt, il n'y a pas d'emplois. Seuls les catholiques y trouvent encore leur compte.

— Veux-tu être candidat pour remplacer Gordon ? demande Ansel à Robert Wintle.

— *No.*

Robert Wintle éclate de rire, d'un rire nerveux qui témoigne du malaise de la communauté à l'endroit du conseil municipal. Un malaise qui frise la colère. Une communauté qui n'a plus d'influence dans la paroisse.

— *Go ahead, Ansel. Nobody wants it.*

Abdication. La réponse de Robert Wintle sent le mépris. Ansel est loin de faire l'unanimité, mais c'est lui ou une chaise vide. Robert Wintle n'a aucune envie de solliciter le poste, vacant depuis la démission de Gordon Wilkins. Il n'a aucune envie de se retrouver avec des conseillers qu'il abhorre, à moins que l'ancien maire ne resurgisse.

— *Is Bénoni coming back ?*

— *No.*

— *Then, it's all yours.*

Demain, Ansel préviendra le secrétaire de la municipalité. Il sera candidat au siège laissé vacant par Gordon Wilkins. Il sera élu sans opposition, mais par la suite, la tâche sera difficile. Comment composer avec Josaphat et les siens ? Il devra se résigner au rôle d'opposition officielle avec Cléophas Turcotte et s'assurer que les décisions touchant Cumberland Mills seront les bonnes, même si les attentes sont très faibles.

Quand il revient à la gare, Maggie est debout devant la porte. Les cheveux roux légèrement soulevés par le vent, ses taches de rousseur pimentées par le soleil, frondeuse, Maggie Miller est d'une exceptionnelle beauté. Ansel en est retourné.

— Que c'é qui t'amène ?

— J'voulais savouère si tu s'ras candidat pour l'poste des protestants au conseil.

— Tu tombes ben, j'viens juste d'en parler avec Robert. Y a personne d'aut' qui en veut.

— *Good*. J'ai besoin d'toé.

Ansel ne demande pas mieux que de rendre service à Maggie qui alimente tous ses rêves et meuble tous ses fantasmes. Mais la stratégie de Maggie ne l'allume pas. Comment convaincre les protestants de se prêter à ce jeu, même s'ils détestent Josaphat et son groupe ?

— Penses-tu que tu peux en convaincre queques-uns d'voter pour moé ? Parce que c'é la seule façon de s'débarrasser des bandits qui *ronnent* le village.

— *I'll try*, dit Ansel sans conviction.

Peu intéressés par les affaires de la paroisse, rarement enclins à pencher du côté de celui qui ne respecte pas la loi, les protestants resteront à la maison, d'autant plus que leur candidat sera élu sans opposition. Et voter à main levée devant l'église des catholiques est un exercice qu'ils ont toujours détesté. Certains d'entre eux l'auraient fait pour Bénoni peut-être, mais pas de gaieté de cœur.

— En tout cas, reprend Ansel pour rassurer Maggie, y vot'ront pas pour Calixte. *But* j'doute qu'la parenté d'Walter vote pour toé. Y a encore ben des protestants qui t'aiment pas.

Maggie regimbe. Que les Taylor ne lui aient pas pardonné sa relation avec Walter, elle peut le comprendre, mais que les autres la boudent encore vingt ans après, voilà qui la dépasse. Pourvu qu'ils ne votent pas pour Calixte ! Au moment de partir, Ansel lui prend le bras.

— *You want a drink ?*

Maggie est embarrassée par la proposition d'Ansel. Comme s'il voulait monnayer le rôle qu'elle veut lui faire jouer. Le rabrouer ? Le moment serait mal choisi. Elle a besoin d'Ansel, dans les prochains jours. Surprise par l'invitation? Non. L'intérêt d'Ansel est trop évident. Mais ce n'est pas réciproque, absolument pas. Athanase occupe toute la place. Un crachin tiède de début d'automne la chasse de la gare. Elle touche la main d'Ansel et s'en va.

— *Thanks, but I have to go.*

65

La veuve Exélia St-Hilaire tremble de tous ses membres. Quand le curé lui ouvre la porte du presbytère, il jette un coup d'œil narquois au-dessus de l'épaule de la paroissienne, convaincu qu'elle se croit poursuivie par un revenant. Encore!

— Mon Dieu, madame St-Hilaire, qu'est-ce qui vous arrive? À cette heure si matinale?

Le soleil rosit le ciel au-dessus du cimetière. Les hirondelles bicolores, rassemblées sur la corde à linge de Joséphine Veilleux, préparent leur migration vers le sud. Exélia, un vieux manteau jeté sur les épaules, des mèches de cheveux ébouriffés s'enfuyant de son chapeau, reprend son souffle. Sans que le curé l'invite, elle se faufile dans le presbytère, en sécurité.

— Y a un voleur qui é rentré dans ma maison c'te nuitte.

Avant le lever du soleil, un intrus s'est introduit dans la maison de la veuve. Un bruit infernal l'a réveillée. Choc de pots cassés, de chaudrons renversés. Une porte durement claquée contre le mur. Quelqu'un descendait l'escalier à toute vitesse. Exélia est sortie de son lit en catastrophe et s'est précipitée à la fenêtre. Elle a soulevé un coin du rideau et a cru voir la silhouette d'un gros homme filant vers la forêt en claudiquant.

— Edgar Biron, laisse aussitôt tomber le curé.

— Oh mon Dieu, pas lui!

Exélia recommence à trembler. Le curé lui offre un verre d'eau.

— Qu'est-ce qu'il a volé?

Le garde-manger d'Exélia, attenant à la cuisine, a été saccagé. Ses tablettes de confitures et de conserves ont été renversées, plusieurs pots, cassés. Les deux pains qu'elle gardait au frais dans une boîte de bois ont été volés. Un sac de farine a été déchiré, des pommes écrasées sur le plancher. Un obus allemand n'aurait pas causé plus de dommages !

— Vous êtes bien sûre, madame St-Hilaire, que vous avez vu quelqu'un qui ressemble à Edgar Biron ?

L'autre hésite un peu, encore traumatisée par cette visite inattendue. Elle n'a vu qu'une silhouette fuyant dans le petit matin. Il lui a semblé que l'homme boitait. Qu'il était gros. A-t-elle reconnu Edgar Biron ?

— Ben, y f'sait encore sombre. J'sus pas sûre à cent pour cent, mé y m'semble qu'y boitait.

Malgré l'identification approximative, le curé n'a aucun doute. Qui d'autre qu'Edgar aurait pu commettre ce vol ? Encore une fois, il n'y a pas de preuves absolues, pas de témoin. Edgar s'est sauvé sans laisser de traces. Habile, rusé, chanceux ? Comment l'accuser ? Encore faudrait-il le retrouver.

Après la basse-messe, le curé avale un bol de gruau et se rend chez Calixte Côté. La nouvelle l'a précédé.

— J'sais pas, m'sieur l'curé. J'ai pas vu Edgar depuis la mort de son père. Wilfrid l'trouve pas, pis sa mère é en train d'mourir d'inquiétude.

Calixte est visiblement secoué. Ce nouvel incident survient au pire moment. Ses accointances avec les frères Biron sont bien connues. La confiance déjà fragile des citoyens de la paroisse à son endroit diminuera d'autant. Si Calixte a été fier de se présenter comme maire, s'il a accepté la proposition de Josaphat sans même y réfléchir, aujourd'hui, il se demande s'il a pris la bonne décision. Peut-il retirer sa candidature ? Est-il trop tard ? De toute façon, Josaphat refusera carrément. À défaut de persuasion, il aura recours aux menaces et au chantage. Calixte lui doit de l'argent...

— Vous ne pensez pas, monsieur Calixte, que vous et monsieur Josaphat avez perdu le contrôle de la situation? Pensez-vous vraiment que vous pouvez diriger la paroisse? En avez-vous seulement l'autorité morale?

L'exaspération s'entend dans le ton de Vidal Demers. Calixte est embêté. L'autorité morale? Qu'est-ce que ça signifie? Ces questions l'ébranlent. Il n'a pas vraiment réfléchi à la tâche qui l'attend. Josaphat l'a choisi pour «être dans les honneurs». Il sait sûrement ce qu'il fait. Compétent? Il ne s'est même pas posé la question.

— J'sais pas, m'sieur l'curé. Vous en doutez?

Vidal Demers n'a aucun doute. Josaphat et Calixte n'ont pas fait les efforts nécessaires pour retrouver Edgar Biron. Comme Bénoni, il en est rendu à se demander si quelqu'un ne le protège pas. Incompétence, complaisance, le curé a la certitude que les dirigeants de la paroisse n'ont pas la volonté de mettre fin à l'escapade d'Edgar. Peut-il l'exprimer aussi clairement?

— Bien des gens en doutent, laisse-t-il tomber laconiquement.

Calixte est déçu. Qu'un adversaire le dénigre, va toujours, mais le curé? Voilà une atteinte pas mal plus sérieuse à son autorité présumée.

— Vous voulez m'faire battre?

— Je n'ai pas dit cela, se dépêche de répondre le prêtre. Je dis seulement que la situation est inquiétante et que vous n'avez pas l'air de prendre cela au sérieux.

— La Grondin? C'é pas ben ben sérieux non plus.

Le curé tourne vivement la tête. L'observation de Calixte l'embarrasse. Étonnés, des paroissiens l'ont vu en grande conversation avec Maggie dans le cimetière. Les rumeurs courent déjà à l'effet que Vidal Demers est de connivence avec elle pour empêcher l'élection de Calixte.

— Je pense que madame Miller, comme d'autres citoyens, a à cœur les intérêts de la paroisse.

— P't-être, mé ç'a l'air qu'a va d'mander au monde de voter pour elle. Avez-vous déjà vu d'quoi d'aussi niaiseux ? J'espère que l'monde vouèrront clair dans son p'tit jeu. On veut-y vraiment d'une femme comme Marguerite Grondin pour *ronner* Saint-Benjamin ?

— Ce serait pire que ce qu'on a eu récemment ? demande le curé, excédé.

Calixte est médusé. Le prêtre défend Marguerite Grondin ! Qui l'aurait cru ? Et si la rumeur s'avérait et que le curé était tombé sous le charme de Maggie ? Pire, « si y s'dérangeait avec elle » ? Il devra parler à Josaphat rapidement.

Convaincu qu'il ne tirera rien de Calixte, le prêtre songe à se rendre chez le secrétaire, mais y renonce. Cet homme lui donne des haut-le-cœur et provoque chez lui un malaise indescriptible. Il appellera lui-même le policier.

66

À la tombée du jour, Exélia barricade sa maison. Rideaux tirés, de grosses chaises appuyées contre les portes, elle l'a transformée en véritable forteresse capable de résister aux assauts d'Edgar. Elle a demandé à ses voisins de laisser un de leurs enfants dormir chez elle. Apeurés, ils ont tous refusé. Rosario Boulet lui a promis d'être attentif au moindre bruit. D'accourir, carabine en main, s'il juge qu'il y a danger. Exélia est à demi rassurée.

— J'mettrais ma main au feu que c'é Edgar, dit Athanase à Maggie. Ç'aurait pu être un enfant, mé à cinq heures du matin, y a personne d'autre qu'Edgar pour faire ça.

Maggie est tout à fait d'accord. Au-delà du vol, elle a une inquiétude plus grande encore.

— Ça veut dire aussi qu'Edgar é pas loin. J'comprends pas qu'y l'trouvent pas. Tôt ou tard, y va r'bondir par icitte.

Athanase est aussi inquiet que Maggie. Il lui recommande de ne plus jamais sortir seule et de toujours garder son fusil à portée de la main.

— J'sais, j'sais. J'ai pas besoin qu'tu m'répètes tout l'temps la même sornette.

Athanase est agacé par la réaction de Maggie. Elle est tendue et il le comprend, mais pourquoi est-ce si difficile d'accepter l'aide et les conseils d'autrui? Pourquoi veut-elle toujours tout décider toute seule? Cette manie de se croire invincible, plus forte que tous les autres.

— En tout cas, déclare Maggie, l'vol dans la maison d'la vieille Exélia va m'aider. D'une façon, c'é très bon pour moé. Plus Edgar va faire des niaiseries, plus l'monde va en avouère peur, pis y vont en vouloir à Josaphat pis Calixte qui sont pas capab' de le r'trouver pis d'le donner à la police.

Si l'analyse de Maggie est juste, les électeurs auront tout un dilemme. Voteront-ils pour elle? Le saccage du garde-manger d'Exélia coûtera-t-il la victoire à Calixte? Athanase n'en est pas convaincu. Un problème majeur n'est toujours pas réglé. Il faudra voter pour une femme, à main levée, et si assez de citoyens votent pour elle, comment s'assurer que le secrétaire respectera le choix des propriétaires? Il est capable de tout pour favoriser ses amis.

— Tu d'vrais exiger que quequ'un d'aut' que l'secrétaire dirige l'vote. Parce que lui, y va juste nommer Calixte pis Colomb. Y va faire comme si t'existais pas. T'as d'mandé à Clovis de t'aider?

— Pas encore, mé t'as une bonne idée, m'en vas d'abord d'mander au curé d'trouver quequ'un pour remplacer Saint-Pierre.

Athanase s'étonne. Le curé? Pour la deuxième fois, Maggie fait allusion à l'aide que le prêtre pourrait lui apporter. Est-ce sérieux?

— Le curé? Ça m'surprendrait ben gros qui veuille s'en mêler! s'exclame Athanase. Y as-tu parlé sérieusement?

— Oui. Très sérieusement. Y en a plein l'dos de c'qui s'passe dans l'village. Y é ben content que j'me présente.

Athanase est abasourdi. Le curé? Maggie est-elle bien certaine de ne pas interpréter en sa faveur quelques paroles sympathiques du curé? Lui a-t-il dit clairement qu'il l'appuyait? Profitera-t-il de son sermon pour recommander aux fidèles de voter pour elle? Athanase n'arrive pas à y croire. Maggie entretient le mystère. Que le curé soit le complice de Maggie, voilà une bonne nouvelle. Si le curé lui fait confiance, Athanase a donc raison de lui faire confiance aussi.

Le lendemain, un nouveau drame s'abat sur Saint-Benjamin. Véritable affolement, on dirait un village abandonné. La rue principale est déserte. Le magasin général n'ouvre pas ses portes. L'école est fermée. Au cours de la nuit, un malfaiteur a saccagé le vieux cimetière. Les nouvelles pierres tombales que Maggie a achetées pour ses parents, pour Mathilde et pour Gaudias ont été renversées et badigeonnées de purin de porc. Seule l'épitaphe de Domina Grondin a été épargnée. La vieille croix de bronze au milieu du cimetière a été arrachée de son socle.

Quand elle apprend la nouvelle, Maggie bouillonne. Qui d'autre qu'Edgar Biron? Le curé ne peut réprimer sa colère. Il se précipite au presbytère pour téléphoner à la police provinciale. Mais il n'est pas au bout de ses peines, le malfrat a laissé des traces partout dans la paroisse. En allant chercher ses vaches, Bénoni en retrouve une, gisant au bord de la rivière Cumberland, un trou béant dans la gorge. Les branches du pommier de Clovis Rodrigue-à-Bi ont été cassées, les pommes piétinées.

À son arrivée, Roméo Labrecque se rend au presbytère et propose au curé d'organiser une battue pour trouver Edgar. Les marguilliers en prendront la responsabilité, le prêtre ne fait pas confiance à Josaphat et aux siens. Par petits groupes, les hommes se disperseront dans le village et fouilleront partout : sous-bois, cabanes abandonnées, granges, remises, tout.

— S'il vous attaque, dit le policier, essayez de le maîtriser. À trois ou quatre, vous devriez y arriver. Mais si ça tourne mal, défendez-vous.

— Et les rangs? demande le curé. Surtout, le rang-à-Philémon où vit Maggie Miller. Il voudra sûrement s'en prendre à elle.

— J'y vais tout de suite, annonce le policier.

Dans le rang-à-Philémon, l'activité est réduite au minimum. Curieusement, aucun acte répréhensible n'y a été commis. Tous s'attendaient au pire en raison de la présence de Maggie. Partie remise? En attendant, l'école est fermée, les cultivateurs ont fait le train du matin, carabine à la portée de la main. Les animaux resteront dans l'étable. Malgré l'invitation du policier, peu d'entre eux sont prêts à s'aventurer dans la forêt. Plutôt qu'une battue, les hommes opteront pour la vigilance. Ils monteront la garde, jour et nuit, jusqu'à l'arrestation d'Edgar. Maggie s'est réfugiée chez Alexandrine. Elle n'a pas réussi à convaincre Pit Loubier, trop effrayé, de l'accompagner au cimetière pour l'aider à réparer les dégâts.

67

Un automne trop hâtif applique de petites touches d'ocre, d'or, de rouge et d'orange sur les feuilles des érables. Papillonnement de couleurs vives. Le rang-à-Philémon et sa flopée d'érablières ressemblent à un tableau de Clarence Gagnon.

La battue n'a rien donné. Les chercheurs sont restés dans les limites de la paroisse. Après le déjeuner, sur le conseil de sa mère, Wilfrid a grimpé jusqu'à la cabane qu'il avait construite avec son frère dans un gros érable. Edgar n'y était plus. Mais des trognons de pommes et quelques morceaux de pain encore frais lui ont fait comprendre que son frère venait tout juste de quitter sa cachette et qu'il ne pouvait pas être très loin. Vaines recherches. À la tombée de la nuit, tous les hommes sont rentrés à la maison. Roméo Labrecque est retourné à Sainte-Germaine.

Pit Loubier ne fait plus un pas sans son vieux fusil, qu'il n'a pas utilisé depuis des lunes. Fonctionne-t-il encore? Y a-t-il une cartouche dans le barillet? Pit ne s'est pas posé ces questions. Le seul fait de l'avoir entre les mains le rassure. Maggie a dormi chez Alexandrine, la maison de Mathilde protégée par le gros chien de Conrad Loubier qui a hurlé toute la nuit au bout de sa chaîne. Après la traite des vaches du matin, Athanase et ses deux filles n'ont pas quitté la maison.

Quand Pit sort de l'étable après le barda de fin d'après-midi, ses yeux se posent sur un homme qui émerge du bosquet derrière l'école. L'inconnu s'avance un peu, gourdin en main. Le regard effarouché, il bat aussitôt en retraite. Pit Loubier croit rêver. Edgar Biron? Il se rapproche sous le couvert des gros érables qui masquent l'école. Est-ce bien lui? Il éteint sa pipe, se cale entre deux arbres. À l'affût, il attend qu'Edgar se découvre. De longues minutes s'écoulent. Pit est engourdi, prêt à renoncer. Le feuillage bouge de nouveau. Il retient son souffle. L'homme se rapproche. Cette fois, Pit en est certain. Il s'agit bien d'Edgar. Le confronter? Pit est réticent. Il a peur. Isolé depuis longtemps, probablement affamé, Edgar est sûrement dangereux. En bordure des arbres, Edgar s'avance un peu, examine les environs, jette un long coup d'œil à la maison de Mathilde Rodrigue. Visiblement, il hésite. Une vache meugle. Il retourne dans la forêt.

Au pas de course, Pit Loubier rentre chez lui. Il saute dans son automobile et s'arrête d'abord chez Alexandrine.

— Barrez vos portes, pis sortez pas, j'viens d'vouère Edgar Biron darrière l'école. Y a un bâton dans les mains, pis y a pas l'air commode. M'en vas charcher son frère, pis leu d'mander d'appeler la police.

— Mosus, Maggie, que c'é qu'on fait? Pis mon mari qui é à l'étable avec les plus vieux.

Alexandrine serre ses plus jeunes enfants contre elle. Tout le corps de Maggie s'arcboute, prêt au combat. Qu'il vienne!

— J'm'en occupe. Emmène les enfants dans cave, pis garde un œil sus la maison d'Athanase, au cas où y aille là.

De retour de l'étable où elle a prévenu le mari d'Alexandrine, le visage rembruni, crispé par la colère, Maggie récupère sa carabine et met une cartouche dans le barillet. Elle s'installe à la fenêtre. À l'évidence, elle a rendez-vous avec Edgar, une dernière fois. Alexandrine se signe. La témérité de Maggie la dépasse.

Au village, Wilfrid Biron ne perd pas une seconde. Il demande à Oram et à Calixte de l'accompagner. Tous les trois filent rapidement vers l'école, suivis de Pit Loubier.

Lorsqu'ils arrivent, Pit leur indique l'endroit où se trouvait Edgar. Les trois hommes s'enfoncent dans la forêt. Autour de l'école, des curieux s'attroupent. Maggie se joint au groupe, sa carabine cachée sous son grand châle. Un mélange de peur et de curiosité s'empare des badauds. Si Edgar déjouait son frère et fonçait sur eux, comme un taureau enragé?

La nuit tombe lentement. Les trois hommes n'ont pas beaucoup de temps devant eux. Pourquoi la police n'arrive-t-elle pas?

— Edgar, c'é moé, Wilfrid. Sors de ta cachette pis viens-t'en à maison.

Calixte, Oram et Wilfrid tendent l'oreille. Pas un bruit. Les dernières giclées de soleil se perdent dans les grands érables.

— Edgar?

Les trois hommes décident de se séparer pour couvrir le plus grand territoire possible. Ils ratissent chaque parcelle de terrain, travail rendu difficile par ces longues fougères qui couvrent le sol. Leurs pas craquent sur les débris de branches. L'ombre avale le contour des arbres. L'usure viendra vite à bout du tissu du jour. Bientôt, ils n'y verront plus rien.

— Wilfrid?

La voix de Calixte jaillit, puissante. Wilfrid et Oram accourent. Edgar est recroquevillé dans une petite touffe de sapins, la tête entre les deux mains, un gourdin à ses côtés. Quand il aperçoit Calixte, Edgar se lève et cherche à fuir, mais l'autre lui barre la route. Wilfrid s'approche rapidement et saisit son frère à bras-le-corps. Les deux tombent à la renverse.

— M'en vas la tuer, m'en vas la tuer…

Il répète ces paroles sans arrêt. Wilfrid l'aide à se relever. Quand Edgar s'empare de son gourdin, il le lui enlève aussitôt.

— Viens, on s'en va à maison.

Edgar les suit, résigné. L'escapade est terminée. Quand ils sortent de la forêt, la pénombre couvre tout. De loin, les curieux distinguent la silhouette des quatre hommes. Maggie recule un peu.

— Y é magané en maudit verrat, dit Pit Loubier.

Cheveux hirsutes, barbe non taillée, vêtements dépenaillés, Edgar boite toujours. Il met son poids sur sa jambe gauche pour protéger la droite. En arrivant près de l'école, Edgar donne un grand coup pour se dégager et foncer dans la maison à la recherche de Maggie. Son frère tend la jambe et il s'écrase de tout son long. Les trois hommes l'aident à se relever, l'immobilisent, puis le retiennent fermement. Wilfrid lui souffle quelques mots à l'oreille. Edgar tourne la tête vers la maison de Mathilde. Il regrette de ne pas avoir vengé son père. Il ne voit pas Maggie, cachée derrière Athanase et Pit Loubier. Elle n'ose pas le provoquer davantage.

Edgar monte dans la voiture de Calixte. Les quatre hommes disparaissent dans le rang-à-Philémon. Soulagement. Va-t-on le livrer à la police ? « Appelez-moi quand vous l'aurez trouvé », a commandé Roméo Labrecque .

En voyant son fils, Lucia Biron éclate en sanglots, un mélange de peine, de soulagement et d'inquiétude. Edgar ressemble de plus en plus à son père, hagard, les yeux figés dans les orbites, des gestes lents et inutiles. A-t-il perdu la carte ? Est-ce temporaire ? Lucia craint le pire.

— Tu vas t'assurer qu'y r'sort pas, ordonne Josaphat Pouliot à Wilfrid. C'é pas l'temps d'faire d'aut' folies.

Wilfrid et Lucia promettent de veiller sur Edgar, de verrouiller les portes à double tour pour s'assurer qu'il ne s'enfuira pas. De dormir sans dormir.

— Tu penses pas qu'y s'rait mieux de l'emmener vouère l'docteur à Saint-Prosper ? J'peux vous conduire demain, propose Calixte.

— Ça s'ra pas nécessaire, répond Wilfrid. Pas maintenant.

Lucia nettoie son fils et lui donne des vêtements propres. Edgar a des rougeurs au genou, mais l'enflure a disparu.

Il claudique encore, mais beaucoup moins qu'au moment des funérailles. Wilfrid fait les cent pas dans la cuisine. Il a pris sa décision.

— Si tu veux nous toter à Québec demain, on va aller s'enrôler dans l'armée.

— Non, non! crie Lucia.

Edgar relève la tête, comme s'il venait de sortir d'un long sommeil, fouillant des yeux son environnement. Dans l'armée? D'accord, pour autant que Wilfrid l'y accompagne.

— Lucia, explique Josaphat, c'é la meilleure solution. La guerre va pas durer longtemps, pis quand y vont r'venir, ça s'ra plus calme à Saint-Benjamin. Pis la Grondin s'ra r'partie. Edgar pass'ra pas son temps à y courir après. J'connais quequ'un à Saint-Georges qui fraye avec le gouvernement. M'en vas l'appeler, y va toute arranger ça.

— Mé y é blessé à son genou! Y l'prendront pas dans l'armée.

— Dans deux semaines, ça paraîtra pus, objecte Josaphat.

Lucia n'est pas d'accord. A-t-elle le choix? S'il reste à Saint-Benjamin, son fils sera cueilli par la police, jugé, condamné et emprisonné comme son père. Dans l'armée, il aura la paix.

— Vous allez faire des bons soldats, bredouille Lucia pour se convaincre que la décision est la seule envisageable.

— Les meilleurs, corrige Josaphat. Pis, j'pense que vous d'vriez partir tout d'suite avant qu'la police arrive. Y a sûrement un finfinaud qui l'a appelée.

Le départ des frères Biron est une bénédiction. À dix jours des élections, Josaphat et les siens sont en position précaire. La découverte d'Edgar apaisera les paroissiens, mais le doute subsistera. De le voir monter dans l'automobile de Calixte les a sûrement convaincus que le candidat à la mairie est de mèche avec des criminels. Même si l'opposition n'est pas très menaçante, Josaphat et Calixte ont besoin de redorer leur image rapidement. Le départ des frères Biron y contribuera.

— M'en vas d'mander au gars à Séverin d'vous conduire.

Lucia aide Wilfrid à remplir deux gros sacs de vêtements. Edgar s'est endormi. Il ronfle comme un vieux chien.

— Tu m'promets de ben t'en occuper, Wilfrid?

— Oui, oui, maman. T'inquiète pas. Y reste encore un peu d'argent dans la canne de fer-blanc d'pépère. Tu d'vrais en avouère pour un boutte d'temps. Après, tu d'manderas à mon onc' Séverin de t'aider.

Son mari décédé, ses deux fils partis, Lucia se retrouvera complètement seule. La prison l'avait séparée de son mari, la guerre lui enlève maintenant ses deux fils.

— Oui, oui, pis même si t'aimes pas écrire, envoye-moé des p'tites lettres juste pour m'dire qu'vous êtes vivants.

Quand ils sont prêts à partir, Lucia leur donne un panier de provisions, pour le trajet. Pain, pommes et petits gâteaux. Elle serre fort Wilfrid dans ses bras. Edgar n'a pas l'air de comprendre ce qui lui arrive.

68

À quatre jours des élections, la confiance de Maggie ne s'est pas émoussée. L'arrestation d'Edgar Biron en route vers Québec l'a soulagée d'un énorme poids. Il devra faire face à plusieurs chefs d'accusation, dont une tentative de meurtre répétée. Son retour à Saint-Benjamin n'est pas pour demain. Son frère et son cousin ont aussi été arrêtés pour complicité.

Maggie respire mieux. Elle n'a plus besoin de toujours surveiller ses arrières et de vivre dans la crainte d'être attaquée, abattue. Elle remise la carabine de son oncle dans le grenier et sort de la maison, en attendant Pit, son «chauffeur et organisateur»!

À Cumberland Mills, Ansel pense avoir convaincu quelques propriétaires de faire confiance au stratagème de Maggie. «*The only way to get rid of Josaphat!*» Dans le rang-à-Philémon, ils seront quelques-uns à voter «contre Josaphat». Au village, Maggie a beaucoup de travail à faire. Elle doit d'abord contrer la rhétorique négative du secrétaire, Saint-Pierre Lamontagne. Il répète à qui veut l'entendre que Maggie n'a pas le droit de vote, donc pas le droit d'être candidate. Candidature bidon! Et pas question de confier la direction du vote à quelqu'un d'autre. «C'est l'affaire du secrétaire, le seul habilité à juger», a-t-il péroré au magasin général.

Maggie ne l'entend pas ainsi. Après la messe, elle exige devant la paroisse au complet que sa candidature soit soumise aux électeurs.

— L'secrétaire d'la paroisse s'é disqualifié, dit-elle sur le perron de l'église. Y mange dans main d'Josaphat Pouliot. On peut pus y faire confiance.

La déclaration de Maggie est bien accueillie. Nombreux sont les paroissiens qui sont mal à l'aise en présence du secrétaire, un personnage ambigu, bizarre, et dont les manières et les habitudes dérangent. Depuis quelques jours, d'étranges rumeurs se sont répandues dans le village à son sujet. Pourquoi ne s'est-il jamais marié? Pourquoi tant de mépris envers les femmes? Et sa collection de nids d'oiseaux ne démontre-t-elle pas que l'homme est «dérangé», pour reprendre l'expression de Sévère-à-Gorlot Veilleux?

— J'vous promets de l'tasser si j'gagne.

Une quarantaine de personnes encerclent Maggie. Depuis l'arrestation des Biron, la peur est tombée et les paroissiens sont beaucoup plus braves. S'ils ne veulent plus de Josaphat et des siens, ils ne sont pas prêts à voter massivement pour Maggie. Mais comme personne d'autre n'a soumis sa candidature, ont-ils le choix?

Quand le secrétaire arrive à l'église, des gens l'apostrophent.

— T'as pas l'droit d'l'empêcher de s'présenter, criaille Pit Loubier. Pour qui tu t'prends, Saint-Pierre Lamontagne?

L'autre l'ignore, mais quand un paroissien s'approche et lui saisit le bras, Saint-Pierre se rebiffe.

— Ne me touchez pas, dit-il sèchement, en défroissant la manche de son veston

Après la messe, plusieurs paroissiens sont médusés, les yeux inquisiteurs. Maggie Miller et le curé se dirigent vers le presbytère, côte à côte. A-t-il donné son appui à Maggie? Sont-ils en train d'élaborer la stratégie qui lui donnera la victoire? Vidal Demers est embarrassé, mais n'ose pas renvoyer Maggie. Il est conscient que cette image forte s'imprégnera dans la tête des paroissiens à quelques jours des élections et que Maggie ne se privera pas de l'utiliser.

— Que puis-je faire pour vous? s'informe-t-il.

— Je me d'mandais si vous pourriez pas intervenir pour les élections, pis...

Le curé l'arrête aussitôt.

— Madame, je n'ai pas le droit de m'en mêler. Mon évêque est catégorique. Et il m'a rappelé que si les femmes ont maintenant le droit de vote dans la province de Québec, elles ne l'ont pas au municipal, sauf à Montréal.

Maggie est frustrée. La réponse du prêtre la surprend. Elle croyait à tort qu'il l'aiderait. Elle a été naïve, l'Église n'en est pas là. Déjà que le clergé a avalé de travers le vote des femmes au provincial, il ne se fera sûrement pas l'apôtre du vote de ces dernières au municipal.

— Vous allez laisser Josaphat pis sa gang *ronner* la paroisse ? Vous allez fermer les yeux pis vous boucher l'nez en espérant que l'tas d'marde disparaisse ?

Le curé est agacé par le propos de Maggie. Sa vulgarité le surprend, le dérange. Il songe à la renvoyer.

— Non, madame, je vais jouer mon rôle et m'occuper de mes paroissiens. Pour commencer, j'ai demandé au marguillier en chef de surveiller le scrutin. Le secrétaire n'est pas d'accord, mais je le lui ai imposé.

Enfin une bonne nouvelle ! Pour y arriver, le curé a dû menacer le secrétaire de déposer une plainte auprès du ministère des Affaires municipales s'il refusait de laisser Clovis Rodrigue-à-Bi superviser le vote. Saint-Pierre n'a pas dit un mot, toisant le jeune curé avec mépris, quittant le presbytère sans refermer la porte.

Voilà un pas important de franchi. Il lui reste maintenant à convaincre Clovis d'outrepasser son rôle d'observateur et de soumettre la candidature de Maggie aux propriétaires.

— Pis si j'gagne ? demande Maggie.

— Madame Miller, n'allez pas trop vite. Jouez votre rôle et moi, je vais prendre mes responsabilités. Si vous le voulez bien, restons-en là.

Comme une amoureuse éconduite, Maggie sort du presbytère. « Prendre mes responsabilités. » Que veut dire le curé exactement ? Sur son chemin, Maggie croise Cléophas Turcotte.

— Vous allez voter pour moé, m'sieur Turcotte ?

Le gros conseiller, les sourcils mouillés de sueur, la dévisage comme si elle était la réincarnation de Lucifer. «Voter pour toé?» En d'autres termes, voter pour une femme? Non. Ni pour elle, ni pour Josaphat, ni pour Colomb Veilleux. La situation est parfaitement ridicule. Et, de connivence avec Bénoni, Cléophas va pousser le ridicule encore plus loin.

— Après Bénoni, on é pas pour tomber encore plus bas qu'on l'était avec Romain Nadeau.

— Si y é si fin, Bénoni, pourquoi y reste assis sus ses fesses comme un gros peureux?

Cléophas rougit de colère. Traiter son ami Bénoni de peureux! Voilà une insulte qu'il ne souffre pas!

— Tu sauras, l'Irlandaise, que Bénoni é pas peureux. Y a servi c'village-là pendant plus d'temps que t'as passé sus la terre. Y a pas d'leçons à r'cevouère de toé.

Maggie ne se laisse pas démonter.

— Si j'comprends ben, on reste assis à la maison à rien faire pendant qu'des imbéciles débâtissent l'village? Pis toé, Cléophas, tout fin seul au conseil contre les trois aut', tu vas faire quoi? Rien, comme d'habitude. Grande gueule pour faire rire l'monde, mé tu fais jamais rien. Mets tes culottes pour une fois dans ta vie, pis décide par toé-même plutôt que d'toujours d'mander la permission à Bénoni.

Cléophas bouillonne. Il veut la rattraper, lui faire ravaler ses paroles, mais Maggie s'éloigne d'un bon pas. Elle n'a plus une seule minute à perdre avec lui.

— Maudite Irlandaise! Tu perds rien pour attendre!

69

La veille des élections, Maggie est convaincue qu'elle obtiendra plus de votes que Calixte Côté. Bien sûr, il y aura un observateur neutre. La présence du marguillier en chef, Clovis Rodrigue-à-Bi, est rassurante. Il a promis à Maggie de soumettre son nom à l'assemblée. Respectera-t-il sa promesse ? Elle a tout lieu de le croire, d'autant plus que Clovis déteste Calixte et Josaphat. Le secrétaire demeure son adversaire le plus redoutable. Il répète depuis le début que les votes accordés à Maggie seront des votes gaspillés, comme le veut la loi. Aux yeux de plusieurs, le nombre de votes obtenus par Maggie servira d'indication. Si elle gagne, ce sera une victoire morale, diront certains. Un grand bout de chemin aura été parcouru, mais Maggie ne s'en contentera pas. Si elle obtient plus de votes que Calixte, elle envahira la maison du secrétaire avec ses commettants et exigera de diriger la paroisse. Demandera-t-elle la démission de Saint-Pierre Lamontagne ? « Comment est-ce que j'pourrais ben travailler avec lui ? » a-t-elle dit à Athanase.

Une lueur bleutée attire Maggie à la fenêtre. En premier, elle pense à un éclair. Pourtant, le temps est trop frais. Elle ouvre la porte, sort sur la galerie et réalise avec colère qu'une botte de foin brûle devant la maison, la botte de foin des perdants, bien ficelée pour durer plus longtemps. Normalement, les gagnants l'allument après la victoire. Calixte et ses collaborateurs sont venus la narguer, tenant donc leur victoire pour acquise. Intimidation ? Moquerie ? Maggie fulmine. « Y vont vouère c'qu'y vont vouère ! »

Assise dans les marches de l'escalier, Maggie laisse brûler la botte de foin. Quelques minutes et tout sera consumé. Dans sa tête, elle repasse le plan de la journée d'élection. Tout est prévu. Faire sortir le vote, encourager les indécis, composer avec la malhonnêteté du secrétaire et les tactiques des Josaphat, Calixte et Oram de ce monde. Demain, elle exigera que le marguillier en chef soit le seul à compter les mains. En tout, cent quatre-vingts propriétaires de biens-fonds sont habilités à voter, dont vingt et un protestants. Une vingtaine de propriétaires sont acquis à Calixte : parents, amis et étrangers qu'il a soudoyés lors de leur passage à Saint-Benjamin. Les autres ? Maggie pense qu'une cinquantaine de propriétaires l'appuieront. Plusieurs citoyens, écœurés par la situation ou craignant des représailles, resteront à la maison.

— Tu veilles à noirceur ?

Maggie relève vivement la tête. Athanase, les mains dans les poches, éteint quelques escarbilles du bout de sa botte.

— J'sus sortie à cause du feu. S'y pensent qu'y vont m'faire peur avec un feu d'paille, y sont ben mieux de r'passer.

— Tu d'vrais être contente, c'é la preuve qu'y ont peur de toé pis qu'y t'prennent au sérieux.

Athanase s'assoit près de Maggie. Elle le trouve timoré, inquiet.

— T'as laissé les filles toutes seules ?

— Non, non, Alexandrine a décidé d'les garder à coucher.

— Que c'é qui va pas ?

Athanase prend son temps avant de répondre. Devrait-il taire la rumeur, attendre au lendemain des élections pour l'annoncer à Maggie ? Mais comme il s'agit de plus que d'une rumeur, aussi bien plonger immédiatement.

— Tout le monde raconte dans l'village qu'on s'dérange ensemble. Y paraît que l'secrétaire nous a vus dans la sucrerie. Ça doit être la fois qu'y charchait ses creusses de niques d'oiseaux ! J'te dis tout d'suite que ça m'fait rien.

Si jamais tu décides qu'tu m'aimes assez pour rester, ça m'gênera pas pantoute de m'montrer partout avec toé.

Maggie se prend le visage à deux mains. La catastrophe! Il est trop tard pour contrecarrer la nouvelle, l'atténuer. Tous ses efforts pour rétablir sa réputation viennent de s'envoler. Maggie Miller, la femme facile qui se donne au premier venu! Qui a débauché un pauvre jeune veuf sans défense! Elle devine déjà les ragots, l'indignation des bien-pensants et le désarroi des électeurs qui étaient prêts à lui faire confiance. Au moins, la candeur d'Athanase la rassure, mais le temps n'est pas aux grands épanchements. Comme si ça ne suffisait pas, une autre rumeur a fait le tour de la paroisse à la vitesse de l'éclair, propagée par Josaphat Turcotte.

— Quoi encore? demande Maggie avec impatience.

— Josaphat raconte au village qu'Ansel a un alambic dans sa cave, pis qu'la bagosse coule à flots, pis qu'y va en donner à toutes les ceuses qui voteront pour toé.

— *Shit!*

Maggie rage. Comment vérifier l'information? Devrait-elle immédiatement aller confronter Ansel? À quoi bon? Trop tard et probablement très proche de la vérité, Ansel est un ivrogne qui boit même au déjeuner, flasque de bagosse et tasse de café côte à côte.

— Moé, dit Athanase, j'ai jamais eu connaissance de rien. J'ai jamais vu une seule bouteille de bagosse. C'é peut-être ben juste des inventions d'Josaphat.

— Peut-être, mé on a pas assez d'temps pour dire que c'é pas vrai.

Coups imprévus, les coups bas des campagnes électorales, portés dans les derniers moments avant le vote, des coups imparables et parfois mortels. Athanase se lève, les deux mains dans les poches.

— Le mal é faite!

Le mal est fait? Dans le cas d'Ansel, l'alambic ne changera rien. Il sera élu sans opposition. Mais c'est toute la stratégie de Maggie qui vacille. Au lit avec Athanase, associée de trop près à Ansel, les électeurs auront des tonnes de raisons de ne pas voter pour elle.

— Maudit Ansel de cul!

— Que c'é qu'tu penses qu'y va arriver demain?

Maggie relève la tête. Le scénario vient de changer. Elle doit sauver l'essentiel, espérer que le profond ressentiment à l'endroit de Calixte, Josaphat et Oram fera oublier les rumeurs à son sujet. Pour le reste, le déroulement du scrutin à main levée et l'annonce des résultats l'inquiètent. Si elle a plus de votes que Calixte, qu'arrivera-t-il ensuite? Comment réagiront les perdants? Accepteront-ils les résultats? Saint-Pierre Lamontagne est capable de tout. Sa haine de Maggie est viscérale. Quel rôle jouera le curé? Peut-elle compter sur lui? Se contentera-t-il de la seule élimination de Calixte et des siens? Comment réagit-il aux rumeurs de liaison entre elle et Athanase? D'ailleurs, Thanase s'est probablement confessé... À la bagosse d'Ansel? Plein de questions auxquelles Maggie n'a pas de réponses.

— J'te répète que si tu gagnes, ton plus gros problème, ça s'ra le creusse de secrétaire. Y faudrait absolument l'encabaner, mé comme c'é lui qui connaît tous les papiers, pis les taxes pis tout l'reste, ça s'ra ben compliqué.

Maggie se mord les lèvres. Elle imagine déjà le sourire narquois de Saint-Pierre Lamontagne si Calixte l'emporte. Le plaisir qu'il aura à la ridiculiser.

— J'y promets un chien d'ma chienne avant d'partir.

Athanase la regarde, étonné. Un voile de tristesse couvre ses yeux.

— T'as décidé d'partir?

— Écoute, Athanase, ça m'a échappé. J'veux pas répondre à c'ta question-là. J't'ai promis une réponse après les élections. Laisse passer la journée de d'main, pis on en r'parlera. J't'ai promis d'être honnête avec toé.

Athanase essaie de lui prendre la main. Elle la retire vivement. Pas ce soir ! Elle ne mord pas à l'hameçon mal appâté. Trop de nouveaux soucis, de nouvelles éraflures ont annihilé ses sens. Elle prend prétexte des premières gouttes de pluie pour lui fausser compagnie.

Athanase rentre chez lui, les mains dans les poches, inquiet. «J'y promets un chien d'ma chienne avant d'partir.» La phrase le torture. A-t-elle déjà pris sa décision et n'ose pas la lui annoncer ? Que peut-il faire de plus pour la retenir ? Il a beaucoup cédé, il a fait des compromis et il a même fermé les yeux sur le mépris de Maggie pour la religion. Il a tout accepté, sauf d'aller vivre à Québec avec elle, la seule option qu'il n'envisagera jamais. Un vent mauvais souffle au loin. Une surprise l'attend sur la galerie. Il y retrouve l'une de ses poules, la tête tranchée. «Creusse de creusse !» Doit-il retourner le dire à Maggie, l'inquiéter davantage ? Non, mais il embrigadera Magella Boily à la première heure demain. Athanase nettoie la galerie, déplume la poule, l'évide, l'enveloppe dans un sac de papier et la dépose au frais dans la cave.

70

Tous les propriétaires de biens-fonds de Saint-Benjamin qui ont droit de vote ont été convoqués devant l'église après le souper, pour donner aux cultivateurs le temps de compléter leurs travaux. La soirée est douce. L'ombre du clocher se profile devant l'église. Le secrétaire a installé une petite table sur laquelle sont entassés quelques documents, un crayon et un calepin pour noter les résultats. Clovis Rodrigue-à-Bi se tient un peu en retrait, en grande discussion avec le bedeau.

Mais les électeurs ne se précipitent pas. Josaphat, Calixte, Oram et leurs partisans sont plantés au pied du perron de l'église. Maggie et Athanase ne s'en inquiètent pas.

— J'leu fais tellement pas confiance, dit Maggie.

Athanase hausse les épaules. Pit vient de lui dire que le coffre arrière de l'automobile de Calixte est bourré de bouteilles de bière Frontenac White Cap et Red Cap Ale.

Maggie grimace. Saouler les électeurs pour s'assurer leur fidélité, n'est-ce pas la vieille tactique tant de fois éprouvée ? Auprès de qui dénoncer ces gens veules qui, la veille, s'indignaient au sujet de l'alambic d'Ansel ? Au secrétaire, responsable des élections ? Peine perdue.

— Y vont tout faire pour gagner.

— Y peuvent quand même pas tricher. Y peuvent l'ver la main rien qu'une fois, pis quand y auront voté, Clovis barrera leu nom de sus la liste. Pis l'curé a d'mandé à tout l'monde de pas tricher.

À la mention du curé, Maggie a une moue de mécontentement. Pendant tout le sermon, il y a trois jours, elle a attendu la phrase, le mot d'appui. Mais Vidal Demers n'a pas franchi les limites de son autorité.

— J'trouve qu'y s'é pas forcé beaucoup, grogne Maggie.

Vidal Demers a profité de son sermon pour demander à ses ouailles de voter selon leur conscience en laissant de côté rancune et préjugés. Un sermon sans mordant, comme si le curé s'en était assez mêlé et ne voulait pas aller plus loin.

Une demi-heure avant la votation, très peu d'électeurs sont arrivés. Maggie s'en inquiète. Qu'est-ce qui les retient? L'alambic d'Ansel? La liaison de Maggie avec Athanase? L'indifférence?

Les partisans de Calixte sont très confiants. Athanase demande à Pit Loubier de ratisser le village à la recherche d'appuis pour Maggie. Des dizaines de propriétaires n'ont pas encore donné signe de vie. Seulement deux protestants sont présents, dont Ansel Laweryson, acquis à Maggie. Les autres viendront-ils? Ansel en doute. Intimidés, désabusés par la situation, ils ont probablement décidé de boycotter le scrutin. Ansel nie vigoureusement exploiter un alambic. Des inventions, jure-t-il. Des «*gimmicks*» d'élections! Un argument facile pour les Josaphat et autres, étant donné le penchant marqué d'Ansel pour la bagosse.

Pit revient avec trois propriétaires du rang 12, au grand soulagement de Maggie. La plupart d'entre eux n'osent pas la regarder dans les yeux.

À six heures, le secrétaire proclame l'ouverture du scrutin. Calixte, Josaphat, Oram et leurs partisans sont fébriles. Maggie, Athanase et Pit pensent qu'ils ont une légère avance, mais comment le savoir exactement? Saint-Pierre Lamontagne se lève, les traits tirés. Clovis Rodrigue-à-Bi se plante derrière lui.

— Voici les résultats des élections tenues dans la paroisse de Saint-Benjamin de Dorchester en ce 10 septembre de l'an 1940.

— Je déclare messieurs Séverin Biron, Josaphat Pouliot, Oram Veilleux et Ansel Laweryson élus sans opposition.

Aucune surprise jusqu'à maintenant, les paroissiens regroupés autour du secrétaire retiennent leur souffle.

— À la mairie, à la suite de la démission du maire sortant de charge, l'élection oppose monsieur Calixte Côté à monsieur Colomb Veilleux.

— Pis Maggie? fait Athanase Lachance spontanément.

— Vous savez très bien, monsieur Lachance, que madame Grondin ne peut pas être candidate.

Un grand brouhaha parcourt l'assemblée.

— Quand l'vote pour Calixte pis Colomb s'ra fini, on va demander aux ceuses qui sont pour Maggie de l'ver la main, dit Clovis Rodrigue-à-Bi.

L'intervention de Clovis surprend l'assemblée. Est-il pistonné par le curé? Le secrétaire roule des yeux impatients. D'un discret coup de tête en direction de Maggie, Clovis lui fait signe de ne pas s'inquiéter. Le secrétaire se lève.

— Tous ceux qui sont en faveur de Calixte Côté, levez votre main et gardez-la bien haute pour que je puisse faire le décompte.

Les partisans de Calixte lèvent leur main spontanément, mais ils ne sont pas nombreux, seulement vingt et un. Maggie et Athanase jubilent. Josaphat balaie l'assemblée des yeux, visiblement très inquiet. Le compte n'y est pas. Même l'emprisonnement des frères Biron n'aura pas réussi à rassurer les paroissiens. Le secrétaire cherche en vain d'autres mains levées. Il se résigne.

— Tous ceux qui sont en faveur de monsieur Colomb Veilleux, levez vos mains.

Une seule main pointe en l'air, celle de Colomb. Un grand fou rire déride l'assemblée, mais rapidement, tous comprennent que ce n'est pas terminé. Tous les yeux se tournent vers Maggie. Doit-on comprendre que la cinquantaine de propriétaires qui n'ont pas voté pour les deux premiers l'appuieront? Clovis s'approche et coupe la parole au secrétaire qui allait proclamer la victoire de Calixte Côté.

— Toutes les ceuses qui sont pour Maggie Miller, l'vez la main.

Hésitations, murmures, la mine des hommes va de l'amusement à l'incrédulité. Le secrétaire branle furieusement la tête. Athanase tient sa main bien haute. Pit Loubier et Lucien Boulet l'imitent aussitôt. D'autres mains s'élèvent, timidement, une à la fois. Les partisans de Maggie ont les yeux rivés au sol comme si l'exercice les humiliait. Clovis fait le décompte : vingt-deux mains, une de plus que Calixte. Maggie est déçue, elle aurait souhaité un résultat plus probant.

— Je déclare Calixte...

Mais Saint-Pierre n'a pas le temps de compléter sa phrase. Cléophas Vachon l'interrompt.

— Tous ceux qui voudraient qu'Bénoni r'vienne, l'vez vot' main.

La confusion est totale. Le secrétaire a un geste de recul. Bénoni ? Où est-il ? Personne ne l'a vu. Entraînés par Cléophas, dix-neuf propriétaires lèvent la main. Saint-Pierre Lamontagne et Clovis Rodrigue-à-Bi ne savent plus où donner de la tête.

— Monsieur Bolduc n'a pas présenté sa candidature et madame Grondin ne peut pas être maire.

Josaphat bondit. Il se penche aussitôt à l'oreille de Calixte.

— T'as gagné, c'é toé qui é maire.

— Pantoute ! hurle Pit Loubier, tout près. Maggie en a vingt-deux. Vous allez d'vouère nous passer sus l'dos pour rentrer au conseil !

Le secrétaire reprend la parole.

— La loi est claire, les vingt-deux votes de madame Grondin sont irrecevables, tout comme les dix-neuf de monsieur Bolduc. C'est la loi, je n'y peux rien. Madame Grondin n'a pas le droit de siéger au conseil de Saint-Benjamin. Je déclare donc monsieur Calixte Côté maire de la paroisse.

— Aille, pas si vite, l'frais chié!

La voix de Pit Loubier tonne de nouveau. Le secrétaire le regarde avec mépris. Craignant l'affrontement, il offre un compromis.

— Si ça peut vous rassurer, demain, je demanderai un avis au ministre des Affaires municipales, monsieur Oscar Drouin, mais je connais d'avance sa réponse.

— C'é pas au ministre à décider, c'é au monde de Saint-Benjamin, pis l'monde a décidé qu'c'était Maggie.

Le secrétaire ne se laisse pas intimider par Pit Loubier.

— La loi, c'est la loi et je ne fais que l'appliquer. Madame Grondin n'a pas le droit de siéger. Elle ne pourrait pas signer les chèques ni les documents importants. Je n'y peux rien. C'est la loi, à moins que le ministre me donne un avis contraire.

Cela étant dit, le secrétaire fait demi-tour et retourne chez lui. Maggie est encore sous le choc. Pourquoi Bénoni a-t-il agi ainsi? Est-ce sa décision ou une initiative de Cléophas? Pourquoi ne pas avoir été candidat s'il désirait reprendre son poste? Pourquoi s'est-il associé à pareille mascarade? Toute l'opération électorale devient une immense blague. Le processus a été vicié et n'a plus aucune crédibilité. Maggie ne peut pas croire que Bénoni ait décidé de jouer son jeu, de lui emprunter sa stratégie pour lui couper l'herbe sous le pied. Pourquoi? Que veut-il prouver au juste? «Y a personne dans c'village qui est capable d'être maire», lui avait-il dit lorsqu'elle l'avait apostrophé dans le champ. Athanase s'approche d'elle.

— Bénoni é v'nu m'vouère pour que j'soueille candidat, y a trois semaines. Y était même prêt à m'payer une servante pour s'occuper d'ma maison. J'ai r'fusé, pis j'l'ai insulté ben raide. C'é clair que tout c'qu'y voulait, c'était d'trouver un niaiseux pour être maire en attendant qu'y r'vienne. Ça aide à comprendre c'qui vient de s'passer.

— Pourquoi tu m'en as pas parlé?

— Parce que l'important, c'était d'y dire non en pensant qu'y f'rait rien d'aut'. J'avais décidé d'attendre après les élections pour t'en parler. J'voulais pas t'embêter encore plus.

Après sa rencontre avec Maggie à la sortie du presbytère, Cléophas est allé voir l'ancien maire et lui a proposé de convaincre une bonne vingtaine de paroissiens de l'appuyer pour bien montrer le peu de sérieux de la stratégie de Maggie Miller. Bénoni s'est empressé d'accepter pour éviter l'impensable, une victoire de Maggie Miller.

— Tout ça é parfaitement ridicule. La paroisse va se r'trouver sans dirigeants, pis même si les Biron ont disparu, on va être dans une situation encore pire qu'aujourd'hui, mé tant qu'à être ridicule, pourquoi pas ?

Lentement, les gens quittent la cour de l'église, encore remués par les derniers rebondissements. Calixte Côté peut-il être maire alors qu'il n'a reçu que vingt et un votes ? Il n'a aucune légitimité. Maggie peut-elle diriger la paroisse ?

— Une chose é ben certaine, dit Athanase, Calixte peut pas être maire, pas plus que toé.

Maggie marche de long en large, comme le coq embarré dans le poulailler.

— T'as ben raison.

Elle tourne sur ses talons et va cogner à la porte de Saint-Pierre Lamontagne. Après de longues minutes d'attente, il lui ouvre, bourru.

— Vous ?

— Oui, moé, pour vous dire que j'veux convoquer l'conseil dès la semaine prochaine.

Y a déjà une réunion de prévue, jeudi prochain.

Saint-Pierre referme la porte brutalement.

71

Saint-Pierre Lamontagne est assis au bout de la grande table, lunettes sur le nez, le visage indéchiffrable. Quand Maggie arrive avec Ansel, Athanase et Pit, il ne lève même pas les yeux. Il sera tout aussi distant envers Josaphat, Calixte et Oram. Seul Cléophas Turcotte réussira à lui tirer un mot.

— M'sieur l'secrétaire va bien? demande-t-il, le ton pincé pour se moquer de lui.

— L'heure n'est pas aux plaisanteries, monsieur Turcotte.

Effrontée, Maggie s'assoit à la table, forçant Calixte à chercher une chaise dans la cuisine du secrétaire.

— À l'ordre, dit Saint-Pierre Lamontagne. J'ai reçu une lettre enregistrée du ministre des Affaires municipales de la province de Québec que j'aimerais vous lire avant de commencer.

Tous se regardent, perplexes. Une lettre du ministre? Pourquoi? Habituellement, ce genre de lettre félicite les gagnants des élections. Qui le ministre félicite-t-il? Calixte ou Maggie? D'une voix grise, Saint-Pierre lit le texte en prononçant bien tous les mots.

Province de Québec, le 12 septembre 1940
Monsieur le secrétaire de la municipalité
de Saint-Benjamin
Comté de Dorchester
Monsieur Lamontagne,

J'ai pris connaissance du résultat des élections de votre municipalité, un résultat qui inquiète beaucoup mon ministère. Qu'autant de citoyens n'aient pas voté et que des candidats improvisés aient faussé le déroulement du scrutin nous amènent à prendre une décision dramatique. Le résultat de l'élection est annulé. Les élus ne pourront pas siéger au conseil de la paroisse. À la suggestion de votre curé, l'abbé Vidal Demers, je place Saint-Benjamin en tutelle. Un fonctionnaire de mon ministère se rendra chez vous incessamment et s'occupera de l'essentiel avec la collaboration du secrétaire municipal. Dès qu'il le jugera à propos, le fonctionnaire recommandera de nommer un maire et des conseillers par intérim en attendant de tenir de nouvelles élections. Mon ministère devra approuver chacune des nominations intérimaires. En tant que ministre des Affaires municipales, je reconnais que mon gouvernement n'a pas été diligent en n'intervenant pas assez rapidement pour nommer un juge de paix. Je promets qu'aucun effort ne sera ménagé pour faire en sorte que votre belle paroisse retrouve sa quiétude le plus rapidement possible.

Votre tout dévoué
Oscar Drouin, ministre des Affaires municipales
Fait à Québec en ce 12 septembre 1940

Le silence n'est rompu que par la champlure qui dégoutte. La lecture de la lettre du ministre a estomaqué tous les intervenants. Maggie se tient la tête à deux mains. Pourquoi le curé a-t-il agi de la sorte? Elle ne peut le croire. Hypocrite! «Je vais prendre mes responsabilités», lui avait-il dit.

— Ça veut dire quoi au juste? demande Calixte.

Étonné par la question, le secrétaire le regarde au-dessus de ses lunettes. «Pourtant, la lettre est claire, comment peut-il ne pas comprendre?»

— Ça veut dire que l'élection est annulée. Les résultats ne comptent pas. Vous n'êtes plus membres du conseil. Jusqu'à nouvel ordre, la paroisse sera dirigée par un fonctionnaire de Québec. La réunion est terminée.

— Maudit verrat, c'é quoi ces folies-là ? gronde Pit Loubier.

— La réunion est terminée, monsieur. Je vous prierais tous de sortir de ma maison.

Voilà qui est clair. Josaphat fulmine et lance des œillades rageuses à Maggie Miller. À n'en pas douter, elle est à l'origine de ce fiasco. L'envie d'en découdre avec elle, de lui tirer les cheveux, de la rouler dans la boue, le démange. Seule la présence d'Ansel, d'Athanase et de Pit l'en empêche. Il quitte bruyamment la maison du secrétaire, suivi de ses deux faire-valoir.

— On fait quoi ? lâche Ansel.

Maggie se lève, sort de la maison et file tout droit au presbytère. À l'évidence, Bénoni Bolduc et le curé se sont ligués contre elle pour contrecarrer sa stratégie. Bréviaire sous le bras, le curé l'attend. Avant que Maggie n'ouvre la bouche, il lui fait signe de la main.

— Ne dites rien que vous pourriez regretter, je vous ai avertie que je prendrais mes responsabilités, je l'ai fait. Pour être très honnête, je souhaitais vivement que les paroissiens votent massivement pour vous. La tâche aurait été plus facile, un compromis aurait pu être trouvé qui vous aurait permis de jouer un rôle important. Et croyez-moi, madame Miller, je le souhaitais très sincèrement. Mais à cause du résultat trop serré, de l'abstention de tant de paroissiens, de la décision incompréhensible de l'ancien maire et de l'opposition féroce de mon évêque, je n'avais aucune chance de convaincre qui que ce soit. J'ai demandé au ministère d'intervenir pour éviter que le chaos s'installe dans la paroisse. En tant que maire illégal, vous auriez suscité la haine de trop nombreux paroissiens. Ç'aurait été invivable pour vous et tous les autres. J'ai pensé au bien-être de l'ensemble de mes paroissiens. Mais tout n'est pas perdu, vous avez quand même remporté une grande victoire.

Un mélange d'incrédulité et d'amertume dans les yeux, Maggie regarde le prêtre durement. Quelle grande victoire ?

— Votre victoire, madame Miller, c'est d'avoir écarté Josaphat, Calixte et Oram. Vous avez rendu un très grand service à vos concitoyens et c'est autrement plus précieux que les vingt-deux votes que vous avez obtenus. Le message est clair, la très grande majorité ne veut plus les voir diriger la paroisse. La mauvaise nouvelle, par contre, c'est qu'on vous écarte aussi et je le regrette, mais au ministère, on m'a dit que les femmes pourront voter et se faire élire au municipal dès l'an prochain. Si vous persévérez, qui sait?

La longue tirade de Vidal Demers calme Maggie, mais pas complètement. Le curé est sincère. Ses yeux fixés sur elle pendant tout son boniment et le ton de sa voix ne trompent pas.

— J'espère que vous avez raison. Pour l'reste, j'verrai.

— Allez, vous êtes une femme courageuse.

Bouleversée, Maggie quitte le presbytère et rejoint Athanase et Pit. Pas une parole n'est échangée sur le chemin du retour. En la laissant descendre de son automobile, Pit se tourne vers elle.

— Tu vas r'partir demain?

Athanase retient son souffle. Maggie ne répond pas.

— J'passerai à maison demain, dit-elle à Athanase en descendant de la voiture de Pit, on va s'parler.

Elle lui fait aussitôt faux bond et se rend chez Alexandrine qui n'est pas étonnée de la décision du gouvernement.

— Déçue?

Maggie hausse les épaules. Devait-elle s'attendre à un autre résultat? Sa stratégie a contribué à créer de la confusion, mais au moins elle aura permis d'éliminer une clique de dirigeants véreux.

— Pis là, tu fais quoi? demande Alexandrine.

Maggie met du temps avant de répondre.

— J'ai pas eu mes maladies d'femme. Ça fait deux mois. Tu penses que j'sus trop vieille pour avouère un enfant?

72

Au bureau du ministre des Affaires municipales, Germain Laplante, le tuteur de Saint-Benjamin, est penché sur sa table de travail, écrivant d'une main agile une lettre au nom du ministre.

Québec, le 18 septembre 1940
Monsieur Bénoni Bolduc
Saint-Benjamin
Comté de Dorchester
Cher monsieur Bolduc,

Vous le savez maintenant, j'ai été contraint, bien à regret, de mettre la municipalité de Saint-Benjamin en tutelle. Mon collaborateur, Germain Laplante, assurera la direction des affaires courantes pour une période que je souhaite assez courte. Malgré nos différends politiques, j'aimerais, monsieur Bolduc, que vous considériez l'idée d'assurer l'intérim, une fois le tuteur parti. Intérim qui durerait jusqu'aux prochaines élections dont je fixerai la date en consultation avec vous. Si vous désirez soumettre votre candidature à la mairie lors de ces élections, vous m'en verrez ravi. Le résultat des dernières élections démontre que vos concitoyens vous font encore confiance. Je suis certain qu'on pourrait travailler ensemble malgré nos « petits » différends politiques.

J'attends de vos nouvelles. Veuillez accepter mes salutations les plus cordiales. Votre tout dévoué.

Oscar Drouin
Ministre des Affaires municipales de la province de Québec

73

Quand Maggie cogne à la porte tard en soirée, le cœur d'Athanase s'arrête de battre. Il l'attend depuis une heure. Il sait qu'elle viendra une fois les filles endormies. Quand il lui ouvre, Maggie a les yeux rougis d'avoir pleuré. Il craint le pire. Elle se jette dans ses bras, encore secouée par les sanglots. Quand, finalement, elle se détache de lui, Maggie regarde Athanase droit dans les yeux.

— J'ai pas eu mes maladies d'femme depuis deux mois.

Athanase cesse de respirer, bouleversé. Soudain, tout va trop vite. Trop d'images se bousculent, trop d'idées contradictoires. Le premier enfant de Maggie mort dans son sein, le fils dont il rêve, l'âge de Maggie, son retour à Québec.

— J'aurais envie de t'dire ben des affaires, tu sais sûrement c'qui m'passe par la tête. J'me sus promis d'jamais essayer de t'changer, t'convaincre si j'peux, mé pas t'changer. J'te dirai juste que j'ai jamais aimé une femme comme toé. Jamais… J't'aime, Maggie.

Dehors le vent souffle dans les peupliers. Un vent d'automne aux odeurs de neige. «Mes oignons ont mis trois gros manteaux d'hiver», dira Fédora-à-Poléon. Bientôt, les longs mois d'enneigement. L'isolement au bout du rang-à-Philémon, ce lien ténu avec le reste du monde. Le grand silence de l'hiver, la vie assourdie par la neige. De l'étable à la maison, une vie à la chandelle autour du poêle? Loin des autobus, des tramways, des cinémas? Loin de la guerre… La vie paisible, les silences ouatés de l'hiver. Les voisins, les enfants. Et le borlo du dimanche, la messe, le bon Dieu?

Marie-Louise Cloutier (La Cloutier) et Achille Grondin (Le Matou sur la côte), son deuxième mari, ont été pendus à la prison de Bordeaux à Montréal le 23 février 1940. Ils avaient été reconnus coupables du meurtre par empoisonnement de Vilmont «Dim» Brochu, le premier mari de Marie-Louise Cloutier à Saint-Méthode d'Adstock, en Beauce, le 16 août 1937.

Dix jours après la mort de Brochu, Achille Grondin avait emménagé chez Marie-Louise Cloutier. Deux mois plus tard, ils se mariaient. D'où les soupçons et l'exhumation du corps de Brochu dans lequel on trouva de l'arsenic.

Leur procès a été le plus spectaculaire de l'histoire de la Beauce. Pendant six semaines, les grands journaux du Québec ont publié in extenso le compte rendu des interrogatoires. Trois des plus célèbres avocats du Québec s'affrontaient devant le juge Noël Belleau. Maître Rosaire Beaudoin, un Beauceron, pour la défense et maîtres Noël Dorion et Antoine Lacourcière de Québec pour la Couronne.

En tout, quatre-vingt-six témoins entendus et quarante-neuf exhibits déposés en preuve dont la carte mortuaire de la victime, du vert de Paris, de l'arséniate de plomb et des lettres intimes.

Procès spectaculaire, ponctué d'objections et d'ajournements. Avant de conclure leurs délibérations, les jurés demandent et obtiennent la permission d'aller faire une prière à l'église de Saint-Joseph. Marie-Louise Cloutier est reconnue coupable par le jury après une heure de délibérations. Les appels de Marie-Louise Cloutier et d'Achille Grondin sont déboutés par les tribunaux supérieurs et, à la fin, Marie-Louise Cloutier refuse l'appel en grâce auquel elle a droit.

Glossaire

Barda : Traite des vaches le matin ou le soir.

Borlo : Nom donné à la carriole des pauvres.

Cabarlonne : Prononciation française de «Cumberland».

Champlure : Chantepleure.

Jâvelle : Abri des chevaux en forêt, le plus souvent près d'une cabane à sucre.

Maquereaux : Nom donné jadis aux coureurs de jupons.

Robétaille : Voiture aux roues de fer, attelée à un cheval, dont le siège était capitonné en cuir.

Remerciements

Anne Michaud, Michelle Tisseyre, Jean-Louis Lessard et Jean Boisjoli pour vos observations pertinentes

Andrée Roy du Comité culturel et patrimonial de Beauceville pour votre aide précieuse

Lectures inspirantes...

LA BEAUCE ET LES BEAUCERONS. PORTRAITS D'UNE RÉGION *1737-1987*, Société du patrimoine des Beaucerons (1998)

«LE SYNDROME DE LA FEMME FATALE : MATRICIDE ET REPRÉSENTATION FÉMININE AU QUÉBEC, 1898-1940». Joanne Bernier et André Cellard, *Criminologie*, vol. 29, n° 2, 1996, p. 29-48. Les Presses de l'Université de Montréal, 1996.

L'Action catholique, Le Soleil, La Patrie et *l'Éclaireur-Progrès*

Pour me contacter :
dlessard1947@yahoo.ca

AUX ÉDITIONS PIERRE TISSEYRE